대표 문장 암기표

여러 가지 버전의 mp3 파일을 들으며 완벽하게 외워보자!

LESSON 01 동사의 시제

P 001 현재완료의 용법 (경험, 완료)	**I have *just* heard the news.**	나는 방금 그 소식을 들었다.
P 002 현재완료의 용법 (계속, 결과)	**He has gone to Paris.**	그는 파리에 가버렸다.
P 003 현재완료의 부정문과 의문문	**Have you ever been to the aquarium?**	너는 수족관에 가 본 적이 있니?
P 004 과거시제 vs. 현재완료	**I have lived in Seoul for five years.**	나는 5년간 서울에 살아왔다.
P 005 과거완료의 개념	**She had just finished her dinner when I got home.**	내가 집에 왔을 때 그녀는 저녁 식사를 막 끝마친 뒤였다.
P 006 완료진행형 (현재완료, 과거완료)	**It has been raining since yesterday.**	어제부터 비가 내리고 있다.
P 007 미래를 나타내는 현재시제와 현재진행형	**Our flight leaves at 5 p.m. tomorrow.**	우리가 탈 비행기는 내일 오후 5시에 출발할 것이다.
P 008 미래완료, 미래완료진행형	**I will have finished my work by this Saturday.**	나는 이번 주 토요일까지는 일을 끝낼 것이다.

LESSON 02 조동사

P 009 can, could	**Even the wisest man can make** [illegible]	[illegible] 사람이라도 실수할 수 있다.
P 010 may, might	**May I see your passport?**	[illegible]까요?
P 011 must	**We must wear school uniform**[illegible]	[illegible].
P 012 should, ought to	**You ought to[should] follow your pa**[illegible]	[illegible]야 한다.
P 013 had better, would rather	**I would rather stay at home.**	[illegible]
P 014 used to, would	**I would often go to the park.**	나는 종종 그 공원에 가곤 했다.
P 015 may well, may as well	**You may[might] as well come back home.**	너는 집으로 돌아오는 편이 좋겠다.
P 016 must have p.p./can't have p.p.	**You must have dialed the wrong number.**	당신은 전화를 잘못 걸었음에 틀림없다.
P 017 should have p.p.	**I should have paid more attention to my children.**	나는 아이들에게 더 많은 관심을 가졌어야 했다.
P 018 may have p.p.	**She may[might] have met you before.**	그녀는 전에 너를 만났었을지도 모른다.

LESSON 03 수동태

P 019 수동태의 개념과 형태	**This place is visited by many tourists.**	이 장소는 많은 관광객들에 의해 방문된다.
P 020 수동태의 시제 I (과거, 현재, 미래)	**She will be invited to the party.**	그녀는 파티에 초대될 것이다.
P 021 수동태의 시제 II (완료, 진행형)	**The copy machine is being repaired.**	복사기가 수리되고 있다.
P 022 4형식 문장의 수동태	**This dictionary was bought *for* me by my father.**	아버지는 이 사전을 내게 사주셨다.
P 023 5형식 문장의 수동태 I	**He was advised *to* take a rest by the doctor.**	그는 의사에 의해 휴식을 취하라고 조언을 들었다.
P 024 5형식 문장의 수동태 II (사역동사, 지각동사)	**I was made to clean by my mother.**	나의 엄마는 내가 청소하도록 했다.
P 025 by 이외의 전치사를 쓰는 수동태	**The train for Busan was crowded with many students.**	부산행 열차가 많은 학생들로 붐비었다.
P 026 조동사의 수동태	**The beautiful view can be seen from the room.**	아름다운 풍경을 그 방에서 볼 수 있다.
P 027 동사구의 수동태	**The baby is taken care of by my sister.**	그 아기는 내 여동생에 의해 돌봐진다.
P 028 that절을 목적어로 하는 문장의 수동태	**This house is said to be the most expensive.**	이 집이 가장 비싸다고 말해진다.

LESSON 04 to부정사

P 029 명사적 용법 (주어, 목적어, 보어)	**I decided to make a speech.**	나는 연설을 하기로 결정했다.
P 030 명사적 용법 (가주어, 가목적어)	**I found it hard to keep a diary every day.**	나는 매일 일기를 쓰는 것이 어렵다는 것을 알았다.

P 031 형용사적 용법 (명사 수식)	I chose a bed to lie on.	나는 누울 침대를 골랐다.
P 032 형용사적 용법 (be to 용법)	You are to answer this question.	너는 이 질문에 답해야 한다.
P 033 부사적 용법	You were foolish to do such a thing.	그런 일을 하다니 너는 어리석었다.
P 034 to부정사의 의미상의 주어	It is dangerous *for* you to swim in the river.	네가 강에서 수영하는 것은 위험하다.
P 035 to부정사의 부정, 진행	I try not to eat too much.	나는 과식하지 않으려고 노력한다.
P 036 to부정사의 시제, 태	They seem to have misunderstood each other.	그들은 서로를 오해했던 것처럼 보인다.
P 037 목적보어로 쓰이는 to부정사	I *told* him to bring his book.	나는 그에게 그의 책을 가져오라고 말했다.
P 038 목적보어로 쓰이는 원형부정사 (사역동사)	The movie *made* me feel sleepy.	그 영화는 내게 졸음이 오게 했다.
P 039 목적보어로 쓰이는 원형부정사 (지각동사)	I *heard* a baby cry in the room.	나는 방에서 아기가 우는 소리를 들었다.
P 040 독립부정사	To tell the truth, I've never traveled abroad.	사실대로 말하면, 나는 해외를 여행해 본 적이 없다.

LESSON 05 동명사

P 041 동명사의 역할 (주어, 목적어, 보어)	Brushing your teeth after meals is a good habit.	식사 후에 이를 닦는 것은 좋은 습관이다.
P 042 동명사의 의미상의 주어	Would you mind *my* closing the window?	제가 창문을 닫아도 될까요?
P 043 동명사의 부정, 수동태	Not eating breakfast is not good for your health.	아침을 먹지 않는 것은 당신의 건강에 좋지 않다.
P 044 동명사 목적어 vs. to부정사 목적어	The baby *kept* crying in the room all day long.	그 아기는 방에서 하루 종일 울고 있었다.
P 045 동명사와 to부정사를 목적어로 취하는 동사	He *regretted* speaking so rudely.	그는 매우 무례하게 말한 것을 후회했다.
P 046 동명사의 관용 표현	It's no use apologizing for your fault.	네 잘못에 대해 사과해도 소용없다.

LESSON 06 분사구문

P 047 분사구문 만드는 법	Having no car, I have to go to work by subway.	차가 없기 때문에 나는 전철로 직장에 가야 한다.
P 048 분사구문의 의미(때, 이유)	Getting up late, I missed the bus.	늦게 일어났기 때문에 나는 버스를 놓쳤다.
P 049 분사구문의 의미(조건, 양보)	Turning right, you can see the building.	오른쪽으로 돌면 너는 그 건물을 볼 수 있다.
P 050 분사구문의 의미(동시동작, 연속동작)	Smiling brightly, she ran towards me.	밝게 미소 지으면서 그녀는 나를 향해 달려왔다.
P 051 분사구문의 부정, 수동	Not knowing what to do, he asked for help.	무엇을 해야 할지 몰라서 그는 도움을 요청했다.
P 052 완료 분사구문	Having met her before, I knew her name.	전에 그녀를 만난 적이 있기 때문에 나는 그녀의 이름을 알았다.
P 053 Being 또는 Having been의 생략	(Being) Surprised at the news, she cried.	그 소식에 놀라서 그녀는 울었다.
P 054 독립분사구문	The weather being fine, I'll go on a picnic.	날씨가 좋다면 나는 소풍을 갈 것이다.
P 055 관용적으로 쓰이는 분사구문	Frankly speaking, I don't believe you.	솔직히 말해서, 난 너를 믿지 않는다.
P 056 with+(대)명사+분사	He sat on the chair with his legs crossed.	그는 다리를 꼬고 의자에 앉았다.

LESSON 07 관계사

P 057 주격 관계대명사	I like the girl who has long hair.	나는 긴 머리를 가진 소녀를 좋아한다.
P 058 소유격 관계대명사	I know a man whose name is Tom.	나는 Tom이라는 이름의 남자를 안다.
P 059 목적격 관계대명사	I have a son whom I love.	나는 내가 사랑하는 아들이 있다.
P 060 주로 관계대명사 that을 쓰는 경우	This is *the most* interesting movie that I've ever seen.	이것은 내가 본 가장 흥미로운 영화이다.

숨마 주니어®

119 개 대표 문장으로 끝내는

중학 영문법 MANUAL 119

중학3학년 영어 교과서 **핵심 문법** 119개 30일 **완성!!**

총 2,000여 개 문항 3단계 반복 학습으로 **기초 탄탄! 내신 만점!**

3

이룸이앤비
Education&Books

COMMENT

집필진과 검토진 쌤들의 추천 코멘트!!

정지윤 쌤(언남중)

문법이 어렵다는 편견은 이제 그만! 시험에 자주 출제되는 문법 항목별로 개념 설명이 잘 되어 있고, 같은 페이지에 바로 확인 문제들이 있어서 문법 개념을 확실하게 다질 수 있는 좋은 교재입니다. 문법을 어려워하는 학생들도 차근차근 풀어나가다 보면 자신감이 생기고 문법 실력을 쑥쑥 쌓을 수 있는 교재랍니다.

김하경 쌤(당곡중)

학교 시험에서 중요하게 다루는 문법 항목이 일목요연하게 정리되어 있네요. 특히 문법 개념을 익힌 후 학교 시험과 유사한 문제 풀이로 내신을 탄탄하게 대비할 수 있게 되어 있어 좋습니다. 중학 문법! 중학 영문법 매뉴얼 119로 시작해보세요!

김지영 쌤(상경중)

중학 영문법 매뉴얼 119는 각 학년별로 반드시 알아야 할 영문법을 일목요연하게 정리한 교재입니다. 특히 대표 문장을 제시함으로써, 핵심 문법을 문장 단위로 암기할 수 있도록 하였습니다. 중학 영문법 매뉴얼 119라는 제목처럼 이 교재가 여러분이 급할 때 가장 먼저 찾을 수 있는 교재가 되길 바랍니다.

홍숙한 쌤(서울대학교 사범대학 부설여자중)

교과서 분석을 통해 엄선된 핵심 중학 문법 항목을 깔끔하게 정리하여 누구라도 쉽게 이해할 수 있게 했습니다. 또한 내신과 영어 기반 다지기라는 두 마리 토끼를 잡을 수 있도록 구성했습니다. 쉽고 다양한 문제를 내신 적중 실전 문제와 연결하여 단계적인 학습이 가능하게 하였습니다. 이는 학생들의 영어 체력을 확실하게 높여줄 것입니다.

윤소미 원장(안산 이엘어학원)

각 학년별로 반드시 알아야 할 문법 포인트가 자세히 나누어져 있으며, 하위 카테고리는 어느 것 하나 지나칠 수 없는 알짜 내용으로 구성되어 있습니다. 자칫 지루하게 느껴질 수도 있을 개념 설명에 흥미로운 예문을 곁들였습니다.

윤승희 쌤(필탑학원)

문법 개념 학습 후 베이직 문제, 응용 문제, 마무리 10분 테스트로 이어지는 이 책의 구성은 문법 학습의 첫 시작부터 완벽한 마무리까지 체계적으로 이끌어 줍니다. 책 명칭처럼 이 책은 문법을 어려워하는 학생들에게 119같은 역할이 될 것입니다.

HOW TO STUDY

중학 영문법 매뉴얼 119!

1 **대표 문장은 꼭 암기합니다.**

Point 상단에 제시된 대표 문장은 해당 문법 항목에서 다루는 내용이 가장 잘 드러나는 문장이므로, 학습 후 암기하는 것이 문법 항목을 이해하는 데 도움이 됩니다. 또한 문장의 실용성이 높아 실생활에서도 활용 가능합니다. 따라서 별도로 제공되는 여러 가지 버전의 mp3 파일을 수시로 들으며 대표 문장을 암기하도록 합니다.

2 **틀린 문제는 반드시 확인하고, 부족한 개념은 다시 공부합니다.**

틀린 문제를 확인하는 것은 새로운 개념을 공부하는 것보다 더 중요하므로, 문제를 왜 틀렸는지 해설을 통해 반드시 확인합니다. 그리고 내신 적중 실전 문제에는 연계 출제한 문법 point가 표시되어 있으므로, 틀린 문제는 해당 문법 Point를 다시 학습하여 완벽하게 이해하고 넘어가도록 합니다.

3 **"마무리 10분 테스트"로 각 Lesson 학습을 마무리 합니다.**

마무리 10분 테스트는 해당 Lesson에서 반복 학습할 필요가 있는 중요 문법 문제들로 구성되어 있어 배운 문법을 확실히 정리할 수 있습니다. 무엇보다 중요한 것은 25문항을 10분의 시간을 정해서 푸는 것입니다. 이미 충분히 연습한 개념을 정리하는 것이므로 시간 안에 빠르게 푸는 연습을 하도록 합니다.

4 **내신 적중 실전 문제는 중간 • 기말 시험 전에 다시 한 번 학습합니다.**

내신 적중 실전 문제는 실제 학교 시험에 출제된 다양한 내신 기출 문제들의 출제 경향, 패턴 및 빈도 등을 분석하여 내신 시험에 출제 가능성이 높은 문제를 수록하였습니다. 따라서 모든 학습을 마친 후 중간·기말 시험 전에 내신 적중 실전 문제만 다시 한 번 풀어보는 것이 학교 내신 시험을 대비하는 데 큰 도움이 될 것입니다.

구성과 특징

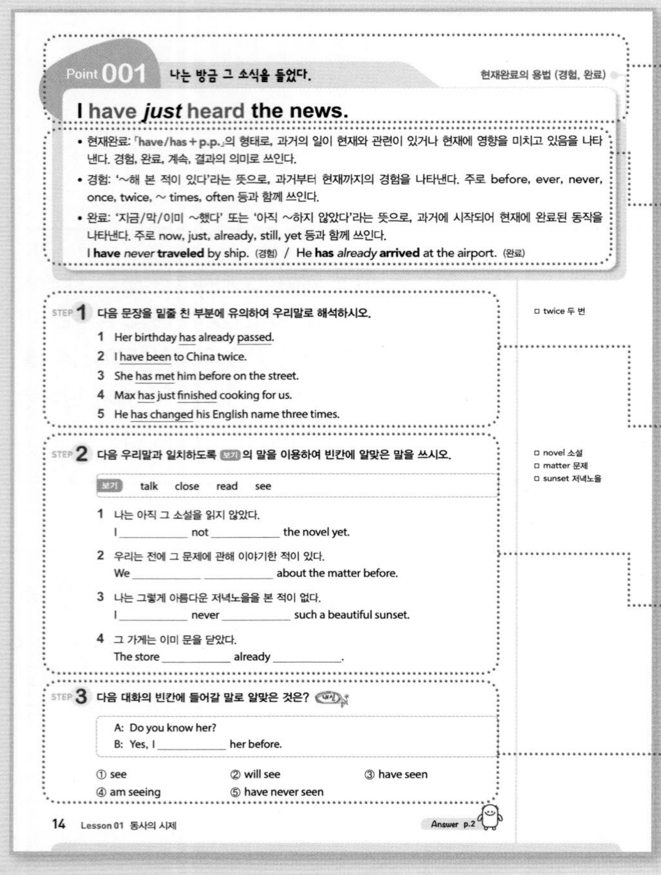
Point 001 나는 방금 그 소식을 들었다. 현재완료의 용법 (경험, 완료)

I have *just* heard the news.

- 현재완료: 「have/has + p.p.」의 형태로, 과거의 일이 현재와 관련이 있거나 현재에 영향을 미치고 있음을 나타낸다. 경험, 완료, 계속, 결과의 의미로 쓰인다.
- 경험: '~해 본 적이 있다'라는 뜻으로, 과거부터 현재까지의 경험을 나타낸다. 주로 before, ever, never, once, twice, ~ times, often 등과 함께 쓰인다.
- 완료: '지금/막/이미 ~했다' 또는 '아직 ~하지 않았다'라는 뜻으로, 과거에 시작되어 현재에 완료된 동작을 나타낸다. 주로 now, just, already, still, yet 등과 함께 쓰인다.
I **have** *never* **traveled** by ship. (경험) / He **has** *already* **arrived** at the airport. (완료)

STEP 1 다음 문장을 밑줄 친 부분에 유의하여 우리말로 해석하시오.
1 Her birthday has already passed.
2 I have been to China twice.
3 She has met him before on the street.
4 Max has just finished cooking for us.
5 He has changed his English name three times.

□ twice 두 번

STEP 2 다음 우리말과 일치하도록 보기 의 말을 이용하여 빈칸에 알맞은 말을 쓰시오.
보기 talk close read see
1 나는 아직 그 소설을 읽지 않았다.
I ________ not ________ the novel yet.
2 우리는 전에 그 문제에 관해 이야기한 적이 있다.
We ________ ________ about the matter before.
3 나는 그렇게 아름다운 저녁노을을 본 적이 없다.
I ________ never ________ such a beautiful sunset.
4 그 가게는 이미 문을 닫았다.
The store ________ already ________.

□ novel 소설
□ matter 문제
□ sunset 저녁노을

STEP 3 다음 대화의 빈칸에 들어갈 말로 알맞은 것은? 내신
A: Do you know her?
B: Yes, I ________ her before.
① see ② will see ③ have seen
④ am seeing ⑤ have never seen

14 Lesson 01 동사의 시제 Answer p.2

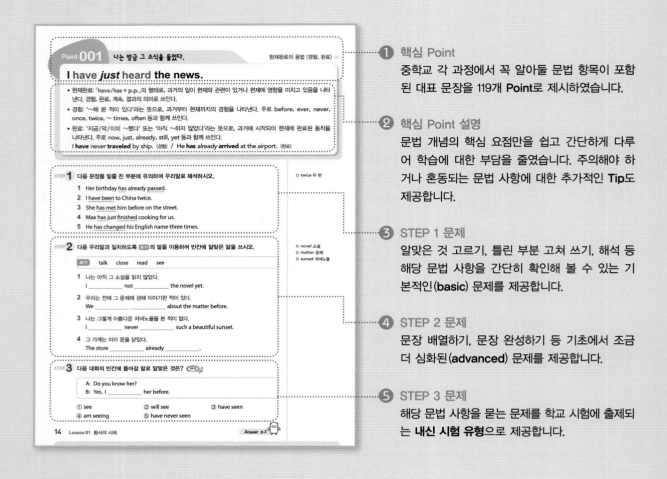

❶ 핵심 Point
중학교 각 과정에서 꼭 알아둘 문법 항목이 포함된 대표 문장을 119개 **Point**로 제시하였습니다.

❷ 핵심 Point 설명
문법 개념의 핵심 요점만을 쉽고 간단하게 다루어 학습에 대한 부담을 줄였습니다. 주의해야 하거나 혼동되는 문법 사항에 대한 추가적인 **Tip**도 제공합니다.

❸ STEP 1 문제
알맞은 것 고르기, 틀린 부분 고쳐 쓰기, 해석 등 해당 문법 사항을 간단히 확인해 볼 수 있는 기본적인(**basic**) 문제를 제공합니다.

❹ STEP 2 문제
문장 배열하기, 문장 완성하기 등 기초에서 조금 더 심화된(**advanced**) 문제를 제공합니다.

❺ STEP 3 문제
해당 문법 사항을 묻는 문제를 학교 시험에 출제되는 **내신 시험 유형**으로 제공합니다.

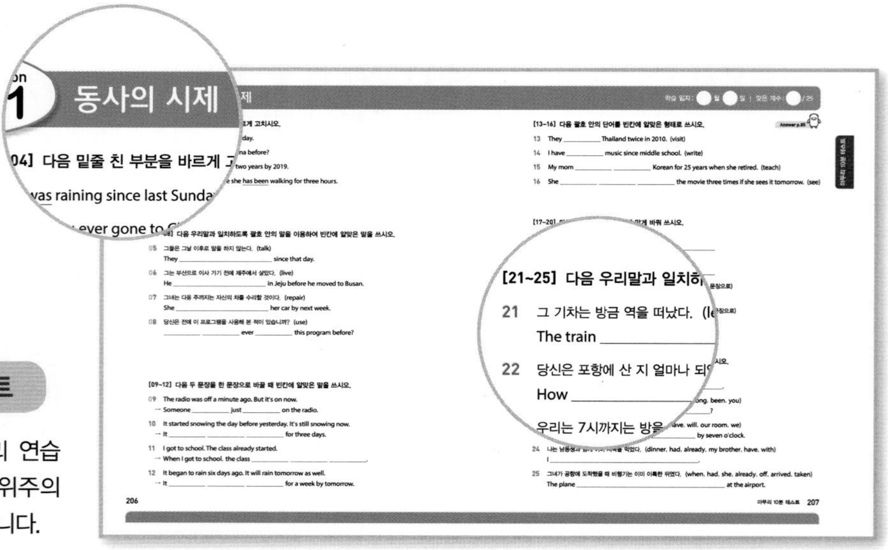

마무리 10분 테스트

각 **Lesson** 학습 후 마무리 연습을 할 수 있도록 서술형 위주의 문제를 추가적으로 제공합니다.

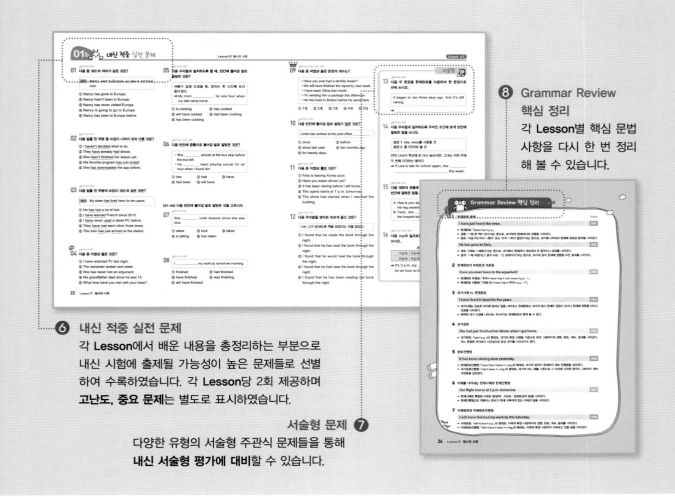

STRUCTURE

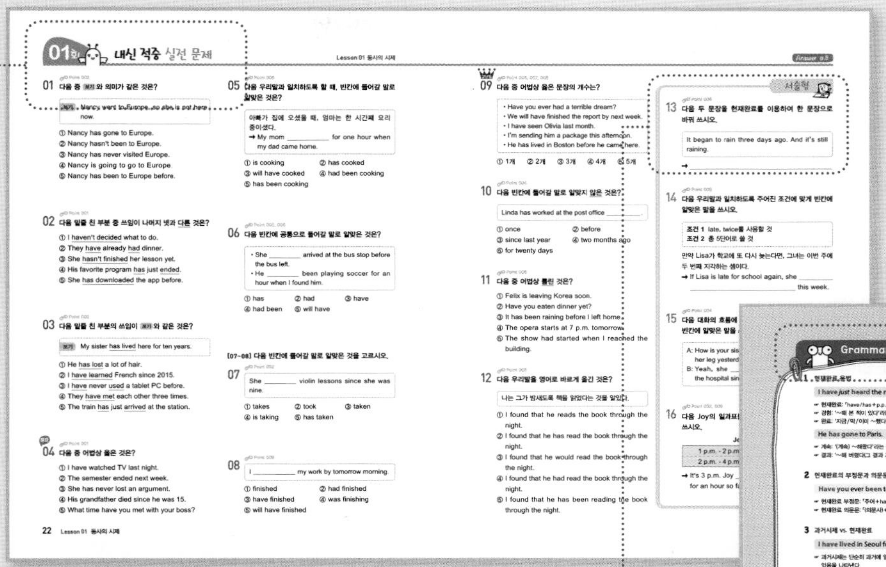

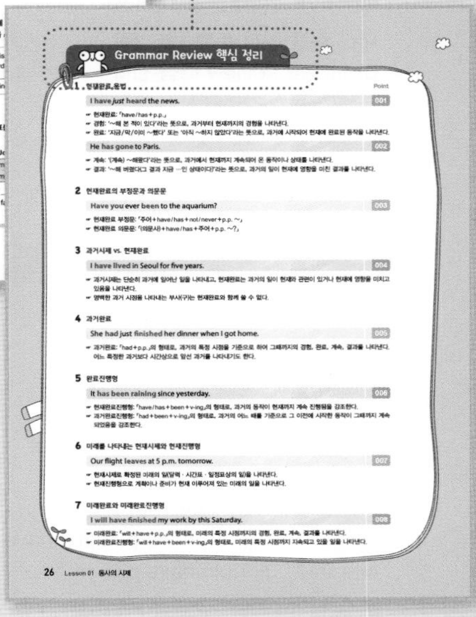

8 Grammar Review 핵심 정리

각 **Lesson**별 핵심 문법 사항을 다시 한 번 정리해 볼 수 있습니다.

6 내신 적중 실전 문제

각 **Lesson**에서 배운 내용을 총정리하는 부분으로 내신 시험에 출제될 가능성이 높은 문제들로 선별하여 수록하였습니다. 각 **Lesson**당 2회 제공하며 **고난도, 중요 문제**는 별도로 표시하였습니다.

서술형 문제 7

다양한 유형의 서술형 주관식 문제들을 통해 **내신 서술형 평가에 대비**할 수 있습니다.

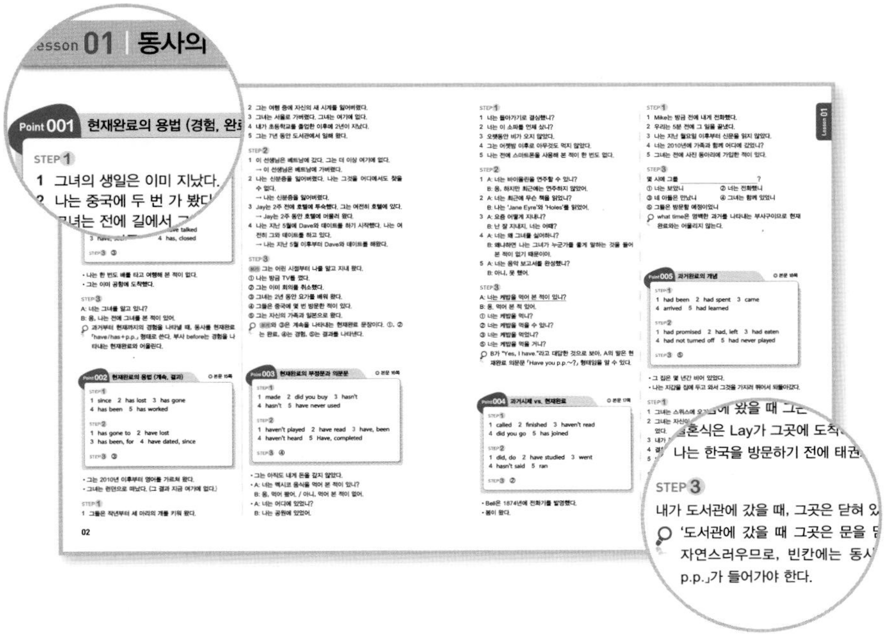

정답 및 해설

문장 해석, 자세한 문제 해설, 중요 어휘를 수록하여 혼자 공부하는 데 어려움이 없도록 구성하였습니다.

차례

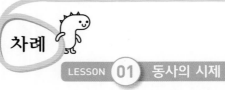

CONTENTS

LESSON 04 to부정사

LESSON 05 동명사

LESSON 06 분사구문

차례

LESSON 07 관계사

LESSON 08 접속사

LESSON 09 비교 구문

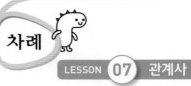

CONTENTS

LESSON 10 가정법

LESSON 11 특수 구문

LESSON 12 일치와 화법

30일 완성 학습 PROJECT

학습계획표

	학습일	학습 내용	학습 날짜	문법 이해도
LESSON 01	Day 01	동사의 시제 Point **001~008**	월 일 월 일	☺ 😐 ☹
	Day 02	내신 적중 실전 문제, 핵심 정리, 마무리 10분 테스트	월 일 월 일	☺ 😐 ☹
LESSON 02	Day 03	조동사 Point **009~018**	월 일 월 일	☺ 😐 ☹
	Day 04	내신 적중 실전 문제, 핵심 정리, 마무리 10분 테스트	월 일 월 일	☺ 😐 ☹
LESSON 03	Day 05	수동태 Point **019~028**	월 일 월 일	☺ 😐 ☹
	Day 06	내신 적중 실전 문제, 핵심 정리, 마무리 10분 테스트	월 일 월 일	☺ 😐 ☹
LESSON 04	Day 07	to부정사 Point **029~034**	월 일 월 일	☺ 😐 ☹
	Day 08	to부정사 Point **035~040**	월 일 월 일	☺ 😐 ☹
	Day 09	내신 적중 실전 문제, 핵심 정리, 마무리 10분 테스트	월 일 월 일	☺ 😐 ☹
LESSON 05	Day 10	동명사 Point **041~046**	월 일 월 일	☺ 😐 ☹
	Day 11	내신 적중 실전 문제, 핵심 정리, 마무리 10분 테스트	월 일 월 일	☺ 😐 ☹
LESSON 06	Day 12	분사구문 Point **047~051**	월 일 월 일	☺ 😐 ☹
	Day 13	분사구문 Point **052~056**	월 일 월 일	☺ 😐 ☹
	Day 14	내신 적중 실전 문제, 핵심 정리, 마무리 10분 테스트	월 일 월 일	☺ 😐 ☹
LESSON 07	Day 15	관계사 Point **057~070**	월 일 월 일	☺ 😐 ☹
	Day 16	내신 적중 실전 문제, 핵심 정리, 마무리 10분 테스트	월 일 월 일	☺ 😐 ☹

- 교과서 핵심 문법 Point 119개를 30일 동안 내 것으로 만들어 보자!
- 매일매일 풀 양을 정해놓고 일정 시간 동안 꾸준히 풀어본다.
- 3단계 반복 학습으로 기초 탄탄! 내신 만점!

	학습일	학습 내용	학습 날짜	문법 이해도
LESSON 08	Day 17	접속사 Point 071~075	월 일 월 일	☺ 😐 ☹
	Day 18	접속사 Point 076~080	월 일 월 일	☺ 😐 ☹
	Day 19	내신 적중 실전 문제, 핵심 정리, 마무리 10분 테스트	월 일 월 일	☺ 😐 ☹
LESSON 09	Day 20	비교 구문 Point 081~084	월 일 월 일	☺ 😐 ☹
	Day 21	비교 구문 Point 085~088	월 일 월 일	☺ 😐 ☹
	Day 22	내신 적중 실전 문제, 핵심 정리, 마무리 10분 테스트	월 일 월 일	☺ 😐 ☹
LESSON 10	Day 23	가정법 Point 089~093	월 일 월 일	☺ 😐 ☹
	Day 24	가정법 Point 094~098	월 일 월 일	☺ 😐 ☹
	Day 25	내신 적중 실전 문제, 핵심 정리, 마무리 10분 테스트	월 일 월 일	☺ 😐 ☹
LESSON 11	Day 26	특수 구문 Point 099~108	월 일 월 일	☺ 😐 ☹
	Day 27	내신 적중 실전 문제, 핵심 정리, 마무리 10분 테스트	월 일 월 일	☺ 😐 ☹
LESSON 12	Day 28	일치와 화법 Point 109~113	월 일 월 일	☺ 😐 ☹
	Day 29	일치와 화법 Point 114~119	월 일 월 일	☺ 😐 ☹
	Day 30	내신 적중 실전 문제, 핵심 정리, 마무리 10분 테스트	월 일 월 일	☺ 😐 ☹

Note

숨마 주니어® 중학 영문법 매뉴얼 119

LESSON 01

동사의 시제

Point **001** 현재완료의 용법 (경험, 완료)

Point **002** 현재완료의 용법 (계속, 결과)

Point **003** 현재완료의 부정문과 의문문

Point **004** 과거시제 vs. 현재완료

Point **005** 과거완료의 개념

Point **006** 완료진행형 (현재완료, 과거완료)

Point **007** 미래를 나타내는 현재시제와 현재진행형

Point **008** 미래완료, 미래완료진행형

내신 적중 실전 문제 | 1회 | 2회

Grammar Review 핵심 정리

Point 001 나는 방금 그 소식을 들었다. 현재완료의 용법 (경험, 완료)

I have *just* heard the news.

- 현재완료: 「have/has + p.p.」의 형태로, 과거의 일이 현재와 관련이 있거나 현재에 영향을 미치고 있음을 나타낸다. 경험, 완료, 계속, 결과의 의미로 쓰인다.
- 경험: '~해 본 적이 있다'라는 뜻으로, 과거부터 현재까지의 경험을 나타낸다. 주로 before, ever, never, once, twice, ~ times, often 등과 함께 쓰인다.
- 완료: '지금/막/이미 ~했다' 또는 '아직 ~하지 않았다'라는 뜻으로, 과거에 시작되어 현재에 완료된 동작을 나타낸다. 주로 now, just, already, still, yet 등과 함께 쓰인다.
  I **have** *never* **traveled** by ship. (경험) / He **has** *already* **arrived** at the airport. (완료)

STEP 1 다음 문장을 밑줄 친 부분에 유의하여 우리말로 해석하시오.

□ twice 두 번

1 Her birthday has already passed.
2 I have been to China twice.
3 She has met him before on the street.
4 Max has just finished cooking for us.
5 He has changed his English name three times.

STEP 2 다음 우리말과 일치하도록 보기 의 말을 이용하여 빈칸에 알맞은 말을 쓰시오.

□ novel 소설
□ matter 문제
□ sunset 저녁노을

보기	talk	close	read	see

1 나는 아직 그 소설을 읽지 않았다.
I ____________ not ____________ the novel yet.

2 우리는 전에 그 문제에 관해 이야기한 적이 있다.
We ____________ ____________ about the matter before.

3 나는 그렇게 아름다운 저녁노을을 본 적이 없다.
I ____________ never ____________ such a beautiful sunset.

4 그 가게는 이미 문을 닫았다.
The store ____________ already ____________.

STEP 3 다음 대화의 빈칸에 들어갈 말로 알맞은 것은? 내신

A: Do you know her?
B: Yes, I ____________ her before.

① see ② will see ③ have seen
④ am seeing ⑤ have never seen

Answer p.2

Point 002 그는 파리에 가버렸다.

He **has gone** to Paris.

- 계속: '(계속) ~해왔다'라는 뜻으로, 과거에서 현재까지 계속되어 온 동작이나 상태를 나타낸다. 주로 for, since, how long, so far 등과 함께 쓰인다.
- 결과: '~해 버렸다(그 결과 지금 …인 상태이다)'라는 뜻으로, 과거의 일이 현재에 영향을 미친 결과를 나타낸다.
  He **has taught** English *since* 2010. (계속) / She **has left** for London. (결과)

TIP - for + 기간: '~동안'의 뜻으로, 사건이 일어나 지속된 기간을 나타낸다.
- since + 과거 시점: '~이후로 (현재까지)'의 뜻으로, 사건이 시작된 시점을 나타낸다. since가 이끄는 절의 동사는 과거시제로 쓴다.

STEP 1 다음 괄호 안에서 알맞은 말을 고르시오.

□ graduate 졸업하다

1. They have had three dogs (for, since) last year.
2. He (loses, has lost) his new watch on the trip.
3. She (has been, has gone) to Seoul. She is not here.
4. It (has been, was) two years since I graduated from elementary school.
5. He (has worked, works) at a library for seven years.

STEP 2 다음 두 문장을 한 문장으로 바꿀 때 빈칸에 알맞은 말을 쓰시오.

□ ID card 신분증
□ check into ~에 투숙하다

1. Mr. Lee went to Vietnam. He's not here anymore.
   → Mr. Lee ____________ ____________ ____________ Vietnam.
2. I lost my ID card. I can't find it anywhere.
   → I ____________ ____________ my ID card.
3. Jay checked into the hotel two weeks ago. He is still at the hotel.
   → Jay ____________ ____________ at the hotel ____________ two weeks.
4. I started dating Dave last May. I'm still dating him.
   → I ____________ ____________ Dave ____________ last May.

STEP 3 다음 밑줄 친 부분의 쓰임이 보기와 같은 것은? 내신

□ childhood 어린 시절
□ cancel 취소하다
□ several (몇)몇의

보기	He has known me since childhood.

① I have just turned off the TV.
② He has already canceled the meeting.
③ She has learned yoga for two years.
④ They have visited China several times.
⑤ He has come to Japan with his family.

Answer p.2

Point 003 너는 수족관에 가 본 적이 있니?

Have you **ever been** to the aquarium?

- 현재완료 부정문: 「**주어 + have/has + not/never + p.p. ~**」
  He still **hasn't paid** me back.
- 현재완료 의문문: 「**(의문사) + have/has + 주어 + p.p. ~?**」
  A: **Have you** ever **eaten** Mexican food? B: Yes, I have. / No, I haven't.
  A: **Where have you been**? B: I have been at the park.

STEP 1 다음 괄호 안에서 알맞은 말을 고르시오.

□ make up one's mind 결심하다

1 Have you (made, make) up your mind to go back?
2 When (did you buy, have you bought) this sofa?
3 It (isn't, hasn't) rained for a long time.
4 He (didn't, hasn't) eaten anything since last night.
5 I (never use, have never used) a smartphone before.

STEP 2 다음 우리말과 일치하도록 빈칸에 들어갈 말을 보기에서 골라 현재완료 형태로 쓰시오.

□ complete 완성하다
□ recently 최근에
□ lately 최근에
□ these days 요즘

보기	be	complete	read	play	hear

1 A: Can you play the violin?
B: Yes, but I ____________ ____________ recently.

2 A: What books have you read lately?
B: I ____________ ____________ *Jane Eyre* and *Holes*.

3 A: How ____________ you ____________ these days?
B: I have been fine. How about you?

4 A: Why do you dislike her?
B: Because I ____________ ____________ her speak well of anybody.

5 A: ____________ you ____________ the music report?
B: No, I haven't.

STEP 3 다음 대화의 빈칸에 들어갈 말로 알맞은 것은? 내신

□ kebab 케밥

A: ________________________?
B: Yes, I have.

① Do you eat kebab?
② Can you eat kebab?
③ Did you eat kebab?
④ Have you ever eaten kebab?
⑤ Are you going to eat kebab?

Answer p.2

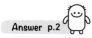

Point 004 나는 5년간 서울에 살아왔다.

I have lived in Seoul for five years.

- 과거시제는 단순히 과거에 일어난 일을 나타내는 데 그치는 반면, 현재완료는 과거의 일이 현재와 관련이 있거나 현재에 영향을 미치고 있음을 나타낼 때 쓰인다.
  Mr. Bell **invented** the telephone in 1874. (과거에 일어난 일을 나타냄)
  Spring **has come.** (과거에 봄이 찾아와서 계절이 바뀌지 않고 현재도 봄임을 나타냄)
- 현재완료는 명백한 과거를 나타내는 부사 표현(yesterday, last week[month, year], ago, when, in 특정 연도, just now, what time 등)과 함께 쓰이지 않는다.

TIP just(방금, 막)는 현재완료와 함께 쓰이는 반면, just now(방금 전에)는 과거시제와 함께 쓰인다.

STEP 1 다음 괄호 안에서 알맞은 말을 고르시오.

□ join 가입하다

1 Mike (called, has called) me just now.
2 We (finished, have finished) the work five minutes ago.
3 I (didn't read, haven't read) the newspaper since last Monday.
4 Where (did you go, have you gone) with your family in 2010?
5 She (joins, has joined) a photo club before.

STEP 2 다음 우리말과 일치하도록 빈칸에 알맞은 말을 쓰시오.

□ Spanish 스페인어
□ marathon 마라톤

1 그는 언제 숙제를 했니?
When ________ he ________ his homework?

2 우리는 3년 동안 스페인어를 공부해 왔다.
We ________ ________ Spanish for three years.

3 나는 2주 전에 가족들과 함께 쇼핑하러 갔다.
I ________ shopping with my family two weeks ago.

4 그는 어제 이후로 말을 한 마디도 하지 않았다.
He ________ ________ a word since yesterday.

5 그녀는 2000년에 시드니 마라톤에서 뛰었다.
She ________ the Sydney Marathon in 2000.

STEP 3 다음 빈칸에 들어갈 말로 알맞지 않은 것은? 내신

What time ________________ him?

① did you see ② have you called ③ did your son meet
④ was she with ⑤ were they going to visit

Answer p.3

Point 005 내가 집에 왔을 때 그녀는 저녁 식사를 막 끝마친 뒤였다.

She had just finished her dinner when I got home.

- 과거완료: 「**had + p.p.**」의 형태로, 과거의 특정 시점을 기준으로 하여 그때까지의 경험, 완료, 계속, 결과를 나타낸다. 또는 어느 특정한 과거보다 시간상으로 앞선 과거(대과거)를 나타내기도 한다.
  The house **had been** empty for several years. (계속)
  I **had left** my wallet at home, so I ran back to get it. (대과거)

STEP 1 다음 밑줄 친 부분을 바르게 고치시오.

□ ceremony 의식

1 She has been to Italy before she came to Swiss.
2 She has spent all her money, so she couldn't buy anything.
3 He had already washed his car when I had come home.
4 The wedding ceremony had ended before Lay had arrived there.
5 I had learning Taekwondo before I visited Korea.

STEP 2 다음 우리말과 일치하도록 괄호 안의 말을 이용하여 빈칸에 알맞은 말을 쓰시오.

□ receive 받다

1 그는 아빠가 자신에게 주기로 약속했던 가방을 받았다. (promise)
He received the bag that his dad ______ ______ to give him.

2 그가 직장에서 돌아오기 전에 나는 이미 집을 떠났다. (leave)
I ______ already ______ home before he returned from work.

3 그녀는 점심을 먹은 후에 공원에 갔다. (eat)
After she ______ ______ lunch, she went to the park.

4 나는 내가 불을 끄지 않았다는 것을 알았다. (turn off)
I found out that I ______ ______ ______ ______ the light.

5 그는 피아노 수업을 시작하기 전에 피아노를 연주해 본 적이 전혀 없다. (play)
He ______ ______ ______ the piano before he began his piano lessons.

STEP 3 다음 빈칸에 들어갈 말로 알맞은 것은? 내신

When I got to the library, it ______.

① closes ② closing ③ is closing
④ has closed ⑤ had closed

Answer p.3

Point 006 어제부터 비가 내리고 있다.

It has been raining since yesterday.

- 현재완료진행형: 「have/has + been + v-ing」의 형태로, 과거의 동작이 현재까지 계속 진행됨을 강조한다.
  He **has been talking** on the phone for two hours.
- 과거완료진행형: 「had + been + v-ing」의 형태로, 과거의 어느 때를 기준으로 그 이전에 시작한 동작이 그때까지 계속되었음을 강조한다.
  She **had been waiting** until he came home.

STEP 1 다음 밑줄 친 부분을 완료진행형으로 바꿔 쓰시오.

1 She <u>had read</u> a book before someone rang the bell.
2 I <u>have taken</u> tennis lessons for a month.
3 Daniel <u>had run</u> the store until his son took it over.
4 They <u>haven't cleaned</u> their rooms since they moved in.
5 He <u>has collected</u> pictures of flowers for years.

□ ring 울리다
□ run 운영하다
□ take over ~을 인수받다, 넘겨받다
□ collect 모으다

STEP 2 다음 우리말과 일치하도록 보기 의 말을 이용하여 완료진행형 문장을 완성하시오.

보기 call prepare teach drive

1 나는 2시간째 운전해서 매우 피곤하다.
I ______________________ for two hours, so I'm very tired.

2 그녀가 홀에 도착했을 때, 그들은 그녀의 이름을 부르고 있었다.
When she got to the hall, they ______________________ her name.

3 그는 한국에서 3년째 영어를 가르쳐 오고 있다.
He ______________________ English in Korea for three years.

4 내가 부엌에 들어갔을 때, 그녀는 점심 식사를 준비하고 있었다.
She ______________________ lunch when I entered the kitchen.

□ prepare 준비하다

STEP 3 다음 빈칸에 들어갈 말이 순서대로 짝지어진 것은? 내신

He ____________ TV when I ____________ the door.

① watches – opened
② is watching – opened
③ was watching – had opened
④ had been watching – opened
⑤ has been watching – was opening

Answer p.4

Point 007 우리가 탈 비행기는 내일 오후 5시에 출발할 것이다.

미래를 나타내는 현재시제와 현재진행형

Our flight **leaves** at 5 p.m. tomorrow.

- 확정된 미래의 일(달력 · 시간표 · 일정표상의 일)은 현재시제로 나타낸다.
  The meeting **begins** at 10 o'clock.
- 계획이나 준비가 현재 이루어져 있는 미래의 일은 현재진행형으로 나타낸다.
  His family **is moving** to another city.

TIP 주로 이동을 뜻하는 동사(stay, leave, come, move, start 등)가 현재진행형으로 쓰여 미래를 나타낸다.

STEP 1 다음 괄호 안에서 알맞은 말을 고르시오.

1 The film (started, starts) at 4 p.m. next Sunday.

2 She (is having, had) a birthday party tomorrow afternoon.

3 Christmas (falls, fell) on a Monday this year. I'm looking forward to it.

4 They (left, are leaving) town today. Let's say goodbye to them.

5 Let's wait. My mother (is coming, was coming) soon.

□ fall on (어떤 날이) ~에 해당되다
□ look forward to ~을 기대하다

STEP 2 다음 우리말과 일치하도록 괄호 안의 말을 바르게 배열하시오.

1 그는 곧 여자 친구를 역까지 차로 데려다 줄 예정이다.
(station, is, girlfriend, driving, to, the, his)
He ______________________________ in a little while.

2 학교 축제는 이번 주 월요일에 시작할 것이다. (begins, Monday, this)
The school festival ______________________________.

3 그녀는 5월 1일에 결혼할 예정이다. (married, getting, on, is, May 1)
She ______________________________.

4 그 비행기는 이번 주 금요일 오전 9시에 이륙할 것이다. (off, at 9 a.m., takes)
The plane ______________________________ this Friday.

5 그들도 역시 야구장에 올 예정이다. (ballpark, the, coming, are, also, to)
They ______________________________.

□ station 역, 정류장
□ in a little while 곧, 잠시 후에
□ ballpark 야구장

STEP 3 다음 빈칸에 들어갈 말로 알맞은 것은? 내신

My daughter __________ here next Monday.

① arrive
② arrived
③ is arriving
④ was arriving
⑤ has been arriving

Answer p.4

Point 008 나는 이번 주 토요일까지는 일을 끝낼 것이다.

I will have finished my work by this Saturday.

- 미래완료: 「**will + have + p.p.**」의 형태로, 미래의 특정 시점까지의 경험, 완료, 계속, 결과를 나타낸다.
  I **will have been** to New York twice if I visit there again.
- 미래완료진행형: 「**will + have + been + v-ing**」의 형태로, 미래의 특정 시점까지 지속되고 있을 일을 나타낸다.
  She **will have been learning** yoga for two years next month.

□ by the time ~할 무렵에
□ midnight 자정
□ work on ~를 계속하다, ~에 애쓰다

STEP 1 다음 문장을 밑줄 친 부분에 유의하여 우리말로 해석하시오.

1 He will have been cleaning the house for three hours in ten minutes.
2 By the time I graduate from school, I will have been living here for three years.
3 She will have completed the course by next week.
4 If he watches the show again, he will have watched it three times.
5 By midnight, I will have been working on my project for two hours.

STEP 2 다음 우리말과 일치하도록 보기 의 말을 이용하여 빈칸에 알맞은 말을 쓰시오.

보기 go work learn build wash

1 우리는 올해 말까지 그 집을 지을 것이다.
We ______________ the house by the end of this year.

2 나는 내년이면 30년간 교사로서 일해 온 셈이 될 것이다.
I ______________ as a teacher for 30 years next year.

3 네가 여기에 도착할 때쯤이면 그는 서울에 가고 없을 것이다.
He ______________ to Seoul by the time you arrive here.

4 그녀는 오후 5시까지는 세차를 마칠 것이다.
She ______________ her car by 5 p.m.

5 이 수업이 끝날 무렵 너는 많은 것들을 배운 상태일 것이다.
You ______________ many things by the time this class is finished.

STEP 3 다음 우리말과 일치하도록 할 때, 빈칸에 들어갈 말로 알맞은 것은? 내신

나는 저녁을 먹기 전에 숙제를 끝낼 것이다.
→ I __________ my homework before I have dinner.

① finished ② have finished ③ had finished
④ have been finishing ⑤ will have finished

Answer p.4

01회 내신 적중 실전 문제

Point 002

01 다음 중 보기 와 의미가 같은 것은?

보기 Nancy went to Europe, so she is not here now.

① Nancy has gone to Europe.
② Nancy hasn't been to Europe.
③ Nancy has never visited Europe.
④ Nancy is going to go to Europe.
⑤ Nancy has been to Europe before.

Point 001

02 다음 밑줄 친 부분 중 쓰임이 나머지 넷과 다른 것은?

① I haven't decided what to do.
② They have already had dinner.
③ She hasn't finished her lesson yet.
④ His favorite program has just ended.
⑤ She has downloaded the app before.

Point 002

03 다음 밑줄 친 부분의 쓰임이 보기 와 같은 것은?

보기 My sister has lived here for ten years.

① He has lost a lot of hair.
② I have learned French since 2015.
③ I have never used a tablet PC before.
④ They have met each other three times.
⑤ The train has just arrived at the station.

중요 Point 001

04 다음 중 어법상 옳은 것은?

① I have watched TV last night.
② The semester ended next week.
③ She has never lost an argument.
④ His grandfather died since he was 15.
⑤ What time have you met with your boss?

Point 006

05 다음 우리말과 일치하도록 할 때, 빈칸에 들어갈 말로 알맞은 것은?

아빠가 집에 오셨을 때, 엄마는 한 시간째 요리 중이셨다.
→ My mom ____________ for one hour when my dad came home.

① is cooking ② has cooked
③ will have cooked ④ had been cooking
⑤ has been cooking

Point 005, 006

06 다음 빈칸에 공통으로 들어갈 말로 알맞은 것은?

- She _________ arrived at the bus stop before the bus left.
- He _________ been playing soccer for an hour when I found him.

① has ② had ③ have
④ had been ⑤ will have

[07~08] 다음 빈칸에 들어갈 말로 알맞은 것을 고르시오.

Point 002

07

She _________ violin lessons since she was nine.

① takes ② took ③ taken
④ is taking ⑤ has taken

Point 008

08

I ____________ my work by tomorrow morning.

① finished ② had finished
③ have finished ④ was finishing
⑤ will have finished

고난도

Point 003, 007, 008

09 다음 중 어법상 옳은 문장의 개수는?

- Have you ever had a terrible dream?
- We will have finished the report by next week.
- I have seen Olivia last month.
- I'm sending him a package this afternoon.
- He has lived in Boston before he came here.

① 1개 ② 2개 ③ 3개 ④ 4개 ⑤ 5개

Point 004

10 다음 빈칸에 들어갈 말로 알맞지 않은 것은?

Linda has worked at the post office __________.

① once ② before
③ since last year ④ two months ago
⑤ for twenty days

Point 006

11 다음 중 어법상 틀린 것은?

① Felix is leaving Korea soon.
② Have you eaten dinner yet?
③ It has been raining before I left home.
④ The opera starts at 7 p.m. tomorrow.
⑤ The show had started when I reached the building.

Point 005

12 다음 우리말을 영어로 바르게 옮긴 것은?

나는 그가 밤새도록 책을 읽었다는 것을 알았다.

① I found that he reads the book through the night.
② I found that he has read the book through the night.
③ I found that he would read the book through the night.
④ I found that he had read the book through the night.
⑤ I found that he has been reading the book through the night.

서술형

Point 006

13 다음 두 문장을 현재완료를 이용하여 한 문장으로 바꿔 쓰시오.

It began to rain three days ago. And it's still raining.

→ ____________________________

Point 008

14 다음 우리말과 일치하도록 주어진 조건에 맞게 빈칸에 알맞은 말을 쓰시오.

조건 1 late, twice를 사용할 것
조건 2 총 5단어로 쓸 것

만약 Lisa가 학교에 또 다시 늦는다면, 그녀는 이번 주에 두 번째 지각하는 셈이다.

→ If Lisa is late for school again, she __________ ____________________ this week.

Point 004

15 다음 대화의 흐름에 맞도록 괄호 안의 말을 이용하여 빈칸에 알맞은 말을 쓰시오.

A: How is your sister? I know she __________ her leg yesterday. (break)
B: Yeah, she __________ __________ in the hospital since then. (be)

Point 002, 006

16 다음 Joy의 일과표를 참고하여 빈칸에 알맞은 말을 쓰시오.

Joy's schedule

1 p.m. - 2 p.m.	having lunch
2 p.m. - 4 p.m.	studying English

→ It's 3 p.m. Joy ____________________ for an hour so far.

02회 내신 적중 실전 문제

Point 001

01 다음 밑줄 친 부분의 쓰임이 보기 와 같은 것은?

> 보기 She has read the poem twice.

① He has gone to his country.
② Jane has finished her project.
③ Ted has visited Seoul many times.
④ The boy has lost his mobile phone.
⑤ I have been in the hospital for two years.

Point 002

02 다음 밑줄 친 부분 중 쓰임이 나머지 넷과 다른 것은?

① I have lost some weight.
② Kate has left her bag at the office.
③ She has taken my book without asking.
④ Minsu has gone to America to study English.
⑤ He has practiced his speech for over an hour.

Point 005

03 다음 중 어법상 틀린 것은?

① She has never been to an island.
② I have already done my homework.
③ They had just left the room when I came.
④ He has been reading the novel for three hours.
⑤ Suji has never played the flute before I taught her how to play.

중요

Point 008

04 다음 밑줄 친 부분 중 어법상 틀린 것은?

① How long have you been living here?
② It has been snowing since last Friday.
③ He said that he had been sick for two weeks.
④ She will be in the temple for two years next year.
⑤ When I arrived at the party, she had gone home.

Point 006

05 다음 두 문장을 한 문장으로 바꿀 때, 빈칸에 들어갈 말로 알맞은 것은?

> I began waiting for a bus thirty minutes ago. I am still waiting for it.
> → I ____________ for a bus for thirty minutes.

① wait
② waited
③ was waiting
④ had been waiting
⑤ have been waiting

Point 005

06 다음 밑줄 친 부분을 어법에 맞게 고친 것은?

> When I met him in the park, he wasn't wearing his hat. I thought he loses it.

① 고칠 필요 없음 ② has lost
③ had lost ④ is losing
⑤ was losing

[07~08] 다음 빈칸에 들어갈 말로 알맞은 것을 고르시오.

Point 002

07

> He ____________ a diary since last year.

① keeps ② kept ③ has kept
④ had kept ⑤ will have kept

Point 005

08

> She __________ a bike before I met her.

① rides ② is riding ③ has ridden
④ had ridden ⑤ will ride

[09~10] 다음 빈칸에 들어갈 말이 순서대로 짝지어진 것을 고르시오.

Point 001, 002, 003

09

- A: Where is Jinsu?
  B: He's not here. He has ________ to the restroom.
- A: Have you traveled abroad a lot?
  B: No, I have never ________ to other countries.

① went – gone ② been – gone
③ gone – been ④ gone – went
⑤ been – been

Point 002

10

- My dad has been driving ________ four hours.
- She has learned to swim ________ 2014.

① for – in ② of – since ③ in – for
④ since – for ⑤ for – since

고난도

Point 007

11 다음 중 어법상 옳은 것은?

① It has been raining yesterday.
② We are going to Peter's house tomorrow.
③ I didn't know you have washed the dishes.
④ I have just finished my dinner when you called.
⑤ I have lived in Daegu for three years next month.

Point 005

12 다음 우리말과 일치하도록 할 때, 빈칸에 들어갈 말이 순서대로 짝지어진 것은?

나는 팔이 부러져서 운전을 할 수 없었다.
→ I ________ my arm, so I ________ drive.

① broke – can't ② break – couldn't
③ had broken – can't ④ have broken – can't
⑤ had broken – couldn't

서술형

Point 002

13 다음 두 문장을 한 문장으로 바꿀 때 빈칸에 알맞은 말을 쓰시오.

Amy forgot her password for the website. She doesn't know it now.

→ Amy ________ ________ her password for the website.

Point 006

14 다음 우리말과 일치하도록 주어진 조건에 맞게 빈칸에 알맞은 말을 쓰시오.

조건 1 현재완료진행형을 사용할 것
조건 2 총 3단어로 쓸 것

그는 3년 동안 은행에서 일을 해오고 있다.
→ He ________________ at the bank for three years.

[15~16] 다음 문장에서 어법상 틀린 부분을 찾아 바르게 고쳐 쓰시오.

Point 002, 008

15

I have been learning how to play tennis for last month. I think I have mastered it by next year.

(1) ________________ → ________________

(2) ________________ → ________________

Point 004, 005

16

We have wanted to see a musical last Sunday, but the tickets were sold out. We regretted that we hasn't booked them in advance.

(1) ________________ → ________________

(2) ________________ → ________________

Grammar Review 핵심 정리

1 현재완료 용법

Point

I have *just* heard the news. 001

☞ 현재완료: 「have / has + p.p.」
☞ 경험: '~해 본 적이 있다'라는 뜻으로, 과거부터 현재까지의 경험을 나타낸다.
☞ 완료: '지금 / 막 / 이미 ~했다' 또는 '아직 ~하지 않았다'라는 뜻으로, 과거에 시작되어 현재에 완료된 동작을 나타낸다.

He has gone to Paris. 002

☞ 계속: '(계속) ~해왔다'라는 뜻으로, 과거에서 현재까지 계속되어 온 동작이나 상태를 나타낸다.
☞ 결과: '~해 버렸다(그 결과 지금 …인 상태이다)'라는 뜻으로, 과거의 일이 현재에 영향을 미친 결과를 나타낸다.

2 현재완료의 부정문과 의문문

Have you ever been to the aquarium? 003

☞ 현재완료 부정문: 「주어 + have / has + not / never + p.p. ~」
☞ 현재완료 의문문: 「(의문사) + have / has + 주어 + p.p. ~?」

3 과거시제 vs. 현재완료

I have lived in Seoul for five years. 004

☞ 과거시제는 단순히 과거에 일어난 일을 나타내고, 현재완료는 과거의 일이 현재와 관련이 있거나 현재에 영향을 미치고 있음을 나타낸다.
☞ 명백한 과거 시점을 나타내는 부사(구)는 현재완료와 함께 쓸 수 없다.

4 과거완료

She had just finished her dinner when I got home. 005

☞ 과거완료: 「had + p.p.」의 형태로, 과거의 특정 시점을 기준으로 하여 그때까지의 경험, 완료, 계속, 결과를 나타낸다. 어느 특정한 과거보다 시간상으로 앞선 과거를 나타내기도 한다.

5 완료진행형

It has been raining since yesterday. 006

☞ 현재완료진행형: 「have / has + been + v-ing」의 형태로, 과거의 동작이 현재까지 계속 진행됨을 강조한다.
☞ 과거완료진행형: 「had + been + v-ing」의 형태로, 과거의 어느 때를 기준으로 그 이전에 시작한 동작이 그때까지 계속되었음을 강조한다.

6 미래를 나타내는 현재시제와 현재진행형

Our flight leaves at 5 p.m. tomorrow. 007

☞ 현재시제로 확정된 미래의 일(달력 · 시간표 · 일정표상의 일)을 나타낸다.
☞ 현재진행형으로 계획이나 준비가 현재 이루어져 있는 미래의 일을 나타낸다.

7 미래완료와 미래완료진행형

I will have finished my work by this Saturday. 008

☞ 미래완료: 「will + have + p.p.」의 형태로, 미래의 특정 시점까지의 경험, 완료, 계속, 결과를 나타낸다.
☞ 미래완료진행형: 「will + have + been + v-ing」의 형태로, 미래의 특정 시점까지 지속되고 있을 일을 나타낸다.

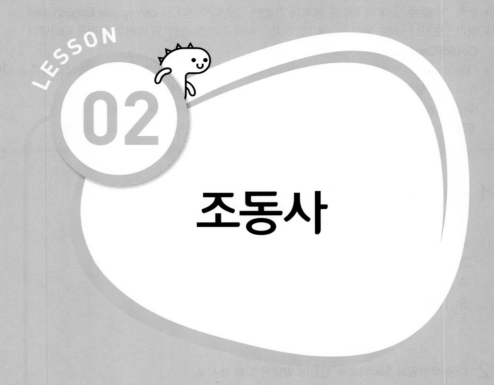

LESSON

02

조동사

Point 009 아무리 현명한 사람이라도 실수할 수 있다.

can, could

Even the wisest man can make mistakes.

- 능력: '~할 수 있다'의 의미로 능력과 가능한 일을 나타낸다. I **can** speak English well.
- 허가 · 요청: '~해도 된다'의 의미로 허가, '~해 주시겠어요?'의 의미로 요청을 나타낸다.
  Could[Can] you lend me your pen?
- 가능성 · 추측: '~일 수도 있다', 부정어와 함께 '~일 리가 없다'의 의미로 가능성과 추측을 나타낸다. 현재나 미래에 대한 불확실한 추측 · 가능성을 나타낼 때는 could를 쓴다.
  Rachel went to Taipei last Saturday. She **can't** be in Seoul now.

TIP can은 다른 조동사와 쓸 수 없으므로 be able to를 사용하여 미래시제나 완료시제를 나타낸다.

STEP 1 다음 문장을 밑줄 친 부분에 유의하여 우리말로 해석하시오.

□ decision 결정

1 I want to be a singer. But I can't sing well.
2 Could you tell me how to get to the airport?
3 You can take my umbrella if it rains.
4 Her decision could change later.
5 I will be able to go to the zoo next week.

STEP 2 다음 우리말과 일치하도록 빈칸에 알맞은 말을 쓰시오.

□ take part in 참여하다
□ practice 연습하다

1 믿을 수 없어! 그녀가 의사일 리가 없어.
It's unbelievable! She ________ be a doctor.

2 당신의 딸은 콘서트에 참여할 수 있나요?
________ your daughter ________ ________ take part in the concert?

3 그는 그 때는 바이올린을 연주할 수 있었다.
He ________ play the violin at that time.

4 조금만 더 연습하면, 넌 수영을 잘 할 수 있을 거야.
If you practice more, you ________ ________ ________ ________ swim well.

STEP 3 다음 밑줄 친 부분 중 의미가 나머지 넷과 다른 것은? 내신

□ baggage 가방
□ example 예시
□ language 언어

① They can dance on fire.
② I can carry this baggage.
③ It can be a good example.
④ He can solve this problem.
⑤ I can speak three languages.

Answer p.8

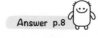

May I see your passport?

- 허가: '~해도 좋[된]다'의 의미로 허가를 나타내고, 이때 can으로 바꿔 쓸 수 있다.
  May I use your phone?
- 추측 · 가능성: '~일지도 모른다'의 의미로 추측이나 가능성을 나타내고, might는 약한 추측을 나타낸다.
  She **may[might]** not fully understand your class.

STEP 1 다음 문장을 밑줄 친 부분에 유의하여 우리말로 해석하시오.

1 He may not go to school by bus because he bought a bike.

2 John may come to this party with his friends.

3 I might be able to help you make the right decision.

4 You may not say things like that.

5 If you want, you may try on this coat.

STEP 2 다음 우리말과 일치하도록 빈칸에 may 또는 might를 쓰시오. (may와 might 둘 다 가능한 것도 있음)

□ understand 이해하다
□ accept 받아들이다
□ opinion 의견

1 제가 이 음식을 먹어도 될까요?
_____________ I have this food?

2 그녀가 아버지를 이해할 수 있을지도 모른다.
She _____________ be able to understand her father.

3 그는 이 건물에서 일하지 않을지도 모른다.
He _____________ _____________ work at this building.

4 그들은 내 의견을 받아줄지도 모른다.
They _____________ accept my opinion.

5 너는 이 방에 있는 어떤 것도 가져가도 된다.
You _____________ take anything in this room.

STEP 3 다음 우리말과 일치하도록 할 때, 빈칸에 들어갈 말로 알맞은 것은? 내신

□ strange 이상한

이상하게 들리지도 모르지만, 그것은 사실이다.
→ It __________ sound strange, but it is true.

① may ② can't ③ has to
④ should ⑤ ought to

Answer p.8

Point 011 우리는 교복을 입어야 한다.

We must wear school uniforms.

- 의무 · 필요: '~해야 한다'의 의미로 필요나 의무를 나타내며 have[has] to와 바꿔 쓸 수 있다. 「**must not**」은 '~해서는 안 된다'의 의미로 강한 금지를 나타내며, '~할 필요가 없다'의 불필요를 나타내기 위해서는 「**don't/doesn't/didn't + have to**」를 사용한다.
  I **must** go back home before 10 o'clock.
  You **must not** smoke here.
  You **don't have to** bring your book.
- 강한 추측: '~임에 틀림없다'의 의미로 추측을 나타내고, 강한 부정적 추측은 '~일 리가 없다'는 「**can't+동사원형**」의 형태로 나타낸다.
  Your opinion **must** be right.
  She **can't be** asleep. It's only 6 p.m.

TIP must는 과거형이 없으므로 had to로 쓰고, 미래의 의무는 (will) have to로 쓴다.

STEP 1 다음 문장을 밑줄 친 부분에 유의하여 우리말로 해석하시오.

□ hand in 제출하다
□ report 보고서
□ driver's license 운전면허

1 You had to hand in your report last Monday.
2 It's getting colder. We must leave here now.
3 You don't have to wear this dress.
4 He will have to exercise every day to lose weight.
5 You must not drive without a driver's license.

STEP 2 다음 우리말과 일치하도록 빈칸에 알맞은 말을 쓰시오.

□ take care of 돌보다
□ wealth 재산
□ poll 투표, 선거

1 나는 어제 내 남동생을 돌봐야 했다.
I ____________ ____________ take care of my brother yesterday.

2 사람을 그의 재산으로 평가해서는 안 된다.
You ____________ ____________ judge a man by his wealth.

3 나의 부모님은 이번 금요일에 투표하러 가셔야 할 것이다.
My parents ____________ ____________ ____________ go to the poll this Friday.

STEP 3 다음 우리말과 일치하도록 할 때, 빈칸에 들어갈 말로 알맞은 것은? 내신

> 너는 너의 의사와 상담없이 약을 먹어서는 안 된다.
> → You ________ take pills without consulting your physician.

① must ② should ③ have to
④ don't have to ⑤ must not

Answer p.9

Point 012 너는 부모님의 조언을 따라야 한다.

You ought to[should] follow your parents' advice.

- 「**should[ought to] + 동사원형**」은 '(마땅히) ~해야 한다'의 의미로 의무와 충고를 나타낸다.
  You **should[ought to]** do your homework.
- should의 부정형은 「**should not[shouldn't] + 동사원형**」이고, ought to의 부정형은 「**ought not to + 동사원형**」이다.
  You **should not[ought not to]** use your phone in the theater.

TIP must와 have to는 규칙에 의해 해야 하는 일에 쓰는데 반해, should와 ought to는 사회적 관습에 따라 옳은 일에 사용한다.

STEP 1 다음 괄호 안에서 알맞은 말을 고르시오.

1 You (should, ought) obey your parents.
2 You ought (keep, to keep) a secret.
3 You (should, ought) to climb the stairs to save energy.
4 He (ought not to, ought to not) wear a suit.
5 You (ought not, should not) speak loudly in the library.

□ obey ~을 따르다, 공경하다
□ climb 오르다
□ suit 양복, 정장
□ loudly 크게

STEP 2 다음 우리말과 일치하도록 괄호 안의 말을 이용하여 빈칸에 알맞은 말을 쓰시오.

1 나는 내 열쇠를 잃어버렸다. 나는 이제 무엇을 해야 하지? (should)
I have lost my key. What ____________ I ____________ now?

2 너는 시험에서 부정행위를 하면 안 된다. (should)
You ____________ ____________ ____________ on the examination.

3 점점 어두워지고 있으므로, 너는 집에 돌아가야 한다. (ought to)
It's getting darker, so you ____________ ____________ ____________ back home.

4 카페에서, 아이들은 뛰어다니면 안 된다. (ought to)
In the cafe, children ____________ ____________ ____________ ____________ around.

5 우리는 우리의 약속을 어기면 안 된다. (ought to)
We ____________ ____________ ____________ ____________ our promise.

□ examination 시험
□ dark 어두운
□ promise 약속

STEP 3 다음 문장을 부정문으로 바꿀 때, not이 들어가기에 알맞은 곳은? 내신

You (①) ought (②) to (③) dump (④) trash (⑤) in the garden.

□ dump 버리다
□ trash 쓰레기
□ garden 정원

Answer p.9

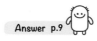

Point 013 나는 차라리 집에 있겠다.

I would rather stay at home.

- 「**had better + 동사원형**」은 '~하는 게 낫다'의 뜻으로 충고나 경고의 의미를 나타내며 축약형은 「**주어'd better**」, 부정형은 「**had better not + 동사원형**」이다.
  You **had better** stop fighting, or you'll get hurt. / You'**d better not** eat anything in class.
- 「**would rather + 동사원형**」은 '(~하기 보다는) 차라리 ~하겠다, 하고 싶다'의 뜻으로 선호를 나타낸다. 축약형은 「**주어'd rather**」, 부정형은 「**would rather not + 동사원형**」이다.
  I **would rather** be alone. / I'**d rather not** do the work.

TIP 「would rather A than B」는 'B하느니 A하는 게 낫다'의 의미로 A와 B에는 동사원형이 온다.

STEP 1 다음 문장을 밑줄 친 부분에 유의하여 우리말로 해석하시오.

1 You had better listen to your parents.
2 It's too late. We'd better hurry up.
3 You'd better not squeeze the pimples with your fingers.
4 I'd rather go shopping than stay at home.
5 I'd rather not meet her. She treats me bad.

□ hurry up 서두르다
□ pimple 여드름

STEP 2 다음 우리말과 일치하도록 괄호 안의 말을 이용하여 빈칸에 알맞은 말을 쓰시오.

1 나는 TV를 보느니 차라리 자겠다. (sleep)
I ________ ________ ________ than watch TV.

2 너는 저녁을 먹지 않는 게 낫겠다. (have)
You ________ ________ ________ ________ dinner.

3 우리는 시간을 낭비하지 않는 게 낫겠다. (waste)
We ________ ________ ________ ________ time.

4 나는 외식을 하느니 차라리 안 먹고 싶다. (eat)
I ________ ________ ________ ________ than eat out.

5 너는 달리는 것을 멈추는 것이 낫겠다. (stop)
You ________ ________ ________ running.

□ waste 낭비하다
□ eat out 외식하다

STEP 3 다음 우리말과 일치하도록 할 때, 빈칸에 들어갈 말로 알맞은 것은? 내신

너는 학교로 곧장 가는 게 낫다.
→ You ________ go straight to school.

① will ② must ③ have to
④ had better ⑤ don't need to

□ straight 곧장

Answer p.9

Point 014 나는 종종 그 공원에 가곤 했다.

I would often go to the park.

- 「**used to + 동사원형**」은 '(전에는) ~이었다'의 뜻으로 과거의 상태를 나타내고 '~하곤 했다'의 뜻으로 과거의 규칙적 습관을 나타낸다. 부정형은 「**didn't use(d) to + 동사원형**」이나 「**used not to + 동사원형**」으로 쓴다.
  I **didn't use to[use not to]** like onion when I was younger, but I love it now. (과거의 상태)
  I **used to** read comic books, but I don't anymore. (과거의 규칙적 습관)
- 「**would + 동사원형**」은 '~하곤 했다'라는 뜻으로 과거의 불규칙하게 반복되는 행동을 나타낸다.
  We **would go** to the river to get water.

TIP 「**be used to + -ing**」는 '~에 익숙하다'는 뜻이다.

STEP 1 다음 괄호 안에서 알맞은 말을 고르시오.

□ reduce 줄이다

1 My friend and I (am used to, used to) play basketball every weekend.
2 He would often (go, going) hiking to reduce his stress.
3 He (is used to, used to) eating alone.
4 My son (used, would) watch TV a lot.
5 The book store (didn't use to, used to not) be so crowded.

STEP 2 다음 우리말과 일치하도록 괄호 안의 말을 이용하여 빈칸에 알맞은 말을 쓰시오.

□ practice 연습하다
□ hang out 놀러 다니다

1 나는 한국말 하는 데 익숙하다. (speak)
I ____________ ____________ ____________ ____________ Korean.

2 이 마당에는 한 그루의 나무 밖에 없었다. (be)
There ____________ ____________ ____________ only one tree in this yard.

3 그는 방과 후에 종종 바이올린 연습을 하곤 했다. (practice)
He ____________ often ____________ the violin after school.

4 그들은 같이 놀러 다니곤 했다. (hang out)
They ____________ ____________ ____________ together.

STEP 3 다음 두 문장이 같은 뜻이 되도록 할 때, 빈칸에 들어갈 말로 알맞은 것은? 내신

> I lived in Seoul when I was young, but I live on Jeju Island now.
> = I ________ live in Seoul when I was young.

① use to ② used to ③ am used to
④ would ⑤ had

Answer p.10

Point 015 너는 집으로 돌아오는 편이 좋겠다.

You may[might] as well come back home.

- 「**may[might] well + 동사원형**」은 '~하는 것은 당연하다' 또는 '아마 ~일 것이다'의 뜻으로 부정형은 「**may[might] well not + 동사원형**」이다.
  You **may well** get angry with me. / She **may well not** want to travel alone.
- 「**may[might] as well + 동사원형**」은 '~하는 편이 좋겠다[낫다]'의 의미로 다른 대안이 없이 어쩔 수 없이 해야 할 때나, 자기 의도를 소극적으로 표현할 때 주로 쓴다. 부정형은 「**may[might] as well not + 동사원형**」이다.
  I **may as well** keep the money in my pocket.
  You **may as well not** use the escalator.

STEP 1 다음 괄호 안에서 알맞은 말을 고르시오.

1 I may (be, as well) take a walk. I need time to think.
2 It's 9 o'clock! You (may well, may well be) late for school.
3 He (may, should) as well clean his room.
4 She (may well, may as well) be embarrassed at such questions.
5 It's cold. You (may as well not, may as not well) go fishing today.

□ take a walk 산책하다
□ late for school 학교에 지각하다
□ embarrassed 당황한
□ go fishing 낚시하러 가다

STEP 2 다음 우리말과 일치하도록 괄호 안의 말을 바르게 배열하시오.

1 우리는 처음부터 시작하는 편이 좋다. (the, as, from, start, well, may, beginning)
We ______________________________.

2 그가 너에게 소리 지르는 것은 당연하다. (at, may, you, yell, well)
He ______________________________.

3 너는 택시를 타지 않는 게 좋겠다. (a, taxi, as, not, take, may, well)
You ______________________________.

4 그녀가 살이 찌는 것은 당연하다. (weight, well, may, gain)
She ______________________________.

5 나는 책을 한 권 읽는 편이 좋겠다. (a, book, as, read, may, well)
I ______________________________.

□ yell 소리 지르다
□ gain weight 살이 찌다

STEP 3 다음 두 문장이 같은 뜻이 되도록 할 때, 빈칸에 들어갈 말로 알맞은 것은? 내신

It is natural that he is tired.
= He __________ be tired.

① should ② may ③ may well
④ may as well ⑤ had better

□ tired 피곤한

Answer p.10

Point 016 당신은 전화를 잘못 걸었음에 틀림없다. must have p.p./can't have p.p.

You must have dialed the wrong number.

- 「**must have p.p.**」는 '~했음에 틀림없다'라는 의미로 말하는 시점에서 과거 사실에 대한 강한 추측을 나타낸다.
  She sings the song well. She **must have practiced** a lot.
- 「**cannot[can't] have p.p.**」는 '~했을 리가 없다'라는 의미로 말하는 시점에서 과거 사실에 대한 부정적 추측을 나타낸다.
  He is honest. He **cannot have told** a lie.

TIP 주어와 관계없이 「조동사 **have** p.p.」에서 have는 변형 없이 무조건 have로만 쓴다.
He must have been nervous. (○) / He must has been nervous. (x)

STEP 1 다음 문장을 밑줄 친 부분에 유의하여 우리말로 해석하시오.

□ attend 참석하다
□ wedding anniversary 결혼 기념일

1 He can't have seen the red light.
2 She must have attended the meeting.
3 Your jacket must have been expensive.
4 He must have forgotten his wedding anniversary.
5 He can't have gotten an A on the English test.

STEP 2 다음 우리말과 같은 뜻이 되도록 괄호 안의 말을 이용하여 빈칸에 알맞은 형태로 쓰시오.

□ repeat 반복하다
□ mistake 실수
□ presentation 발표

1 그가 우리의 약속을 잊었을 리가 없다. (forget)
He ____________________ our promise.

2 너는 어제 친구를 만났음에 틀림없다. (meet)
You ____________________ a friend yesterday.

3 그녀가 같은 실수를 반복했을 리가 없다. (repeat)
She ____________________ the same mistake.

4 내 동생은 발표에 대해 걱정했던 것이 틀림없다. (be)
My brother ____________________ worried about the presentation.

STEP 3 다음 우리말과 일치하도록 할 때, 빈칸에 들어갈 말로 알맞은 것은? 내신

내가 교실에 나의 키를 두고 왔음에 틀림없다.
= I ________ my key in the classroom.

① may left ② must not left ③ have to left
④ cannot have left ⑤ must have left

Answer p.10

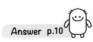

Point 017 나는 아이들에게 더 많은 관심을 가졌어야 했다.

I should have paid more attention to my children.

- 「**should have p.p.**」는 '~했어야 했는데, 하지 못했다'의 의미로 과거 사실에 대한 후회나 유감을 나타낸다. 부정형은 「**should not[shouldn't] have p.p.**」로 '~하지 말았어야 했다'의 의미이다.
  You **should have seen** the show.
  You **shouldn't have watched** TV so late yesterday.

STEP 1 다음 괄호 안에서 알맞은 말을 고르시오.

1 You didn't do it correctly. You should (followed, have followed) my advice.
2 He got a bad grade. He (must, should) have studied harder.
3 The party was interesting. You (should have, should) come.
4 I (don't should, should not) have slept so much.
5 You (should not, should) have wasted your money. You lost everything.

□ correctly 옳게
□ follow 따르다
□ advice 충고
□ grade 점수
□ interesting 흥미로운
□ waste 낭비하다

STEP 2 다음 우리말과 일치하도록 보기의 말을 이용하여 빈칸에 알맞은 형태로 쓰시오.

보기 snow call tell prepare

1 어젯밤에 눈이 많이 왔음에 틀림없다.
It ______ ______ ______ a lot last night.

2 너는 어제 그녀에게 전화하지 말았어야 했다.
You ______ ______ ______ ______ her yesterday.

3 그가 모든 것을 준비했을 리가 없다.
He ______ ______ ______ everything.

4 우리는 진실을 말했어야 했다.
We ______ ______ ______ the truth.

□ prepare 준비하다
□ truth 진실

STEP 3 다음 두 문장이 같은 뜻이 되도록 할 때, 빈칸에 들어갈 말로 알맞은 것은? 내신

I had to read the book, but I didn't.
= I ______________ the book.

① must have read
② cannot have read
③ should have read
④ ought to read
⑤ shouldn't have read

Answer p.11

She may[might] have met you before.

- 「**may[might] have p.p.**」는 '(아마) ~했을[였을]지도 모른다'의 의미로 과거 사실에 대한 불확실한 추측을 나타낸다. 부정형은 「**may[might] not have p.p.**」로 '~하지 않았을지도 모른다'의 의미이다.
  I **may[might] have left** my bag in the office.
  He **may[might] not have known** about the news.

STEP 1 다음 괄호 안에서 알맞은 말을 고르시오.

1 My sister is not home. She (may have gone, should have gone) shopping.
2 He (may not have won, may have not won) the contest.
3 She (may have , may be) been asleep.
4 I can't find my key anywhere. I (may have, should) left it in the store.
5 They (may not have noticed, may have not noticed) the sign.

□ go shopping 쇼핑가다
□ asleep 잠이 든
□ notice 알아차리다
□ sign 표지판

STEP 2 다음 우리말과 일치하도록 보기 의 말을 이용하여 빈칸에 알맞은 형태로 쓰시오.

보기　catch　want　write　leave

1 그가 나에게 편지를 썼을지도 모른다.
He ________ ________ ________ me a letter.

2 그는 오늘 집에서 더 일찍 출발했을지도 모른다.
He ________ ________ ________ home earlier today.

3 내 여동생은 감기에 걸렸을지도 모른다.
My sister ________ ________ ________ a cold.

4 그들은 나와 이야기하고 싶지 않았을지도 모른다.
They ________ ________ ________ ________ to talk with me.

STEP 3 다음 대화의 빈칸에 들어갈 말로 알맞은 것은? 내신

A: Why did she fail the exam?
B: I don't know. She ________ some mistakes.

① would rather　② may as well make
③ may have made　④ is going to make
⑤ should have made

□ fail 실패하다
□ make a mistake 실수하다

Answer p.11

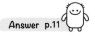

01회 내신 적중 실전 문제

Point 017

01 다음 중 보기 의 문장과 의미와 같은 것은?

> 보기 I'm sorry that you didn't do your homework.

① You may have done your homework.
② You don't have to do your homework.
③ You are going to do your homework.
④ You must have done your homework.
⑤ You should have done your homework.

Point 011

02 다음 밑줄 친 부분의 의미가 나머지 넷과 다른 것은?

① It must be true.
② You must be quiet in the library.
③ He must pass this examination.
④ You must change your room key.
⑤ You must wash your hands before meals.

Point 013

03 다음 중 어법상 틀린 것은?

① It cannot have been false.
② Someone may have been here.
③ You should have studied harder.
④ The children would rather had tea.
⑤ She will have to lower the speed.

중요 Point 013

04 다음 밑줄 친 부분 중 어법상 틀린 것은?

① I had better take a rest.
② She used to have long hair.
③ I would not rather meet you.
④ You had better a bus.
⑤ There used to be a big garden here.

고난도 Point 016

05 다음 두 문장이 같은 뜻이 되도록 할 때, 빈칸에 들어갈 말로 알맞은 것은?

> It is certain that Julie missed the bus.
> = Julie ________ have missed the bus.

① may ② must ③ could
④ should ⑤ cannot

Point 009, 010

06 다음 대화의 밑줄 친 부분과 바꿔 쓸 수 있는 것은?

> A: Can I speak to John, please?
> B: I'm sorry, but he's out.

① Will ② Ought to ③ May
④ Must ⑤ Should

[07~08] 다음 빈칸에 들어갈 말로 알맞은 것을 고르시오.

Point 012

07

> The baby is sleeping now. You ________ make any noise.

① can ② should ③ must
④ should not ⑤ had better

Point 014

08

> Jerry was my best friend. We ________ talk on the phone every day.

① may ② can ③ would
④ had better ⑤ may as well

[09~10] 다음 빈칸에 들어갈 말이 순서대로 짝지어진 것을 고르시오.

Point 011

09

• It's a secret. You ________ not tell anyone.
• I ________ rather take a walk than go home.

① would – should ② can – could
③ may – can ④ must – would
⑤ should – must

Point 009, 011

10

• As you have done your best, you ________ be able to achieve your goal.
• ________ I take a look at your new ring?

① may – Will
② must – Can
③ should – Would
④ had better – Must
⑤ would rather – Should

Point 013

11 다음 중 어법상 옳은 것은?

① He ought to not be rude.
② You may well as listen to me.
③ You have not to take a picture.
④ You had better not take medicine.
⑤ He shouldn't to drink too much coffee.

Point 016

12 다음 우리말과 일치하도록 할 때, 빈칸에 들어갈 말로 알맞은 것은?

그가 그 꽃병을 깼을 리가 없다.
→ He ____________ the vase.

① can't have broken
② could have broken
③ might have broken
④ must have broken
⑤ should have broken

서술형

[13~14] 다음 우리말과 일치하도록 주어진 조건을 이용하여 영작하시오.

Point 012

13

조건 1 조동사를 사용할 것
조건 2 총 3단어로 쓸 것

너는 더 조심스럽게 운전을 해야 한다.
→ You ______________________ more carefully.

Point 040

14 그는 작년에 옷에 많은 돈을 썼음에 틀림없다.

→ He ______________________ a lot of money on clothes last year.

[15~16] 다음 문장에서 틀린 부분을 찾아 바르게 고쳐 쓰시오.

Point 015

15

I may as well drinking another cup of coffee.

____________ → ____________

Point 012

16

She doesn't know the story, so she can't has read this fairy tale.

____________ → ____________

02회 내신 적중 실전 문제

Point 016

01 다음 중 보기 의 문장과 의미와 같은 것은?

> 보기 I'm sure that Tony made his kite.

① Tony may have made his kite.
② Tony must have made his kite.
③ Tony can't have made his kite.
④ Tony should have made his kite.
⑤ Tony shouldn't have made his kite.

Point 010

02 다음 밑줄 친 부분의 의미가 나머지 넷과 다른 것은?

① He may be tired.
② May I stay here?
③ It may not be bad.
④ They may be late for school.
⑤ She may not want to eat anything.

고난도

Point 014

03 다음 중 어법상 틀린 것은?

① He may have wanted to see me.
② They used to tell me funny stories.
③ She must have saved a lot of money.
④ There would be a pond next to this tree.
⑤ I would rather eat chicken than eat fish.

중요

Point 043

04 다음 밑줄 친 부분 중 어법상 틀린 것은?

① I had better not eat lunch.
② You don't have to bring that much money.
③ You may eat ice cream after you have dinner.
④ I didn't get a good grade. I should have study hard.
⑤ My mother used to be a scientist, but now she's a teacher.

Point 014

05 다음 두 문장이 같은 뜻이 되도록 할 때, 빈칸에 들어갈 말로 알맞은 것은?

> He often visited my office before, but he doesn't anymore.
> = He ________ visit my office.

① has to ② ought to
③ used to ④ had better
⑤ may as well

Point 012, 013

06 다음 보기 문장의 밑줄 친 부분과 바꿔 쓸 수 있는 것은?

> 보기 It's raining. You had better come home right now.

① will ② can ③ would
④ may well ⑤ should

[07~08] 다음 대화의 빈칸에 들어갈 말로 알맞은 것을 고르시오.

Point 015

07

> A: May I have this bag?
> B: If no one else wants this bag, I ________ as well give it to you.

① may ② can ③ must
④ will ⑤ should

Point 016

08

> A: Kate stole my camera.
> B: I can't believe it! She ________ have done such a thing. She is an innocent girl.

① must ② could ③ should
④ cannot ⑤ may

Answer p.13

[09~10] 다음 빈칸에 들어갈 말이 순서대로 짝지어진 것을 고르시오.

Point 014

09

- I __________ go to that place when I was young.
- She __________ to visit my house, but she doesn't anymore.

① would – use ② would – used
③ use – use ④ use – must
⑤ used – must

Point 011, 013

10

- You __________ keep quiet in the library.
- When my mom was a student, she __________ take her lunch to school.

① have to – must
② should – must
③ had better – had to
④ had better – have to
⑤ ought not to – had to

Point 016

11 **다음 중 어법상 옳은 것은?**

① You may well right.
② You had not better tell a lie.
③ He must have forgotten my birthday.
④ They should have not bought a balloon.
⑤ I would be a leader when I was a student.

Point 016

12 **다음 우리말을 영어로 바르게 옮긴 것은?**

그가 파리에 있었을 리가 없다.

① He must have been in Paris.
② He cannot have been in Paris.
③ He should have been in Paris.
④ He may not have been in Paris.
⑤ He should not have been in Paris.

서술형

Point 009, 011

13 **다음 문장을 부정문으로 바꿀 때 빈칸에 알맞은 말을 쓰시오.**

She must be excited about the summer camp.

→ She __________ __________ excited about the summer camp.

Point 015

14 **다음 우리말과 일치하도록 주어진 조건을 이용하여 영작하시오.**

조건 1 조동사를 사용할 것
조건 2 총 4단어로 쓸 것

너는 그를 돕는 편이 좋겠어.

→ You __________ __________ __________ __________ him.

[15~16] 다음 문장에서 틀린 부분을 찾아 바르게 고쳐 쓰 시오.

Point 015

15

People may well leaving their valuables at the counter.

__________ → __________

Point 013

16

I would rather to fail than to cheat.

(1) __________ → __________
(2) __________ → __________

Grammar Review 핵심 정리

Point

1 can, could

Even the wisest man **can** make mistakes. 009

☞ 능력(~할 수 있다), 허가 · 요청(~해도 된다, ~해 주시겠어요?), 가능성 · 추측(~일 수도 있다, ~일 리가 없다)

2 may, might

May I see your passport? 010

☞ 허가(~해도 된[좋]다), 추측 · 가능성(~일지도 모른다) 등으로 쓰인다. might는 약한 추측을 나타낸다.

3 must

We **must** wear school uniforms. 011

☞ 의무 · 필요(~해야 한다), 강한 추측(~임에 틀림없다) 등으로 쓰인다.
must not(~하면 안 된다), don't have to(~할 필요가 없다), had to (must의 과거형)

4 should, ought to

I **should[ought to]** follow your parents' advice. 012

☞ 의무 · 충고(마땅히 ~해야 한다), 부정형은 「should not[shouldn't+동사원형]」, 「ought not to+동사원형」이다.

5 had better, would rather

I **would rather** stay at home. 013

☞ 「had better+동사원형」 (~하는 것이 낫다) / 「would rather+동사원형」 (~하기 보다는 차라리 ~하겠다)

6 used to, would

I **would** often go to the park. 014

☞ 「used to+동사원형」 (~하곤 했다) 과거의 습관, 상태 / 「would+동사원형」 (~하곤 했다) 과거의 행동

7 may well, may as well

You **may[might] as well** come back home. 015

☞ 「may[might] well+동사원형」 (~하는 것은 당연하다, 아마 ~일 것이다)
☞ 「may[might] as well+동사원형」 (~하는 편이 좋겠[낫]다)

8 must have p.p. / can't have p.p.

You **must have dialed** the wrong number. 016

☞ 「must have p.p.」 (~했음에 틀림없다) 과거에 대한 강한 추측
☞ 「can't have p.p.」 (~했을 리가 없다) 과거에 대한 부정적 추측

9 should have p.p.

I **should have paid** more attention to my children. 017

☞ 「should have p.p.」 (~했어야 했는데, 하지 못했다) 과거에 하지 못한 일에 대한 후회나 유감

10 may have p.p.

She **may[might] have met** you before. 018

☞ 「may[might] have p.p.」 (~했을[였을]지도 모른다) 과거 사실에 대한 불확실한 추측

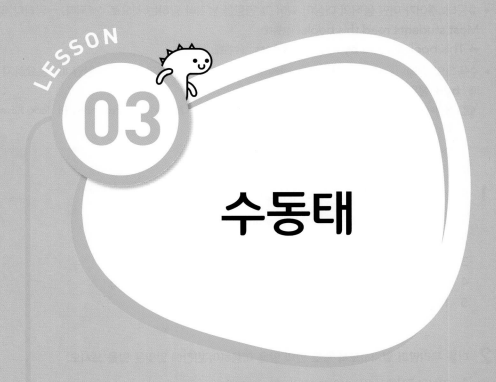

LESSON 03

수동태

Point 019 이 장소는 많은 관광객들에 의해 방문된다.

This place **is visited by** many tourists.

- 수동태: 주어가 어떤 동작의 대상이 되어 그 영향을 받거나 당하는 것으로, '~되다, ~당하다'의 의미를 갖는다.
  Most students **read** this book. (능동태)
  → This book **is read by** most students. (수동태)
- 수동태의 형태: 「**be동사 + 과거분사 + by + 행위자**」로 쓰며, 행위자가 일반인일 때, 중요하지 않거나 불분명할 때 「**by + 행위자**」를 생략한다.

TIP 목적어가 없는 자동사(happen, appear 등)나 소유나 상태를 나타내는 타동사(resemble, fit, lack, have(가지다), weigh 등)는 수동태로 쓰지 않는다.

STEP 1 다음 괄호 안에서 알맞은 말을 고르시오.

□ security guard 경비원

1 This cup (was made, made) by my brother.
2 Jessy (resembles, is resembled) a famous actress.
3 This rice (grow, is grown) by Cambodian farmers.
4 The security guard (locks, is locked) the building every evening.
5 The concert tickets (sell, are sold) at the store.

STEP 2 다음 우리말과 일치하도록 괄호 안의 말을 이용하여 빈칸에 알맞은 말을 쓰시오.

□ serve 제공하다
□ store 보관하다
□ surface 표면
□ deliver 배달하다

1 조식은 7시에서 9시 사이에 제공된다. (serve)
Breakfast ________ ________ between 7 and 9.

2 많은 사고가 부주의한 운전에 의해 발생된다. (cause)
Many accidents ________ ________ by careless driving.

3 네가 산 그 음식들은 지금 차가운 곳에 보관되어 있다. (store)
The food you bought ________ ________ in a cold place now.

4 대부분의 지표면은 물로 덮여 있다. (cover)
Most of the earth's surface ________ ________ by water.

5 그 신문은 매일 나의 집으로 배달된다. (deliver)
The newspaper ________ ________ to my house every day.

STEP 3 다음 빈칸에 들어갈 말로 알맞은 것은? 내신

□ government 정부

The government ________ by a young president.

① led ② leads ③ is led
④ leading ⑤ is leading

Answer p.15

수동태의 시제 I (과거, 현재, 미래)

Point 020 그녀는 파티에 초대될 것이다.

She **will be invited** to the party.

- 수동태의 시제는 be동사의 시제변화로 나타낸다.

현재시제 수동태: 「**am/are/is + 과거분사**」	The classroom **is cleaned by** the students every day.
과거시제 수동태: 「**was/were + 과거분사**」	This house **was built by** my grandfather.
미래시제 수동태: 「**will be + 과거분사**」	The tree **will be planted by** us.

STEP 1 다음 밑줄 친 부분을 바르게 고치시오.

□ fix 수리하다, 고치다

1 The letter is written by her three days ago.
2 Your computer was fixed by tomorrow.
3 The table will carry to the office next week.
4 A cat was find in the kitchen this morning.
5 The pictures in this album was drawn by my sister.

STEP 2 다음 문장을 수동태로 바꿔 쓰시오.

□ wallet 지갑
□ pavement 인도
□ develop 확장시키다, 발전시키다
□ issue (잡지 · 신문 같은 정기 발행물의) 호

1 Somebody stole my wallet at the theater.
→ My wallet ________________ at the theater.

2 Many workers will repair the pavement in a few hours.
→ The pavement ________________ in a few hours.

3 My brother will not bring pets to the library.
→ Pets ________________ to the library.

4 His boss developed some ideas in various ways.
→ Some ideas ________________ in various ways.

5 A lot of people love every issue of this magazine.
→ Every issue of this magazine ________________.

STEP 3 다음 빈칸에 들어갈 말로 알맞은 것은? 내신

I will remember your name forever.
→ Your name ________ by me forever.

① remember ② remembered ③ is remembered
④ will remember ⑤ will be remembered

Answer p.15

Point 021 복사기가 수리되고 있다.

The copy machine is being repaired.

- 진행형 수동태: 「be동사 + being + 과거분사」
  Many books **are being published**.
- 완료형 수동태: 「have/has/had + been + 과거분사」
  This language **has been spoken** in many countries.

STEP 1 다음 괄호 안에서 알맞은 말을 고르시오.

1 The wall has (painted, been painted) by my students.
2 Many flowers have (being, been) planted by my father.
3 Some water was (being, been) poured into the pot.
4 All the problems have been (solve, solved) by me.
5 A snowman is being (making, made) by a boy.

□ pour 붓다[따르다]
□ pot 냄비

STEP 2 다음 문장을 수동태로 바꿀 때 빈칸에 알맞은 말을 쓰시오.

1 The fire fighter has rescued five injured people.
→ Five injured people ______________________ by the fire fighter.

2 They were cooking Indian food when I took a shower.
→ Indian food ______________________ when I took a shower.

3 The research team has found a strange plant in New Zealand.
→ A strange plant ______________________ by the research team in New Zealand.

4 The host is not announcing the results of the competition.
→ The results of the competition ______________________ by the host.

5 He has donated some money over 5 years.
→ Some money ______________________ by him over 5 years.

□ rescue 구하다
□ research 조사
□ host 사회자
□ announce 발표하다
□ competition 경기, 경쟁

STEP 3 다음 우리말과 일치하도록 할 때, 빈칸에 들어갈 말로 알맞은 것은? 내신

내가 집에 도착했을 때, 저녁 식사가 준비되고 있었다.
→ Dinner was __________ when I got home.

① prepared
② been preparing
③ been prepared
④ being preparing
⑤ being prepared

Answer p.15

Point 022 아버지는 이 사전을 내게 사주셨다.

This dictionary was bought *for* me by my father.

- 4형식 문장은 간접목적어와 직접목적어가 있어서 2개의 수동태 문장을 만들 수 있다. 직접목적어가 수동태 문장의 주어가 되는 경우 간접목적어 앞에 적절한 전치사를 써야 한다. 대부분의 동사는 to를 쓰지만, buy, make, get, cook 등의 동사는 for를, ask는 of를 쓴다.

  She **teaches** us(간접목적어) English(직접목적어) at home.

  → We **are taught** English by her at home. (간접목적어를 주어로 하는 수동태)

  → English **is taught to** us by her at home. (직접목적어를 주어로 하는 수동태)

  TIP buy, write, get, cook, make 등의 동사는 간접목적어를 수동태의 주어로 취하지 않는다.

STEP 1 다음 괄호 안에서 알맞은 말을 고르시오.

□ guest 손님
□ hand 건네주다
□ invitation 초대장

1 A gift was given (to, for) me by my mother on my birthday.
2 This program will be shown (to, for) the guests.
3 The newspaper (handed, was handed) to him by Jenny,
4 The hat in my room was bought (to, for) Mom.
5 You will (send, be sent) an invitation by her.

STEP 2 다음 문장을 수동태로 바꿔 쓰시오.

□ chef 요리사

1 The guide will send us an email with some information.
→ An email with some information ______________________.

2 She bought her children many toys on Christmas.
→ Many toys ______________________.

3 Mark gave me beautiful flowers.
→ I ______________________.

4 A famous chef cooked my family delicious food.
→ Delicious food ______________________.

5 I asked my teacher many questions.
→ Many questions ______________________.

STEP 3 다음 빈칸에 들어갈 말로 알맞은 것은? 내신

A nice sweater was made ________ my baby by me.

① in ② of ③ to ④ by ⑤ for

Answer p.16

Point 023 그는 의사에 의해 휴식을 취하라고 조언을 들었다.

He was advised *to take* a rest by the doctor.

- 5형식 문장의 수동태: 능동태의 목적어를 주어를 하고, 목적격 보어로 쓰인 형용사, 분사, 명사, to부정사는 「**be동사 + 과거분사**」 뒤에 그대로 둔다.

  He made me happy. (목적격 보어가 형용사인 경우)
  → I **was made** happy by him.
  I asked her to come here. (목적격 보어가 to부정사인 경우)
  → She **was asked to** come here by me.

STEP 1 다음 밑줄 친 부분을 바르게 고치시오.

□ consider 간주하다
□ participate 참여하다

1 The comedian was made to popular by his voice.
2 He was told finishing the project earlier by his boss.
3 He is considered of a great leader by people.
4 They weren't allowed go out late at night by their parents.
5 All the students encouraged to participate in the contest by the teacher.

STEP 2 다음 문장을 수동태로 바꿔 쓰시오.

□ president 의장
□ suggestion 제안

1 He painted this house dark brown.
→ This house ______________________________.

2 My mother found the vase broken.
→ The vase ______________________________.

3 We elected Ted president.
→ Ted ______________________________.

4 Ms. Green keeps the bathroom clean.
→ The bathroom ______________________________.

5 She expected him to accept her suggestion.
→ He ______________________________.

STEP 3 다음 두 문장이 같은 뜻이 되도록 할 때, 빈칸에 들어갈 말로 알맞은 것은? 내신

She persuaded me to leave the library.
= I was persuaded __________ the library by her.

① leaves ② left ③ to leave
④ leaving ⑤ to be left

Answer p.16

Point 024 나의 엄마는 내가 청소하도록 했다.

I was made to clean by my mother.

- 사역동사 수동태: make만 수동태로 쓰이며, 목적격 보어로 쓰인 동사원형은 to부정사로 바뀐다.
  The teacher made them follow the rules.
  → They **were made to** follow the rules by the teacher.
- 지각동사 수동태: 목적격 보어로 쓰인 동사원형은 to부정사로 바뀌고, 현재분사는 그대로 현재분사로 쓴다.
  I saw you dance in the street.
  → You **were seen to dance[dancing]** in the street by me.

TIP 사역동사 let의 수동태는 be allowed to로 나타낸다.

STEP 1 다음 괄호 안에서 알맞은 말을 고르시오.

□ employee 종업원
□ turn 차례

1 The employee was watched (to wait, wait) for his turn.
2 He is made (to wash, wash) the dishes by his mother.
3 I (was made, made) to pick up the trash in the park.
4 Andy was heard (playing, play) the violin by me.
5 Something was felt (to touch, touch) my back.

STEP 2 다음 우리말과 일치하도록 괄호 안의 말을 이용하여 빈칸에 알맞은 말을 쓰시오.

□ stick 막대기
□ exchange 교환하다
□ move 움직이다

1 그 소년들이 교실에서 노래 부르는 것이 들렸다. (hear, sing)
The boys ______ ______ ______ in the classroom.

2 그 노동자들은 나무를 베도록 시켜졌다. (make, cut)
The workers ______ ______ ______ ______ the trees.

3 한 어린 소년이 긴 막대기를 잡고 있는 것이 내게 보였다. (see, hold)
A young boy ______ ______ ______ the long stick by me.

4 내 남동생은 책을 교환하도록 시켜졌다. (make, exchange)
My brother ______ ______ ______ ______ the book.

5 그들이 건물에서 움직이는 것이 보였다. (see, move)
They ______ ______ ______ ______ in the building.

STEP 3 다음 빈칸에 들어갈 말로 알맞은 것은? 내신

□ shake 흔들리다

The floor of the museum was felt ______.

① shake ② to shake ③ shakes
④ shook ⑤ to be shaken

Answer p.17

Point 025 부산행 열차가 많은 학생들로 붐비었다.

The train for Busan was crowded with many students.

- 수동태의 행위자는 일반적으로 「by + 행위자」로 나타내지만, by 대신 with, at, of, in 등 다른 전치사를 쓰는 경우도 많다.

- be worried about	~을 걱정하다	- be covered with	~로 덮여 있다
- be surprised at	~에 놀라다	- be pleased with	~에 기뻐하다
- be satisfied with	~에 만족하다	- be interested in	~에 관심이 있다
- be known to	~에게 알려지다	- be crowded with	~로 붐비다
- be known for	~로 유명하다	- be filled with	~로 가득 차다(= be full of)
- be tired of	~에 싫증나다	- be made of[from]	~로 만들어지다(물리[화학]적 변화)

STEP 1 다음 괄호 안에서 알맞은 말을 고르시오.

1 Are you satisfied (by, with) your final score?
2 The mountain is covered (by, with) snow throughout the year.
3 Yogurt is made (from, for) milk.
4 I'm interested (by, in) the hero who saved many people.
5 The cellist was surprised (with, at) the size of the music hall.

□ score 점수
□ throughout the year 연중 내내
□ cellist 첼로 연주자

STEP 2 다음 우리말과 일치하도록 괄호 안의 말을 이용하여 빈칸에 알맞은 말을 쓰시오.

1 그 레스토랑은 좋은 서비스로 유명하다. (know)
The restaurant ______________________ its good service.

2 대부분의 고등학생들은 그들의 미래에 대해 걱정한다. (worry)
Most high school students ______________________ their futures.

3 Jessica는 그들의 깜짝 파티에 기뻐했다. (please)
Jessica ______________________ their surprise party.

4 그 낡은 상자는 자욱한 먼지로 가득 차 있었다. (fill)
The old box ______________________ a cloud of dust.

5 내 어린 남동생은 등산에 싫증났다. (tire)
My little brother ______________________ climbing the mountain.

□ dust 먼지
□ climb 오르다

STEP 3 다음 우리말과 일치하도록 할 때, 빈칸에 들어갈 말로 알맞은 것은? 내신

> 나의 비밀이 모두에게 알려졌다.
> → My secret was known ________ everybody.

① to ② for ③ at ④ by ⑤ with

□ secret 비밀

Answer p.17

Point 026 아름다운 풍경을 그 방에서 볼 수 있다.

The beautiful view **can be seen** from the room.

• 조동사의 수동태: 「**조동사 + be + 과거분사**」로 나타내며, 부정문은 조동사 뒤에 not을 넣는다. 의문문은 「**조동사 + 주어 + be + 과거분사~?**」로 쓴다.
A robot **may be used** to do the dishes.

TIP 의문사가 있는 의문문의 경우 「**의문사 + 조동사 + (주어) + be + 과거분사~?**」의 형태를 취한다.

STEP 1 다음 괄호 안에서 알맞은 말을 고르시오.

□ scold 꾸짖다
□ complete 완성하다
□ password 암호

1 I may (be, been) scolded by my teacher.
2 These trees can (be planted, plant) in the garden.
3 This mail must be (sent, sending) to her within this weekend.
4 The new highway will (be completed, complete) next month.
5 The password should (not be, be not) forgotten.

STEP 2 다음 우리말과 일치하도록 괄호 안의 말을 이용하여 빈칸에 알맞은 말을 쓰시오.

□ award ceremony 시상식
□ divide 나누다
□ semester 학기
□ save 절약하다
□ permission 허락

1 나는 이번 달 말에 시상식에 초대될 것이다. (will, invite)
I ________ ________ ________ to the award ceremony at the end of the month.

2 다음 학기에 학급이 반으로 나뉘어져야 하나요? (should, divide)
________ the class ________ ________ in half next semester?

3 그녀는 유명한 회사에서 취업을 제의받을지도 모른다. (may, offer)
She ________ ________ ________ a job by a famous company.

4 에너지를 절약하기 위해 무엇을 할 수 있을까? (can, do)
What ________ ________ ________ to save energy?

5 그 어두운 병은 허락 없이 열면 안 된다. (must, open)
The dark bottle ________ ________ ________ ________ without permission.

STEP 3 다음 빈칸에 들어갈 말로 알맞은 것은? 내신

□ postpone 연기하다

This meeting should ________ to next Friday.

① is postponed ② postpone ③ be postponed
④ be to postpone ⑤ being postponed

Answer p.17

Point 027 그 아기는 내 여동생에 의해 돌봐진다.

The baby is taken care of by my sister.

- 동사구의 수동태: 「**동사 + 전치사**」, 「**동사 + 부사**」 등 두 개 이상의 단어로 이루어진 동사구를 하나로 취급하여 수동태로 바꾸며, 동사만 「**be동사 + 과거분사**」로 바꾸고 부사나 전치사는 그대로 쓴다.
  I turned off the light.
  → The light **was turned off** by me.

STEP 1 다음 괄호 안에서 알맞은 말을 고르시오.

1 He is (looked up to, looked up) by many people.

2 Brian was (laughed, laughed at) by his friends.

3 The missing child will (be looked after, looked be after) by my mother.

4 The payment has (been put off, put off) by the company.

5 The little pig was (run over, run over by) a huge truck.

□ look up to 존경하다
□ laugh at 비웃다
□ look after 돌보다
□ payment 지급
□ put off 연기하다
□ run over ~에 치다

STEP 2 다음 우리말과 일치하도록 괄호 안의 말을 이용하여 빈칸에 알맞은 말을 쓰시오.

1 그는 그의 코치에 의해 무시당했다. (look down on)
He ______________________ by his coach.

2 많은 사람들에 의해 태양 에너지가 사용되고 있다. (make use of)
Solar energy has ______________________ by many people.

3 그들의 여행이 악천후로 취소되었다. (call off)
Their tour ______________________ because of bad weather.

4 새로운 장소들이 그 기자에 의해 발견되었다. (find out)
The new places ______________________ by the reporter.

5 테이블 위에 접시들이 웨이터에 의해 치워졌다. (take away)
The plates on the table ______________________ by the waiter.

□ look down on 무시하다
□ make use of 사용하다
□ call off 취소하다
□ plate 접시
□ take away 치우다

STEP 3 다음 두 문장이 같은 뜻이 되도록 할 때, 빈칸에 들어갈 말로 알맞은 것은? 내신

My aunt looks after my sister every morning.
= My sister ______________ by my aunt every morning.

① looks after ② looked after ③ is looked after
④ was looked after ⑤ is looking after

Answer p.17

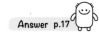

Point 028 이 집이 가장 비싸다고 말해진다.

This house is said to be the most expensive.

- say, think, believe, know, expect, consider, report, suppose 등의 동사의 목적어가 that절인 경우, 가주어 it이나 that절의 주어를 수동태의 주어로 쓸 수 있다. that절의 주어를 수동태의 주어로 쓰는 경우 that절의 동사는 to부정사로 바뀐다.

  People believe **that** he earns too much money.

  → **It is believed that** he earns too much money. (가주어 it을 주어로 하는 수동태)

  → He **is believed to** earn too much money. (that절의 주어를 수동태 주어로 하는 수동태)

STEP 1 다음 괄호 안에서 알맞은 말을 고르시오.

□ earthquake 지진

1 People (say, is said) that Busan is famous for its food.

2 She is considered (to be, that she is) honest.

3 It (is known, knows) that the earth is round.

4 Smoking is believed (been, to be) bad for your health.

5 It (was reported, reported) that some people were injured in the earthquake.

STEP 2 다음 두 문장이 같은 뜻이 되도록 할 때, 빈칸에 알맞은 말을 쓰시오.

□ worm 벌레
□ release 발매하다

1 It is believed that she is very kind.
= She ____________________ very kind.

2 They report that stress causes headaches.
= It ____________________.

3 I know that the early bird catches the worm.
= It ____________________ the worm.

4 People say that the famous couple go to Saipan.
= The famous couple ____________________ to Saipan.

5 He expects that his album will be released soon.
= His album ____________________ soon.

STEP 3 다음 빈칸에 들어갈 말로 알맞은 것은? 내신

The musical we saw __________ to be very exciting.

① thinks ② thinking ③ thought
④ was thought ⑤ is being thought

Answer p.18

01회 내신 적중 실전 문제

Point 025

01 다음 빈칸에 들어갈 말이 나머지 넷과 다른 것은?

① He was pleased ________ the gifts.
② I am satisfied ________ my hair style.
③ The street is crowded ________ many people.
④ The cafe is filled ________ the aroma of coffee.
⑤ She was surprised ________ his sense of humor.

중요

Point 027

02 다음 밑줄 친 부분 중 어법상 틀린 것은?

① The rug was made by my sister.
② This seminar must be finished by 5.
③ She has been awarded a scholarship.
④ Italian food is being cooked by my mother.
⑤ Some tricks were made use of the magician.

[03~04] 다음 두 문장이 같은 뜻이 되도록 할 때, 빈칸에 들어갈 말로 알맞은 것을 고르시오.

Point 022

03

I bought my girlfriend a scarf.
= A scarf ____________ my girlfriend by me.

① bought to ② is bought for
③ is bought to ④ was bought to
⑤ was bought for

Point 026

04

You should not leave your bicycle in the hallway.
= Your bicycle ____________ in the hallway by you.

① should not leave ② should not left
③ should not be left ④ should be not left
⑤ should be not leave

[05~06] 다음 우리말과 일치하도록 빈칸에 들어갈 말로 알맞은 것을 고르시오.

Point 027

05

야생동물 한 마리가 고속도로에서 차에 치였다.
➜ A wild animal ________ a car on the highway.

① runs over ② runs over by
③ run over by ④ was run over by
⑤ was run over

Point 020

06

그 가구는 내일 아침에 배달될 것이다.
➜ The furniture will ________ tomorrow morning.

① deliver ② delivered
③ be delivered ④ have delivered
⑤ to be delivered

[07~08] 다음 빈칸에 들어갈 말로 알맞은 것을 고르시오.

Point 021

07

The broken watch is ________ fixed by Jerry.

① be ② to be ③ been
④ being ⑤ to being

Point 024

08

The old man was seen ________ the road.

① cross ② crossed ③ been crossed
④ crossing ⑤ being crossed

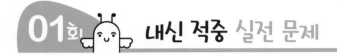

Point 022, 023

09 다음 빈칸에 공통으로 들어갈 말로 알맞은 것은?

• They were asked ________ turn down the volume.
• The new house was lent ________ the big family.

① to ② by ③ of
④ for ⑤ with

Point 021, 024

10 다음 빈칸에 들어갈 말이 순서대로 짝지어진 것은?

• The stain has just ________ removed.
• He was made ________ smoking by the doctor.

① be – stop ② been – stop
③ being – stop ④ been – to stop
⑤ being – to stop

고난도

Point 019

11 다음 중 어법상 <u>틀린</u> 것은?

① She was disappeared into the night.
② John is called "Big Father" by people.
③ A dog was found sleeping on the bed.
④ She is believed to dance better than Ann.
⑤ The boy was given a present by his mom.

Point 024

12 다음 우리말을 영어로 바르게 옮긴 것은?

애완동물이 그 건물에 들어오는 것이 허락되었다.

① Pets let enter the building.
② Pets were let enter the building.
③ Pets are let to enter the building.
④ Pets were allowed enter the building.
⑤ Pets were allowed to enter the building.

서술형

Point 021

13 다음 문장을 수동태로 바꿀 때, 빈칸에 알맞은 말을 쓰시오.

Julia is cutting the birthday cake with a knife.

→ The birthday cake ________________ with a knife by Julia.

Point 022

14 다음 우리말과 일치하도록 주어진 조건을 이용하여 영작하시오.

조건 1 give, poor를 사용할 것
조건 2 총 5단어로 쓸 것

그 돈은 도시에 있는 가난한 사람들에게 주어졌다.
→ The money ____________________ in the city.

[15~16] 다음 문장에서 어법상 <u>틀린</u> 부분을 찾아 바르게 고쳐 쓰시오.

Point 026

15 The mountain can be seeing from this room.

______________ → ______________

Point 023

16 I was told eat more vegetables.

______________ → ______________

02회 내신 적중 실전 문제

Point 028

01 다음 우리말을 영어로 바르게 옮긴 것을 모두 고르면?

그는 일 중독자라고들 한다.

① He is said to be a workaholic.
② He is said being a workaholic.
③ It is said he to be a workaholic.
④ It is said that he is a workaholic.
⑤ It is said that he be a workaholic.

중요 Point 024

02 다음 중 어법상 틀린 것은?

① They were heard to talk loud together.
② Some fruits are being washed with water.
③ My proposal was turned down by my boss.
④ Chris was made take out the trash by his teacher.
⑤ The child was left alone in the playground by his father.

[03~04] 다음 두 문장이 같은 뜻이 되도록 할 때, 빈칸에 들어갈 말로 알맞은 것을 고르시오.

Point 020

03

My brother will fix your locker by next Monday.
= Your locker ____________ by next Monday by my brother.

① will fix ② will fixed ③ will be fixed
④ will be fix ⑤ will be fixing

Point 021

04

They have built a new school here.
= A new school ____________ by them here.

① builds ② is built
③ has built ④ has been built
⑤ is being built

[05~06] 다음 우리말과 일치하도록 빈칸에 들어갈 말로 알맞은 것을 고르시오.

Point 021

05

그의 그림은 그의 허락 없이 이용되고 있었다.
➜ His painting ____________ without his permission.

① is using ② was used
③ is being used ④ was been using
⑤ was being used

Point 026

06

당신의 새 프로젝트는 제시간에 완성되어야 한다.
➜ Your new project ____________ on time.

① must complete ② must completed
③ must be complete ④ must be completed
⑤ must be completing

[07~08] 다음 빈칸에 들어갈 말로 알맞은 것을 고르시오.

Point 020

07

A: Who found your wallet?
B: It ____________ by my grandfather.

① finds ② found ③ is found
④ will find ⑤ was found

Point 023

08

He ____________ set a new world record this year.

① expects ② expected
③ is expected ④ is be expected
⑤ is expected to

[09~10] 다음 빈칸에 들어갈 말이 순서대로 짝지어진 것을 고르시오.

Point 025

09

- The top of the car is covered ________ many leaves.
- My parents are worried ________ my sister.

① at – for ② of – at
③ on – with ④ with – about
⑤ with – in

Point 022, 023

10

- Something was felt __________ my shoulder.
- I __________ their love story by my parents.

① touch – told ② touching – was told
③ touch – was told ④ to touch – told
⑤ touching – told

Point 022

11 **다음 밑줄 친 부분을 주어로 하는 수동태로 바꿔 쓸 수 없는 것은?**

① She bought me this skirt.
② John teaches the students math.
③ Helen sent him a Christmas card.
④ We elected Joe a mayor last year.
⑤ The teacher gave us some advice.

고난도

Point 019

12 **다음 중 수동태로 바꿀 수 있는 것은?**

① She has a few pencils in the bag.
② An accident happened at the corner.
③ The police officer saved many people.
④ He suddenly appeared from behind the tree.
⑤ The child in the picture resembles my mother.

서술형

Point 028

13 **다음 문장을 주어진 단어로 시작하는 수동태로 바꿔 쓰시오.**

People consider that her explanations are always simple.

(1) It ______________________________.
(2) Her explanations ______________________.

Point 021

14 **다음 우리말과 일치하도록 주어진 조건을 이용하여 영작하시오.**

조건 1 현재완료 시제를 사용할 것
조건 2 collect를 사용할 것

나는 몇 개의 외국 동전을 모아 오고 있다.
→ Some foreign coins ________________ by me.

[15~16] 다음 문장에서 어법상 틀린 부분을 찾아 바르게 고쳐 쓰시오.

Point 027

15

The babies are being taken care by her.

______________ → ______________

Point 022

16

The difficult question was asked to his father by Sam last night.

______________ → ______________

Grammar Review 핵심 정리

1 수동태의 개념과 형태

Point

This place is visited by many tourists. 019

☞ 수동태의 개념: 주어가 어떤 동작의 대상이 되어 그 영향을 받거나 당할 때 사용하며 , '~되다, ~당하다'의 의미이다.
☞ 수동태의 형태: 「be동사+과거분사+by+행위자」

2 수동태의 시제

She will be invited to the party. 020

☞ 현재시제 수동태: 「am/are/is+과거분사」 / 과거시제 수동태: 「was/were+과거분사」
미래시제 수동태: 「will be+과거분사」

The copy machine is being repaired. 021

☞ 진행형 수동태: 「be동사+being+과거분사」 / 완료형 수동태: 「have/has/had+been+과거분사」

3 4형식 문장의 수동태

This dictionary was bought *for* me by my father. 022

☞ 4형식 문장은 간접목적어와 직접목적어를 각각 주어로 하는 2개의 수동태 문장을 만들 수 있다.
☞ 직접목적어가 주어가 되는 경우 간접목적어 앞에 적절한 전치사를 써야 한다. 대부분의 동사는 to를 쓰지만, buy, make, get, cook 등의 동사는 for를 ask는 of를 쓴다.

4 5형식 문장의 수동태

He was advised *to take* a rest by the doctor. 023

☞ 5형식 문장의 수동태: 능동태의 목적어를 주어를 하고, 목적격 보어로 쓰인 형용사, 분사, 명사, to부정사는 「be동사+과거분사」 뒤에 그대로 둔다.

I was made to clean by my mother. 024

☞ 사역동사 수동태: make만 수동태로 쓰이며, 목적격 보어로 쓰인 동사원형은 to부정사로 바뀐다.
☞ 지각동사 수동태: 목적격 보어로 쓰인 동사원형은 to부정사로 바뀌고, 현재분사는 그대로 현재분사로 쓴다.

5 by 이외의 전치사를 쓰는 수동태

The train for Busan was crowded with many students. 025

☞ 수동태의 행위자는 by 이외에도 with, at, on, of, in 등 다른 전치사와 쓸 수 있다.

6 조동사의 수동태

The beautiful view can be seen from the room. 026

☞ 조동사의 수동태: 「조동사+be+과거분사」로 나타내며, 부정문은 조동사 뒤에 not을 넣는다. 의문문은 「조동사+주어+be+과거분사~?」로 쓴다.

7 동사구의 수동태

The baby is taken care of by my sister. 027

☞ 동사구의 수동태: 동사구를 하나의 동사처럼 취급하여 동사만 수동태로 바꾸고 나머지는 그대로 쓴다.

8 that절을 목적어로 하는 문장의 수동태

This house is said to be the most expensive. 028

☞ say, think, believe, know, expect, consider, report, suppose 등의 동사의 목적어가 that절인 경우, 가주어 it이나 that절의 주어를 수동태의 주어로 쓸 수 있다.

LESSON

04

to부정사

Point 029 명사적 용법 (주어, 목적어, 보어)

Point 030 명사적 용법 (가주어, 가목적어)

Point 031 형용사적 용법 (명사 수식)

Point 032 형용사적 용법 (be to 용법)

Point 033 부사적 용법

Point 034 to부정사의 의미상의 주어

Point 035 to부정사의 부정, 진행

Point 036 to부정사의 시제, 태

Point 037 목적보어로 쓰이는 to부정사

Point 038 목적보어로 쓰이는 원형부정사 (사역동사)

Point 039 목적보어로 쓰이는 원형부정사 (지각동사)

Point 040 독립부정사

내신 적중 실전 문제 1회 2회

Grammar Review 핵심 정리

Point 029 나는 연설을 하기로 결정했다. 명사적 용법 (주어, 목적어, 보어)

I decided to make a speech.

- to부정사는 「**to + 동사원형**」의 형태로, 명사 역할을 하여 주어, 목적어, 보어로 쓰일 수 있다. 이때 '~하기', '~하는 것'으로 해석한다.
  To camp in the woods is a wonderful experience. / My aim is **to walk** across the desert.
- 「**의문사 + to부정사**」는 문장 안에서 명사적 용법으로 쓰이며, 주로 목적어 역할을 한다. 「**의문사 + 주어 + should + 동사원형**」으로 바꿔 쓸 수 있다.
  I'll show you **how to get** there.
  TIP why는 to부정사와 함께 쓰지 않는다.

STEP 1 다음 문장에서 밑줄 친 부분의 역할을 고르시오.

1 To go abroad is my plan. (주어, 목적어, 보어)
2 We don't know whom to invite to our party. (주어, 목적어, 보어)
3 Her dream is to be a famous architect. (주어, 목적어, 보어)
4 He says that to get a high score is not easy. (주어, 목적어, 보어)
5 She decided to take art classes in the evenings. (주어, 목적어, 보어)

□ abroad 해외로
□ invite 초대하다
□ architect 건축가
□ score 점수

STEP 2 다음 우리말과 일치하도록 빈칸에 들어갈 말을 보기 에서 골라 알맞은 형태로 쓰시오.

보기	hold	follow	drive	stay

1 오늘 비가 와서 나는 집에 머무는 것을 선택했다.
It was rainy today, so I chose ____________ at home.

2 내 직업은 택시를 운전하는 것이다.
My job is ____________ a taxi.

3 다음번 회의를 언제 개최할지에 관해 이야기합시다.
Let's talk about when ____________ our next meeting.

4 규칙을 따르는 것은 중요하다.
____________ the rules is important.

□ choose 선택하다
□ rule 규칙

STEP 3 다음 중 어법상 틀린 것은? 내신

① To watch an action film is fun.
② Her idea is to divide up the work.
③ He didn't understand why to do this.
④ They want to take a cooking class.
⑤ I can't decide which shirt to wear.

□ action film 액션 영화
□ divide 나누다
□ understand 이해하다

Answer p.21

Point 030 나는 매일 일기를 쓰는 것이 어렵다는 것을 알았다. 명사적 용법 (가주어, 가목적어)

I found it hard to keep a diary every day.

- 주어나 목적어로 쓰인 to부정사구의 경우, 대개 가주어나 가목적어 it을 쓰고 to부정사구는 문장 뒤에 쓴다.
  It is easy **to post pictures on a blog**.
  He makes **it** a rule **to take a walk after dinner**.

STEP 1 다음 괄호 안에서 알맞은 말을 고르시오.

1 Exercise makes (it, that) easier to maintain your weight.

2 It is interesting (for play, to play) online games.

3 I think it's hard (asking, to ask) a favor of other people.

4 Is (it, this) possible to find out someone's password?

5 She found (difficult it, it difficult) to stick to her diet.

□ maintain 유지하다
□ possible 가능한
□ password 비밀번호
□ stick to ~를 계속하다

STEP 2 다음 우리말과 일치하도록 괄호 안의 말을 바르게 배열하시오.

1 전동 공구를 사용하는 것은 간단하지 않다. (not, use, it, to, simple, is)
________________ electric tools.

2 인터넷은 정보를 찾는 것을 쉽게 해 준다. (find, it, makes, to, easy)
The Internet ________________ information.

3 내일까지 이 프로젝트를 마치는 것은 불가능하다. (finish, is, to, impossible, it)
________________ this project by tomorrow.

4 어른들의 지혜를 경청하는 것이 중요하다. (is, to, it, listen to, important)
________________ the wisdom of elders.

5 이것은 혈압을 낮추는 것을 가능하게 해 준다. (to, it, lower, possible, makes)
This ________________ blood pressure.

□ electric 전기의
□ wisdom 지혜
□ elders 어른들
□ lower 낮추다
□ blood pressure 혈압

STEP 3 다음 빈칸에 들어갈 말이 순서대로 짝지어진 것은? 내신

I found ________ dangerous ________ this old frying pan.

① this – use ② it – to use ③ that – using
④ it – use ⑤ that – to use

Answer p.21

Point 031 나는 누울 침대를 골랐다.

I chose a bed to lie on.

- to부정사는 형용사 역할을 하여 앞에 있는 명사(구)를 수식할 수 있다. 이때 '~하는', '~할'로 해석한다.
  He didn't have **enough money to buy** a new car. (명사구 + to부정사)
  I need **something special to wear** for the party. (-thing으로 끝나는 명사 + 형용사 + to부정사)
- to부정사의 수식을 받는 명사(구)가 전치사의 목적어일 경우, to부정사 뒤에 전치사를 빠뜨리지 않도록 유의한다.
  Can you lend me **a pen to write with**? (← write with a pen)

STEP 1 다음 괄호 안에서 알맞은 말을 고르시오.

□ celebrate 기념하다

1 She lost a toy to (play with, play of).
2 I have no paper (to write, to write on).
3 I need someone (going, to go) to the concert with me.
4 Las Vegas is known as a popular place (to visit, to visit in).
5 I want (special something, something special) to celebrate Christmas.

STEP 2 다음 두 문장을 to부정사를 이용하여 한 문장으로 바꿔 쓰시오.

□ flea market 벼룩시장
□ recycle 재활용하다
□ further 더 이상의, 추가의

1 I have many books. I will sell them at the flea market.
→ I have many books ________________ at the flea market.

2 I'm looking for a house. I want to live in it.
→ I'm looking for a house ________________.

3 James has a girlfriend. He will dance with her at the party.
→ James has a girlfriend ________________ at the party.

4 He has some boxes. He will recycle them for further use.
→ He has some boxes ________________ for further use.

5 I've just heard something interesting. I will talk about it.
→ I've just heard ________________.

STEP 3 다음 빈칸에 들어갈 말로 알맞은 것은? 내신

□ bring 가져오다

Please bring her a chair ________.

① sit ② to sit ③ sit on ④ to sit on ⑤ sitting on

Answer p.21

형용사적 용법 (be to 용법)

Point 032 너는 이 질문에 답해야 한다.

You are to answer this question.

• 「be + to부정사」는 다음과 같은 의미로 쓰일 수 있다.

의무, 명령 (~해야 한다)	You **are to come** home by 7 p.m.
예정 (~할 예정이다)	We **are to have** a meeting this afternoon.
가능 (~할 수 있다)	Nothing **was to be** found in this place.
의도 (~하고자 한다면)	If you **are to be** a teacher, you should study harder.
운명 (~할 운명이다)	She **was to become** a top-class dancer.

STEP 1 다음 문장을 밑줄 친 부분에 유의하여 우리말로 해석하시오.

1 If she is to survive, she has to find something to eat.

2 Students are to listen to their teachers.

3 Harry was to fall in love with Sally.

4 Nothing was to be heard in the room.

5 I am to eat out with my family this evening.

□ survive 살아남다
□ fall in love with ~와 사랑에 빠지다

STEP 2 다음 두 문장이 같은 뜻이 되도록 할 때, to부정사를 이용하여 빈칸에 알맞은 말을 쓰시오.

1 She is planning to take a trip next year.
= She ________ ________ ________ a trip next year.

2 The man was destined to lose all his property.
= The man ________ ________ ________ all his property.

3 Happiness can't be bought with money.
= Happiness ________ ________ ________ ________ with money.

4 You shouldn't break the promise with your child.
= You ________ ________ ________ the promise with your child.

□ plan 계획하다
□ be destined to ~할 운명이다
□ property 재산
□ promise 약속

STEP 3 다음 밑줄 친 부분과 바꿔 쓸 수 있는 것은? 내신

Drivers are to obey all traffic laws.

① want to ② are going to ③ are allowed to
④ are able to ⑤ have to

□ obey (명령 · 법 등을) 지키다
□ traffic law 교통 법규

Answer p.22

Point 033 그런 일을 하다니 너는 어리석었다.

You were foolish **to do** such a thing.

• to부정사는 부사 역할을 하여 동사, 형용사, 부사를 수식할 수 있으며 다음과 같은 의미로 해석된다.

목적 (~하기 위해서)	결과 (~해서 결국 …하다[되다])	감정의 원인 (~해서, ~하니)
판단의 근거 (~하다니, ~하는 것을 보니)	정도 (~하기에)	조건 (만약 ~한다면)

I went to the market **to buy** groceries. / She woke up **to find** herself famous.
We were so pleased **to win** the contest. / This is difficult **to understand**.

STEP 1 다음 문장을 밑줄 친 부분에 유의하여 우리말로 해석하시오.

1 I'm sorry to bother you.
2 His grandfather lived to be ninety.
3 He was brave to save a child from the fire.
4 She came to my house to borrow my book.
5 Some wild mushrooms are not safe to eat.

□ bother 귀찮게 하다
□ brave 용감한
□ borrow 빌리다
□ mushroom 버섯

STEP 2 다음 두 문장을 to부정사를 이용하여 한 문장으로 바꿔 쓰시오.

1 He passed the driving test. He was very happy.
→ He was very happy ______________________.

2 They hurried. But they missed the last bus.
→ They hurried, only ______________________.

3 She called me. She apologized for her mistake.
→ She called me ______________________.

4 My daughter can speak three languages. She is smart.
→ My daughter is smart ______________________.

□ apologize 사과하다
□ mistake 실수
□ language 언어

STEP 3 다음 밑줄 친 부분의 쓰임이 보기와 같은 것은? 내신

보기 You are so brilliant to come up with the idea.

① I went to the library to do volunteer work.
② He grew up to be a vet.
③ This appliance is easy to use.
④ She must be a genius to invent the machine.
⑤ To hear him talk, you would regard him as a foreigner.

□ volunteer work 자원봉사
□ vet 수의사
□ appliance (가정용) 기기
□ regard 여기다, 생각하다

Answer p.22

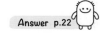

Point 034 네가 강에서 수영하는 것은 위험하다.

It is dangerous *for you* to swim in the river.

- to부정사의 의미상의 주어는 보통 「**for + 목적격**」으로 나타낸다.
  It is important **for you** to have a clear goal.
- 사람의 성격 · 태도를 나타내는 형용사 뒤에 나오는 to부정사의 의미상의 주어는 「**of + 목적격**」으로 나타낸다.
  It was rude **of her** to answer her teacher back.

TIP to부정사의 의미상의 주어가 막연한 일반인이거나 문장의 주어나 목적어와 일치하는 경우, 의미상의 주어를 생략할 수 있다.

STEP 1 다음 괄호 안에서 알맞은 말을 고르시오.

1 It is impossible (for, of) her to carry the box.
2 It was foolish (for, of) you to say so.
3 It's not easy (for, of) me to drive a car.
4 How kind (for, of) you to pick me up!
5 The lecture is too difficult (for, of) her to understand.

□ pick up (~를 차에) 태워 주다
□ lecture 강의

STEP 2 다음 우리말과 일치하도록 괄호 안의 말을 이용하여 빈칸에 알맞은 말을 쓰시오.

1 당신은 매일 운동할 필요가 있다. (necessary)
It ______________________ to exercise every day.

2 그런 행동을 하다니 그는 경솔했다. (careless)
It ______________________ to do such a thing.

3 적게 먹는 것은 나에게 힘든 일이다. (hard)
It ______________________ to eat less.

4 그녀가 복권에 당첨되었다는 말은 믿기 힘들 정도다. (unbelievable)
It sounds ______________________ to win the lottery.

5 나를 역에 데려다 주다니 너는 상냥하구나. (friendly)
It ______________________ to take me to the station.

□ necessary 필요한
□ careless 경솔한
□ unbelievable 믿기 힘든

STEP 3 다음 빈칸에 들어갈 말로 알맞은 것은? 내신

It is surprising ________ him to win the Nobel Prize.

① by ② of ③ with ④ to ⑤ for

□ Nobel Prize 노벨상

Answer p.23

Point 035 나는 과식하지 않으려고 노력한다.

I try not to eat too much.

- to부정사의 부정형: 「부정어(not/never)+to부정사」
  He told me **not to open** the door.
- to부정사의 진행형: 「**to be+v-ing**」
  You appear **to be floating** in this photo.

STEP 1 다음 우리말과 일치하도록 괄호 안의 단어를 알맞은 형태로 고치시오.

□ advise 충고하다
□ appear ~처럼 보이다
□ expect 기대하다
□ pretend ~인 체하다

1 그는 내게 절대 거짓말하지 말라고 충고했다.
He advised me (tell) a lie.

2 그녀는 그를 돌보고 있는 것처럼 보인다.
She appears (take) care of him.

3 나는 네가 우리 회의에 늦지 않기를 기대한다.
I expect you (be) late for our meeting.

4 그는 무엇인가를 찾고 있는 체했다.
He pretended (look) for something.

STEP 2 다음 우리말과 일치하도록 괄호 안의 말을 바르게 배열하시오.

□ bridge 다리
□ hide 숨기다

1 그 도시는 다리를 건설하지 않기로 결정했다. (build, not, the bridge, to)
The city decided ______________________.

2 그 남자는 무엇인가를 숨기고 있는 것 같다. (to, hiding, be, something)
The man seems ______________________.

3 나는 살이 찌지 않기 위해서 과일과 채소를 먹는다. (to, not, weight, gain)
I eat fruits and vegetables ______________________.

4 그들은 게임을 즐기고 있는 것처럼 보인다. (to, the game, enjoying, be)
They appear ______________________.

5 너는 감기에 걸리지 않도록 조심해야 한다. (not, a cold, catch, to)
You should be careful ______________________.

STEP 3 다음 밑줄 친 부분 중 어법상 틀린 것은? 내신

□ pollute 오염시키다

It is(①) necessary(②) for us(③) to not pollute(④) the air, land, and(⑤) water.

Answer p.23

Point 036 그들은 서로를 오해했던 것처럼 보인다.

They seem to have misunderstood each other.

- 완료부정사: 「**to have + p.p.**」의 형태로, to부정사가 나타내는 일이 주절이 나타내는 일보다 시간상 앞설 때 쓴다.
  He seems **to have been** rich. = It seems that he was rich.
- to부정사의 수동형: 「**to be + p.p.**」의 형태로, 의미상의 주어가 to부정사가 나타내는 행위의 대상일 때 쓴다.
  The air seemed **to be filled** with their songs. = It seemed that the air was filled with their songs.

STEP 1 다음 괄호 안에서 알맞은 말을 고르시오.

1 She seems to (finish, have finished) her project an hour ago.
2 This building needs to (repair, be repaired) as soon as possible.
3 The king appears to (have been, be) poisoned.
4 I didn't expect to (give, be given) a scholarship.
5 I hope to (pay, have paid) off the debt within a year.

□ repair 수리하다
□ poison 독살하다
□ scholarship 장학금
□ debt 빚

STEP 2 다음 두 문장이 같은 뜻이 되도록 할 때, 빈칸에 알맞은 말을 쓰시오.

1 It seems that he is tired.
= He seems to ______________.

2 It seems that she enjoyed the party.
= She seems to ______________ the party.

3 He is happy that he was given the letter.
= He is happy to ______________ the letter.

4 She appears to have been attacked by a wild animal in the woods.
= It appears that she ______________ by a wild animal in the woods.

□ attack 공격하다
□ woods 숲

STEP 3 다음 중 보기 와 의미가 같은 것은? 내신

보기 It seems that Kate forgot it.

① Kate seems to forget it.
② Kate seemed to forget it.
③ It seemed that Kate forgets it.
④ Kate seems to have forgotten it.
⑤ Kate seemed to have forgotten it.

Answer p.23

Point 037 나는 그에게 그의 책을 가져오라고 말했다.

I *told* him to bring his book.

- to부정사는 목적어를 보충 설명해 주는 목적보어로 쓰이기도 한다. to부정사를 목적보어로 취하는 동사에는 want, expect, ask, invite, tell, allow, advise, order, force, get 등이 있다.
  I asked them **to quit** bothering Jake.
  I got him **to repair** my bike.

STEP 1 다음 밑줄 친 부분을 바르게 고치시오.

1 He forced me resign from my post.
2 My mother wanted me taking care of my brother.
3 A stranger asked me to showing him the way.
4 Jason told her not waste her time.
5 The doctor advised him have a rest.

□ force 강요하다
□ resign from ~에서 물러나다, 사임하다
□ post 직책

STEP 2 다음 우리말과 일치하도록 보기 의 말을 이용하여 빈칸에 알맞은 말을 쓰시오.

보기	be	go	exercise	stay	come

1 그들은 나에게 그들의 집에 오라고 초대했다.
They invited ______________________.

2 그는 그녀에게 매일 운동하라고 충고했다.
He advised ______________________.

3 우리는 애완동물들이 우리 호텔에서 머무는 것을 허용하지 않습니다.
We don't allow ______________________.

4 그들은 내가 좋은 학교에 가기를 기대했다.
They expected ______________________.

5 그녀는 그 아이들에게 조용히 하라고 말했다.
She told ______________________.

□ allow 허용하다

STEP 3 다음 중 어법상 틀린 것은? 내신

① Please allow me marry him.
② My parents want me to be a dentist.
③ I expect him to be a good leader.
④ She advised me to pay attention in class.
⑤ They ordered him to stop resisting.

□ leader 지도자
□ pay attention 집중하다
□ order 지시하다
□ resist 저항하다

Answer p.24

The movie *made* me feel sleepy.

- 원형부정사: to 없이 쓰이는 부정사이다. make, let, have와 같은 사역동사(~로 하여금 …하게 하다)는 목적보어로 원형부정사를 취한다.
  She didn't let me **go** out.
- 동사 help는 목적보어로 to부정사와 원형부정사를 둘 다 취할 수 있다.
  He helped me **(to) wash** my car.

TIP 동사 get은 사역의 의미를 갖지만, 목적보어로 to부정사를 취한다.

STEP 1 다음 괄호 안에서 알맞은 말을 고르시오.

1 She helped me (carry, carrying) out my mission.

2 Please let him (have, to have) more free time.

3 The teacher got us (read, to read) many books.

4 Henry had the boy (paint, to paint) the wall.

5 My mother made me (donate, donating) some of my allowance.

□ carry out 수행하다
□ mission 임무
□ donate 기부하다
□ allowance 용돈

STEP 2 다음 우리말과 일치하도록 괄호 안의 말을 이용하여 빈칸에 알맞은 말을 쓰시오.

1 그녀는 내가 그녀의 신발을 빌리는 것을 허락했다. (borrow)
She let ______________________.

2 그 소리는 내가 붓을 떨어뜨리게 했다. (drop)
The noise made ______________________.

3 나는 그에게 내 차를 운전해 달라고 부탁했다. (drive)
I asked ______________________.

4 그는 내가 설거지하는 것을 도와주었다. (do)
He helped ______________________.

5 나는 Ben에게 내 일정을 확인하게 했다. (check)
I had ______________________.

STEP 3 다음 빈칸에 들어갈 말로 알맞지 <u>않은</u> 것은? 내신

□ push 누르다, 밀다

I ________ her push the button.

① let ② had ③ made ④ helped ⑤ expected

Answer p.24

Point 039 나는 방에서 아기가 우는 소리를 들었다.

I *heard* a baby cry in the room.

- 원형부정사는 see, watch, look at, listen to, hear, feel, notice 등과 같은 지각동사의 목적보어로도 쓰인다.
  진행의 의미를 강조할 경우 v-ing를 쓰기도 한다.
  I saw her **run[running]** on the playground.
  We noticed him **coming** down the stairs.

STEP 1 다음 문장에서 틀린 부분을 바르게 고치시오.

1 They noticed me to come in.
2 I haven't seen him reads a book.
3 He had her turning off the radio.
4 We listened to you made a presentation.
5 She helped the old lady crossing the street safely.

□ notice 알아차리다
□ presentation 발표

STEP 2 다음 우리말과 일치하도록 괄호 안의 말을 이용하여 빈칸에 알맞은 말을 쓰시오.

1 그는 비행기가 이륙하는 것을 보았다. (take off)
He saw ______________________.

2 나는 네가 크게 소리치는 것을 들었다. (shout)
I heard ______________________ loudly.

3 그녀는 누군가가 자신의 발을 밟고 있는 것을 느꼈다. (step)
She felt ______________________ on her foot.

4 그들은 내가 친구들과 축구하고 있는 것을 보았다. (play)
They watched ______________________ with my friends.

5 나는 아들이 채소를 먹게 했다. (eat)
I got ______________________.

□ take off 이륙하다
□ step on ~를 밟다

STEP 3 다음 중 어법상 옳은 것은? 내신

① I heard someone to knock on the window.
② We saw the boat to float away on the river.
③ Did you notice anyone follows you?
④ He watched me running around the track.
⑤ I felt the table to trembling.

□ float (물 위나 공중에서) 떠다니다
□ track 경주로
□ tremble 떨리다

Answer p.24

Point 040 사실대로 말하면, 나는 해외를 여행해 본 적이 없다.

To tell the truth, I've never traveled abroad.

- 독립부정사: 관용어처럼 굳어진 to부정사 표현으로, 문장 전체를 수식하거나 삽입구로 사용된다.

- to tell the truth	사실대로 말하면	- to be frank (with you)	솔직히 말해서
- to be honest (with you)	솔직하게 말하면	- strange to say	이상한 이야기지만
- needless to say	말할 필요도 없이	- not to mention	~는 말할 것도 없고
- to be sure	확실히	- to make matters worse	설상가상으로
- to begin with	우선	- so to speak	말하자면

STEP 1 다음 밑줄 친 부분을 바르게 고치시오.

□ amazing 놀라운

1 Needless say, the movie was amazing.
2 Tell the truth, I don't like him.
3 Making matters worse, I was late for the meeting.
4 To frank with you, I sometimes wore your clothes.
5 He can speak French, not to mentioning English.

STEP 2 다음 우리말과 일치하도록 보기 의 말을 이용하여 빈칸에 알맞은 말을 쓰시오.

□ spirit 영혼
□ rather 상당히

보기 begin sure strange honest speak

1 말하자면, 그녀는 천사이다.
She is, ______________________, an angel.

2 솔직히 말하자면, 우리는 곧 결혼할 예정이다.
______________________, we are getting married soon.

3 우선, 우리 뭔가를 먹는 것이 어때?
______________________, why don't we eat something?

4 이상한 이야기지만, 나는 영혼을 볼 수 있어.
______________________, I can see spirits.

5 확실히, 이 집은 상당히 비싸다.
______________________, this house is rather expensive.

STEP 3 다음 빈칸에 들어갈 말로 알맞은 것은? 내신

□ wallet 지갑

I arrived late at work. ____________, I lost my wallet. It was a terrible day.

① To be sure ② So to speak ③ Not to mention
④ To make matters worse ⑤ To begin with

Answer p.25

Point 029

01 다음 밑줄 친 부분의 용법이 보기 와 같은 것은?

> 보기 He promised to give me a ring.

① My father decided to stop smoking.
② She did her best to adapt to change.
③ My cousin grew up to be a counselor.
④ You are wise to agree to their request.
⑤ I need someone to depend on when I'm in trouble.

Point 031, 033

02 다음 밑줄 친 부분 중 용법이 나머지 넷과 다른 것은?

① She grew up to be a nurse.
② He is brave to do such a thing.
③ I have a plan to study psychology.
④ Lucy always exercises to keep slim.
⑤ These questions are very difficult to answer.

중요

Point 038

03 다음 중 어법상 틀린 것은?

① She helped me move the box.
② He got me to do his homework.
③ My mother had me clean the room.
④ They didn't let her leaving the country.
⑤ I heard him complaining about his bad luck.

[04~05] 다음 빈칸에 들어갈 말이 나머지 넷과 다른 것을 고르시오.

Point 034

04 ① It is nice ________ her to comfort me.
② It is not easy ________ me to accept failure.
③ It is dangerous ________ children to use a knife.
④ It is necessary ________ him to learn new skills.
⑤ It was impossible ________ me to climb the rock.

Point 031

05 ① I have no pen to write ________.
② He met somebody to talk ________.
③ This is a light ball to play ________.
④ She is looking for a pet to live ________.
⑤ It is a very comfortable chair to sit ________.

Point 030

06 다음 두 문장이 같은 뜻이 되도록 할 때, 빈칸에 들어갈 말이 순서대로 짝지어진 것은?

> To do volunteer work is a good thing.
> = ________ is a good thing ________ volunteer work.

① It – do ② It – to do
③ That – do ④ That – to do
⑤ That – doing

Point 032

07 다음 밑줄 친 부분과 바꿔 쓸 수 있는 것은?

> You are to come home right after school.

① want to ② cannot ③ should not
④ have to ⑤ are going to

Point 029

08 다음 빈칸에 공통으로 들어갈 말로 알맞은 것은?

> • Please show me ________ make spaghetti.
> • She taught me ________ spell the word.

① who to ② when to ③ why to
④ how to ⑤ what to

[09~10] 다음 빈칸에 들어갈 말이 순서대로 짝지어진 것을 고르시오.

Point 040

09

- ________ frank with you, I can't understand what you're saying.
- You are, so ________, a fish out of water.

① To be – speak ② Be – to speak
③ Being – speaking ④ Being – speak
⑤ To be – to speak

Point 039

10

- I saw her ________ off the bike.
- I heard Peter ________ my name.

① fall – calling ② fall – to calling
③ fall – to call ④ to fall – calling
⑤ to fall – to call

고난도

Point 031

11 다음 밑줄 친 부분 중 어법상 틀린 것은?

① I want some paper to write on.
② I found a beautiful hotel to stay.
③ She has many friends to play with.
④ He has the ability to memorize everything.
⑤ You need to buy something warm to drink.

Point 039

12 다음 중 빈칸에 to가 들어갈 수 없는 것은?

① He helped me ________ plant trees.
② The teacher got us ________ be quiet.
③ She noticed me ________ cheat on the math test.
④ We expect you ________ promote world peace.
⑤ He considers it his duty ________ send some money to his family.

서술형

Point 036

13 다음 두 문장이 같은 뜻이 되도록 할 때, 빈칸에 알맞은 말을 쓰시오.

I am sorry that I annoyed you.

= I am sorry to ________ ________ ________.

[14~15] 다음 우리말과 일치하도록 주어진 조건을 이용하여 영작하시오.

Point 035

14

조건 1 appear, control을 사용할 것
조건 2 to부정사를 사용하여 총 7단어로 쓸 것

그녀는 자신의 감정을 통제하고 있는 것처럼 보인다.

→ ________________________

Point 035, 037

15

조건 1 tell, worry를 사용할 것
조건 2 to부정사를 사용하여 총 7단어로 쓸 것

나는 나의 학생들에게 걱정하지 말라고 말했다.

→ ________________________

Point 037

16 다음 문장에서 어법상 틀린 부분을 찾아 바르게 고쳐 쓰시오.

She asked me brought an umbrella.

________________ → ________________

Point 031

01 다음 밑줄 친 부분의 용법이 보기 와 같은 것은?

보기 Give me several magazines to read.

① He grew up to be a lawyer.
② There are no benches to sit on.
③ It is difficult to master English.
④ The children are easy to please.
⑤ I promised to be polite to others.

Point 029, 033

02 다음 밑줄 친 부분 중 용법이 나머지 넷과 다른 것은?

① I'd be glad to go with her.
② You must be smart to think like that.
③ He went to the park to play baseball.
④ I was shocked to hear about your defeat.
⑤ She planned to go on a diet before her holiday.

중요

Point 039

03 다음 중 어법상 틀린 것은?

① He failed to be a teacher.
② There's nothing to tear us apart.
③ I was surprised to learn the fact.
④ He told me how to get to the bank.
⑤ She felt the building to shake a lot.

Point 036

04 다음 우리말을 영어로 바르게 옮긴 것은?

내 소원은 누군가에 의해 사랑받는 것이다.

① My wish is to love someone.
② My wish is to love by someone.
③ My wish is to have loved someone.
④ My wish is to be loved by someone.
⑤ My wish is to have been loved by someone.

고난도

Point 036

05 다음 중 두 문장의 의미가 서로 다른 것은?

① It seems that he is hungry.
= He seems to be hungry.
② She appears to have been wounded.
= It appears that she was wounded.
③ It seemed that the movie was boring.
= The movie seemed to be boring.
④ It appears that he is buying a necklace.
= He appears to be buying a necklace.
⑤ The boy seems to like cartoons.
= It seems that the boy liked cartoons.

Point 032

06 다음 밑줄 친 부분과 바꿔 쓸 수 있는 것은?

I was to go to the rock festival with my friend, but she suffered from a high fever. So I went there alone.

① had to
② was able to
③ was going to
④ was allowed to
⑤ was destined to

Point 040

07 다음 우리말과 일치하도록 할 때, 빈칸에 들어갈 말로 알맞은 것은?

확실히, 나는 그의 강연을 잘 이해할 수 있다.
➡ ________ sure, I can understand his lecture well.

① Be
② Being
③ To be
④ Been
⑤ To being

Point 039

08 다음 두 문장을 한 문장으로 알맞게 바꾼 것은?

• I saw Tom.
• He was dancing to hip-hop music.

① I saw Tom dances to hip-hop music.
② I saw Tom danced to hip-hop music.
③ I saw Tom dancing to hip-hop music.
④ I saw Tom to dance to hip-hop music.
⑤ I saw Tom to dancing to hip-hop music.

Point 030, 034

09 다음 빈칸에 들어갈 말이 순서대로 짝지어진 것은?

• _________ is exciting to go surfing in the sea.
• It was selfish _________ him to eat the bread alone.

① It – of ② That – of ③ It – for
④ It – to ⑤ That – for

Point 039

10 다음 빈칸에 들어갈 말로 알맞지 않은 것은?

Mr. Smith _________ me to check his schedule.

① saw ② got ③ told
④ asked ⑤ ordered

Point 038

11 다음 중 어법상 옳은 것은?

① He made me feel depressed.
② I can get her accept my offer.
③ She had me turning down the volume.
④ We watched the monkey to climb the tree.
⑤ He told me to not drink on an empty stomach.

Point 039

12 다음 중 빈칸에 to가 들어갈 수 없는 것은?

① He told me not _________ bring a lunchbox.
② It is not easy _________ clean the bathroom.
③ He taught me how _________ draw a picture.
④ She felt someone _________ touch her shoulder.
⑤ My plan is _________ go on a picnic this weekend.

서술형

Point 029

13 다음 두 문장이 같은 뜻이 되도록 할 때, 빈칸에 알맞은 말을 쓰시오.

I can't decide which pair I should buy among these shoes.
= I can't decide _________ _________ _________ _________ among these shoes.

Point 037, 038

14 다음 우리말과 일치하도록 주어진 조건을 이용하여 영작하시오.

조건 1 get, sign을 사용할 것
조건 2 총 7단어로 쓸 것

그는 내가 그 종이에 서명하도록 했다.
→ _______________________________

Point 033, 034

15 다음 문장에서 어법상 틀린 부분을 찾아 바르게 고쳐 쓰시오.

It is impossible of you to press the button. The button is very hard pressing.

(1) _______________ → _______________
(2) _______________ → _______________

Point 035

16 다음 대화의 흐름에 맞도록 괄호 안의 말을 바르게 배열하시오.

A: You should be careful _______________.
(to, not, a drop, spill)
B: Okay.

Grammar Review 핵심 정리

1 to부정사의 명사적 용법

Point

I decided **to make** a speech. 029

☞ to부정사는 명사 역할을 하여 주어, 목적어, 보어로 쓰일 수 있다. 이때 '~하기', '~하는 것'으로 해석한다.

I found **it** hard **to keep a diary every day**. 030

☞ 주어나 목적어로 쓰인 to부정사구의 경우, 대개 가주어나 가목적어 it을 쓰고 to부정사구는 문장 뒤에 쓴다.

2 to부정사의 형용사적 용법

I chose a bed **to lie** on. 031

☞ to부정사는 형용사 역할을 하여 앞에 있는 명사(구)를 수식할 수 있다. 이때 '~하는', '~할'로 해석한다.

You **are to answer** this question. 032

☞ 「be+to부정사」는 의무, 예정, 가능, 의도, 운명의 의미를 나타낼 수 있다.

3 to부정사의 부사적 용법

You were foolish **to do** such a thing. 033

☞ to부정사는 부사 역할을 하여 목적, 결과, 감정의 원인, 판단의 근거, 정도, 조건의 의미로 해석된다.

4 to부정사의 의미상의 주어

It is dangerous *for you* **to swim** in the river. 034

☞ to부정사의 의미상의 주어는 보통 「for+목적격」으로, 성격 · 태도를 나타내는 형용사 뒤에서는 「of+목적격」으로 쓴다.

5 to부정사의 부정, 진행

I try **not to eat** too much. 035

☞ to부정사의 부정형: 「부정어(not/never)+to부정사」 / to부정사의 진행형: 「to be+v-ing」

6 to부정사의 시제, 태

They seem **to have misunderstood** each other. 036

☞ 완료부정사: 「to have+p.p.」의 형태로, to부정사가 나타내는 일이 주절이 나타내는 일보다 시간상 앞설 때 쓴다.
☞ to부정사의 수동형: 「to be+p.p.」의 형태로, 의미상의 주어가 to부정사가 나타내는 행위의 대상일 때 쓴다.

7 목적보어로 쓰이는 부정사

I *told* him **to bring** his book. 037

☞ to부정사를 목적보어로 취하는 동사: want, expect, ask, invite, tell, allow, advise, order, force 등

The movie *made* me **feel** sleepy. 038

☞ 원형부정사: to 없이 쓰이는 부정사로, 사역동사 make, let, have는 목적보어로 원형부정사를 취한다.

I *heard* a baby **cry** in the room. 039

☞ 지각동사 see, watch, look at, listen to, hear, feel, notice 등은 목적보어로 원형부정사나 v-ing를 취한다.

8 독립부정사

To tell the truth, I've never traveled abroad. 040

☞ 독립부정사: 관용어처럼 굳어진 to부정사 표현으로, 문장 전체를 수식하거나 삽입구로 쓰인다.

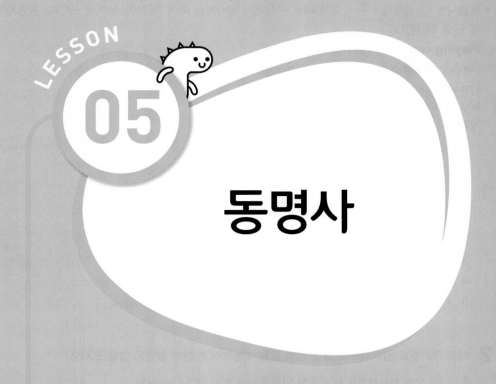

LESSON

05

동명사

Point 041 동명사의 역할 (주어, 목적어, 보어)

Point 042 동명사의 의미상의 주어

Point 043 동명사의 부정, 수동태

Point 044 동명사 목적어 vs. to부정사 목적어

Point 045 동명사와 to부정사를 목적어로 취하는 동사

Point 046 동명사의 관용 표현

내신 적중 실전 문제 1회 2회

Grammar Review 핵심 정리

Point 041 식사 후에 이를 닦는 것은 좋은 습관이다.

Brushing your teeth after meals is a good habit.

- 동명사는 「동사원형 + -ing」의 형태로 문장에서 명사처럼 주어, 목적어, 보어로 쓰인다. 동명사가 주어로 쓰인 경우 단수 취급한다.

Playing computer games **is** fun. (주어)
I enjoy **reading** comic books in my free time. (동사의 목적어)
I'm interested in **fishing** in the ocean. (전치사의 목적어)
My hobby is **listening** to music. (보어)

TIP 동명사가 주어 또는 보어로 쓰일 경우 to부정사로 바꿔 쓸 수 있다.

STEP 1 다음 괄호 안에서 알맞은 말을 고르시오.

□ be good at ~을 잘하다
□ collect 모으다, 수집하다

1 She is good at (to cook, cooking).
2 Her plan is (learn, learning) new skills.
3 My brother enjoys (collect, collecting) postcards.
4 (Traveling, Travel) around the world makes me happy.
5 Reading various kinds of books (help, helps) you in many ways.

STEP 2 다음 우리말과 일치하도록 괄호 안의 말을 이용하여 빈칸에 알맞은 말을 쓰시오.

□ activity 활동
□ be afraid of ~을 걱정하다, 두려워하다

1 너무 오래 텔레비전을 보는 것은 당신의 눈에 좋지 않다. (watch)
______ ______ too long is bad for your eyes.

2 내가 가장 좋아하는 활동은 피아노를 연주하는 것이다. (play)
My favorite activity is ______ ______ ______.

3 그 아이는 갑자기 울기 시작했다. (start)
The child suddenly ______ ______.

4 그들은 시합에서 질까 봐 걱정했다. (afraid of)
They were ______ ______ ______ the match.

5 새로운 친구를 사귀는 것은 쉽지 않다. (make)
______ ______ ______ ______ not easy.

STEP 3 다음 빈칸에 들어갈 말로 알맞은 것을 모두 고르면? 내신

My dream is ______ a world-famous top model.

① be ② being ③ to be
④ been ⑤ to being

Answer p.29

Point 042 제가 창문을 닫아도 될까요?

동명사의 의미상의 주어

Would you mind *my* closing the window?

- 동명사의 의미상의 주어는 동명사의 행위를 하는 주체를 나타내며, 동명사 바로 앞에 소유격이나 목적격으로 쓴다.
  I took photos of *his[him]* **playing** in the sand.

TIP 동명사의 주어가 문장의 주어 또는 목적어와 같거나 일반인인 경우, 별도로 의미상 주어를 표시하지 않는다.

STEP 1 다음 괄호 안에서 알맞은 말을 고르시오.

1 She can't imagine (he, his) becoming an accountant.

2 I appreciate (she, her) coming to the party.

3 They're worried about (I, me) arriving late at the airport.

4 I don't understand (for Jake, Jake) being lazy.

5 What do you think of (they, their) getting married?

□ accountant 회계사
□ appreciate 감사하다
□ airport 공항

STEP 2 다음 두 문장이 같은 뜻이 되도록 동명사를 이용하여 바꿔 쓰시오

1 I like that Kate sings a song.
= I like ______________________________.

2 I'm sorry that she cheated on the test.
= I'm sorry for ______________________________.

3 Do you mind if I smoke here?
= Do you mind ______________________________?

4 I'm sure that I will win first prize.
= I'm sure of ______________________________.

5 Helen insisted that he should attend the meeting.
= Helen insisted on ______________________________.

□ cheat 부정행위를 하다
□ insist 주장하다

STEP 3 다음 빈칸에 들어갈 말로 알맞지 <u>않은</u> 것은? 내신

I'm proud of __________ being a scientist.

① him ② you ③ her ④ James ⑤ me

Answer p.29

Point 043 아침을 먹지 않는 것은 당신의 건강에 좋지 않다.

Not eating breakfast is not good for your health.

- 동명사의 부정: 동명사를 부정할 경우에는 부정어 not이나 never 등을 동명사 앞에 둔다.
  He doesn't like **not** being on time.
- 동명사의 수동태: 동명사의 의미상 주어가 동명사의 행위를 받는 수동의 관계일 때, 「**being + p.p.**」 형태로 쓴다.
  He was ashamed of **being scolded** in front of his friends.

STEP 1 다음 밑줄 친 부분을 바르게 고치시오.

1 She was angry about be ignored by people.
2 I will forgive your keeping not the promise.
3 Many illnesses are caused not by drinking enough water.
4 He hates been disturbed by noise.
5 She was happy about being praise by her parents.

□ ignore 무시하다
□ promise 약속
□ illness 병
□ disturb 방해하다

STEP 2 다음 우리말과 일치하도록 괄호 안의 말을 이용하여 빈칸에 알맞은 말을 쓰시오.

1 그녀는 어린 아이처럼 취급받는 것을 싫어한다. (treat)
She hates ________ ________ like a little child.

2 나는 내일 출근하지 않는 것을 고려 중이다. (go)
I'm considering ________ ________ to work tomorrow.

3 그는 경찰에 의해 잡힐까 봐 두려워했다. (catch)
He was afraid of ________ ________ by the police.

4 나는 내 책들이 가지런히 정리되어 있는 것을 선호한다. (arrange)
I prefer my books ________ ________ neatly.

5 겨울에 따뜻한 옷을 입지 않는 것은 감기를 걸리게 할 수 있다. (wear)
________ ________ warm clothes in winter can cause you to get a cold.

□ treat 취급하다
□ catch 잡다
□ arrange 정리하다
□ neatly 가지런히

STEP 3 다음 문장에서 not이 들어가기에 알맞은 곳은? 내신

He (①) was annoyed (②) at (③) being (④) invited (⑤) to the party.

□ annoyed 화가 난

Answer p.29

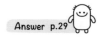

동명사 목적어 vs. to부정사 목적어

Point 044 그 아기는 방에서 하루 종일 울고 있었다.

The baby *kept* crying in the room all day long.

- 동명사를 목적어로 취하는 동사에는 mind, enjoy, give up, avoid, practice, quit, stop, finish, consider, keep, imagine, deny, admit, suggest, put off 등이 있다.
  I *finished* **making** a poster.
- to부정사를 목적어로 취하는 동사에는 want, hope, plan, decide, promise, refuse, agree, expect 등이 있다.
  I *decided* **to take** a walk every day.

STEP 1 다음 괄호 안에서 알맞은 말을 고르시오.

1 They quit (arguing, to argue) with each other.
2 He refused (meeting, to meet) my sister.
3 They finished (planting, to plant) lots of flowers.
4 Do you mind my (turning, to turn) on the radio?
5 I agreed (taking, to take) a break.

- □ quit 그만두다
- □ argue 논쟁하다
- □ refuse 거절하다
- □ take a break 휴식을 취하다

STEP 2 다음 우리말과 일치하도록 괄호 안의 말을 이용하여 빈칸에 알맞은 말을 쓰시오.

1 그녀는 훌륭한 의사가 되기를 기대했다. (be)
She ______ ______ ______ a great doctor.

2 나는 주말마다 잔디를 깎는 것을 즐긴다. (mow)
I ______ ______ the grass on weekends.

3 그들은 축제를 위해 매일 춤추는 것을 연습했다. (dance)
They ______ ______ every day for the festival.

4 그는 자신의 돈을 가난한 사람들에게 기부하는 것을 고려하고 있다. (donate)
He is ______ ______ his money to the poor.

5 내 여동생은 아침 식사로 토스트를 먹기를 희망한다. (have)
My sister ______ ______ ______ toast for breakfast.

- □ mow (잔디를) 깎다
- □ donate 기부하다

STEP 3 다음 빈칸에 들어갈 말로 알맞은 것은? 내신

My father avoided ______ any promises last weekend.

① make ② made ③ to make ④ making ⑤ makes

Answer p.30

Point 045 그는 매우 무례하게 말한 것을 후회했다.

He *regretted* speaking so rudely.

- 동명사와 to부정사를 모두 목적어로 취하고, 뜻이 거의 변하지 않는 동사에는 like, love, hate, start, begin, continue 등이 있다.
  I *like* **wearing** my sister's clothes. = I *like* **to wear** my sister's clothes.
- 동명사와 to부정사를 모두 목적어로 취하지만 뜻이 달라지는 동사에는 forget, remember, try, regret 등이 있다.
  I *forgot* **closing** the door. (문을 이미 닫았다는 의미)
  I *forgot* **to close** the door. (문을 아직 닫지 않았다는 의미)

TIP **stop** 뒤에는 동명사와 **to**부정사 둘 다 올 수 있지만 **to**부정사는 목적어로 온 것이 아니라 목적(~하기 위해서)을 나타내는 부사적 용법으로 쓰인 것이다.

STEP 1 다음 밑줄 친 부분을 바르게 고치시오.

□ medicine 약

1 I remember to send an email yesterday.
2 She tried to eat French food. It was delicious.
3 I left my medicine at home. I forgot taking it.
4 My brother stopped to play the piano.
5 I regret to go to the party last Sunday.

STEP 2 다음 두 문장이 같은 뜻이 되도록 할 때, 빈칸에 알맞은 말을 쓰시오.

□ continue 계속하다
□ stadium 경기장

1 I continued taking a break for two hours.
= I continued ____________ a break for two hours.

2 The players in the stadium started to run hard.
= The players in the stadium started ____________ hard.

3 My teacher began talking about his experience in other countries.
= My teacher began ____________ about his experience in other countries.

4 The boy loves dancing in front of many people.
= The boy loves ____________ in front of many people.

STEP 3 다음 빈칸에 들어갈 말로 알맞은 것은? 내신

□ bring 가져오다

You have a test tomorrow. Don't forget ____________ your book.

① bring ② brings ③ to bring ④ bringing ⑤ brought

Answer p.30

Point 046 네 잘못에 대해 사과해도 소용없다.

It's no use apologizing for your fault.

- be used to -ing	~하는 데 익숙하다	- go -ing	~하러 가다
- be busy -ing	~하느라 바쁘다	- be worth -ing	~할 가치가 있다
- look forward to -ing	~하기를 기대하다	- on[upon] -ing	~하자마자
- cannot help -ing	~하지 않을 수 없다	- feel like -ing	~하고 싶다
- It is no use -ing	~해도 소용없다	- There is no -ing	~하는 것은 불가능하다
- spend + 시간[돈] + -ing	~하느라 시간[돈]을 쓰다		
- prevent[keep, stop] ~ from -ing	~가 …하지 못하게 하다		

STEP 1 다음 밑줄 친 부분을 바르게 고치시오.

1 She could not help laugh loudly.
2 I'm looking forward getting a job someday.
3 My mom is busy to make dinner for my dad.
4 There is no refuse the offer now.
5 I always want to go shop with you.

□ loudly 크게
□ offer 제안

STEP 2 다음 우리말과 일치하도록 괄호 안의 말을 이용하여 빈칸에 알맞은 말을 쓰시오.

1 나는 바다에서 수영하고 싶다. (feel, swim)
I ________ ________ ________ in the sea.

2 한국에 도착하자마자, 그녀는 내게 전화했다. (arrive)
________ ________ in Korea, she called me.

3 오븐에서 치즈가 타지 않게 해라. (keep, burn)
________ the cheese ________ ________ in the oven.

4 그는 혼자 일하는 것에 익숙하다. (used, work)
He ________ ________ ________ ________ alone.

5 그녀는 쓸모없는 것을 사는 데 돈을 너무 많이 쓴다. (spend, buy)
She ________ too much money ________ useless things.

□ burn 타다
□ useless 쓸모없는

STEP 3 다음 우리말과 일치하도록 할 때, 빈칸에 들어갈 말로 알맞은 것은? 내신

그 영화는 다시 볼 만한 가치가 있다.
→ The movie is worth ________ again.

① watch ② watches ③ watched ④ watching ⑤ to watch

Answer p.30

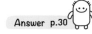

01회 내신 적중 실전 문제

Point 046

01 다음 우리말을 영어로 바르게 옮긴 것은?

> 나는 곧 당신을 뵙기를 기대합니다.

① I'm looking forward see you soon.
② I'm looking forward to see you soon.
③ I'm looking forward to saw you soon.
④ I'm looking forward seeing you soon.
⑤ I'm looking forward to seeing you soon.

Point 041

02 다음 밑줄 친 부분 중 쓰임이 나머지 넷과 다른 것은?

① His job is selling fruit.
② She keeps doing yoga.
③ There are many singing birds.
④ Drawing pictures is my hobby.
⑤ I want to help him without disturbing anyone.

Point 044

03 다음 중 어법상 틀린 것은?

① He agreed to accept the offer.
② I hope having a baby next year.
③ The museum is worth visiting again.
④ On hearing my voice, he was surprised.
⑤ She finished searching for travel information.

중요 Point 044

04 다음 빈칸에 들어갈 말로 알맞지 않은 것은?

> My brother ____________ concentrating on his work.

① kept ② gave up ③ started
④ enjoyed ⑤ wanted

고난도 Point 045

05 다음 두 문장이 같은 뜻이 되도록 할 때, 빈칸에 들어갈 말로 알맞은 것은?

> I remember that I kept a diary yesterday.
> = I remember ____________ a diary yesterday.

① keep ② kept ③ keeping
④ to keep ⑤ being kept

Point 046

06 다음 빈칸에 들어갈 단어의 형태가 나머지 넷과 다른 것은?

① He wants to ________ with me.
② He is used to ________ at night.
③ I decided to ________ for the new store.
④ She promised not to ________ on Sunday.
⑤ They are planning to ________ instead of me.

[07~08] 다음 빈칸에 들어갈 말로 알맞은 것을 고르시오.

Point 044

07

> I gave up ____________ to be the best leader.

① try ② trying ③ tried
④ being trying ⑤ being tried

Point 045

08

> The coffee is too hot, so I tried ____________ some ice in it.

① put ② puts ③ to put
④ putting ⑤ to putting

Answer p.31

[09~10] 다음 빈칸에 들어갈 말이 순서대로 짝지어진 것을 고르시오.

Point 041, 042

09

- I can't imagine _____ leaving here.
- He is proud of _____ succeeding in the business.

① he – my ② him – I ③ your – they
④ his – her ⑤ she – my

Point 044

10

- We've decided not _____ away after all.
- The police seemed to avoid _____ into the case.

① go – look ② to go – to look
③ to go – looking ④ going – to look
⑤ going – looking

[11~12] 다음 우리말과 일치하도록 빈칸에 들어갈 말로 알맞은 것을 고르시오.

Point 045

11

나는 피곤했기 때문에 공부하는 것을 그만두었다.
→ I stopped _____ because I was tired.

① study ② studying ③ to study
④ to studying ⑤ being studied

Point 045

12

그녀에게 편지 쓰는 것을 잊지 마라.
→ Don't forget _____ a letter to her.

① write ② writes ③ to write
④ writing ⑤ to be written

서술형

Point 042

13 **다음 두 문장이 같은 뜻이 되도록 할 때, 빈칸에 알맞은 말을 쓰시오.**

Do you mind if I sit here?
= Do you mind _____?

Point 043

14 **다음 우리말과 일치하도록 괄호 안의 말을 이용하여 빈칸에 알맞은 말을 쓰시오.**

우리 팀은 그 당시에 패배한 것을 인정하지 않았다.
(admit, defeat)

→ Our team didn't _____ _____ _____ at that time.

[15~16] 다음 문장에서 어법상 틀린 부분을 찾아 바르게 고쳐 쓰시오.

Point 046

15

Heavy rain prevented us to leaving the city.

_____ → _____

Point 041

16

Play golf is not an easy hobby for people.

_____ → _____

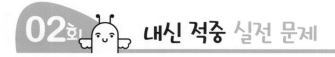

Point 043

01 다음 우리말을 영어로 바르게 옮긴 것은?

> 요즘에는 집을 갖고 있지 않는 것이 심각한 문제는 아니다.

① Having a house is not a serious problem these days.
② Not having a house is not a serious problem these days.
③ Having not a house is not a serious problem these days.
④ Having not a house is a serious problem these days.
⑤ Not having a house is a serious problem these days.

Point 045

02 다음 우리말과 일치하도록 할 때, 빈칸에 들어갈 말로 알맞은 것은?

> 나는 몇 시간 전에 그에게 계산을 한 것을 잊었다.
> → I forgot ________ him for the bill a few hours ago.

① pay ② paid ③ to pay
④ paying ⑤ being paid

Point 041, 046

03 다음 중 어법상 옳은 것은?

① He is busy to washing his car.
② There is no to go to bed early.
③ It is no use to cry over split milk.
④ She feels like eat Japanese food.
⑤ I'm afraid of meeting new people.

중요

Point 044

04 다음 빈칸에 들어갈 말로 알맞지 않은 것은?

> My son ________ to change his job.

① hoped ② planned ③ decided
④ refused ⑤ considered

[05~06] 다음 두 문장이 같은 뜻이 되도록 할 때, 빈칸에 들어갈 말로 알맞은 것을 고르시오.

고난도

Point 045

05

> I am sorry that I didn't buy the car.
> = I regret ________ the car.

① not to buy ② to not buy ③ not buying
④ not bought ⑤ buying not

Point 045

06

> Jason hated making fun of other people.
> = Jason hated ________ fun of other people.

① make ② makes ③ made
④ to make ⑤ being made

[07~08] 다음 빈칸에 들어갈 말로 알맞은 것을 고르시오.

Point 046

07

> Many foreigners are not used ________ on the floor.

① sit ② sat ③ to sit
④ sitting ⑤ to sitting

Point 044

08

> When she finished ________, many people gave her a big hand.

① sing ② sings ③ sang
④ to sing ⑤ singing

[09~10] 다음 빈칸에 들어갈 말이 순서대로 짝지어진 것을 고르시오.

Point 041, 045

09

- ____________ my position is not easy.
- She began ____________ the room.

① Keep – to clean ② To keep – clean
③ Keep – cleaning ④ Keeping – cleaning
⑤ Keeping – clean

Point 041, 044

10

- I don't mind your ____________ the promise.
- It is used for ____________ the paper.

① break – cutting ② breaking – cut
③ breaks – to cut ④ to break – to cut
⑤ breaking – cutting

Point 045

11 다음 중 짝지어진 문장의 의미가 같은 것은?

① I forgot to buy some food.
I forgot buying some food.
② I tried to open the safe.
I tried opening the safe.
③ I stopped watching TV.
I stopped to watch TV.
④ I started folding several newspapers.
I started to fold several newspapers.
⑤ I remembered reading the book.
I remembered to read the book.

Point 044, 045

12 다음 빈칸에 공통으로 들어갈 말로 알맞지 않은 것은?

- I ____________ to ride a bike in the park.
- They ____________ playing baseball on weekends.

① loved ② liked ③ enjoyed
④ started ⑤ continued

서술형

Point 041

13 다음 괄호 안의 단어를 빈칸에 알맞은 형태로 쓰시오.

Are you anxious about ____________ in front of people? (speak)

Point 046

14 다음 우리말과 일치하도록 괄호 안의 말을 이용하여 빈칸에 알맞은 말을 쓰시오.

나의 아버지는 그의 차를 수리하는 데 많은 돈을 썼다. (spend, repair)

→ My father ____________ ____________ ____________ ____________ his car.

[15~16] 다음 문장에서 어법상 틀린 부분을 찾아 바르게 고쳐 쓰시오.

Point 044

15

On enter the room, I felt something hot.

______________ → ______________

Point 043

16

You should not give up to climb the mountain.

______________ → ______________

Grammar Review 핵심 정리

1 동명사의 역할(주어, 목적어, 보어)

Point

Brushing your teeth after meals is a good habit. 041

☞ 「동사원형+-ing」의 형태로 명사처럼 문장에서 주어, 목적어, 보어로 쓰인다.

2 동명사의 의미상의 주어

Would you mind *my* **closing** the window? 042

☞ 동명사의 의미상의 주어는 동명사의 행위를 하는 주체를 나타내며, 동명사 바로 앞에 소유격이나 목적격으로 쓴다.

3 동명사의 부정, 수동태

Not eating breakfast is not good for your health. 043

☞ 동명사를 부정할 경우에는 부정어 not이나 never 등을 동명사 앞에 둔다.
☞ 동명사의 의미상 주어가 동명사의 행위를 받는 수동의 관계일 때, 「being+p.p.」 형태로 쓴다.

4 동명사 목적어 vs. to부정사 목적어

The baby *kept* **crying** in the room all day long. 044

☞ 동명사를 목적어로 취하는 동사: mind, enjoy, give up, avoid, practice, quit, finish 등
☞ to부정사를 목적어로 취하는 동사: want, hope, plan, decide, promise, refuse, agree, expect 등

5 동명사와 to부정사를 목적어로 취하는 동사

He **regretted speaking** so rudely. 045

☞ 동명사와 to부정사를 모두 목적어로 취하고, 뜻이 거의 변하지 않는 동사: like, love, hate, start, begin, continue 등
☞ 동명사와 to부정사를 모두 목적어로 취하지만 뜻이 달라지는 동사: forget, remember, try, regret 등

forget -ing: ~했던 것을 잊다	forget to ~: ~할 것을 잊다
remember -ing: ~했던 것을 기억하다	remember to ~: ~할 것을 기억하다
try -ing: 시험 삼아 ~해보다	try to ~: ~하려고 노력하다
regret -ing: ~했던 것이 후회스럽다	regret to ~: ~하게 되어 유감이다

6 동명사의 관용 표현

It's no use apologizing for your fault. 046

be used to -ing(~하는 데 익숙하다) / go -ing(~하러 가다) / be busy -ing(~하느라 바쁘다) / be worth -ing(~할 가치가 있다) / look forward to -ing(~하기를 기대하다) / on[upon] -ing(~하자마자) / cannot help -ing(~하지 않을 수 없다) / feel like -ing(~하고 싶다) / It is no use -ing(~해도 소용없다) / There is no -ing(~하는 것은 불가능하다) / spend+시간[돈]+-ing(~하느라 시간[돈]을 쓰다) / prevent[keep, stop] ~ from -ing(~가 …하는 것을 막다)

LESSON 06

분사구문

Point 047 차가 없기 때문에 나는 전철로 직장에 가야 한다.

Having no car, I have to go to work by subway.

- 분사구문이란 부사절을 부사구로 바꾼 것으로, 문맥에 따라 때 · 이유 · 조건 · 양보 · 동시동작 · 연속동작의 의미를 갖는다. 분사구문을 만드는 방법은 아래와 같다.
  1) 부사절의 접속사 생략
  2) 부사절의 주어와 주절의 주어가 일치하면 부사절의 주어 생략
  3) 부사절의 시제와 주절의 시제가 같으면 동사를 「**동사원형 + -ing**」로 바꿈
  Because he finished his homework, he was able to help his mother.
  → **Finishing** his homework, he was able to help his mother.

TIP 분사구문의 뜻을 분명히 하기 위해 접속사를 남겨두기도 한다.
When preparing for an exam, you should do your best.

STEP 1 다음 괄호 안에서 알맞은 말을 고르시오.

□ go shopping 쇼핑가다
□ future 미래

1 (Being, Been) tired, I went to bed early.
2 (Finishing, Finished) her work, she went shopping.
3 I cried a lot, (watching, watched) a movie.
4 (Drinking, Drinks) tea, we talked about our future.
5 (Reading, Read) a book, he was calling his mother.

STEP 2 다음 문장을 분사구문으로 바꿀 때, 빈칸에 알맞은 말을 쓰시오.

□ order 주문하다
□ sick 아픈
□ upstairs 위층에
□ accident 사고
□ shock 놀라다

1 As I was very hungry, I ordered lots of food.
→ ______________________, I ordered lots of food.

2 Although he was sick, he had to finish his project.
→ ______________________, he had to finish his project.

3 If you go upstairs, you can find him.
→ ______________________, you can find him.

4 When I heard about the accident, I was shocked.
→ ______________________, I was shocked.

STEP 3 다음 두 문장이 같은 뜻이 되도록 할 때, 빈칸에 들어갈 말로 알맞은 것은? 내신

As I got a job, I was very happy.
= ________ a job, I was very happy.

① Get ② Gets ③ Got ④ To get ⑤ Getting

Answer p.33

Point 048 늦게 일어났기 때문에 나는 버스를 놓쳤다.

Getting up late, I missed the bus.

- 때: ~할 때(as, when), ~하는 동안(while), ~ 후에(after)
  When I got home, I saw her cooking.
  = **Getting** home, I saw her cooking.
- 이유: ~ 때문에(because, as, since)
  Because I had a cold, I didn't go to school.
  = **Having** a cold, I didn't go to school.

STEP 1 다음 괄호 안에서 알맞은 말을 고르시오.

1 (Heard, Hearing) a strange sound, I ran away.

2 (Being, Be) a student, I didn't get a good grade.

3 (See, Seeing) his children, he always smiles.

4 (Losing, Lost) her wallet, she went to the police station.

5 He was lucky, (finding, found) some treasures.

□ strange 이상한
□ treasure 보물

STEP 2 다음 두 문장이 같은 뜻이 되도록 할 때, 빈칸에 알맞은 말을 쓰시오.

1 Since he had a headache, he took some medicine.
= ____________ a headache, he took some medicine.

2 When I get up in the morning, I drink a bottle of water.
= ____________ up in the morning, I drink a bottle of water.

3 After I saved my file, I sent it by email.
= ____________ my file, I sent it by email.

4 Because he is a popular actor, he can't go around freely.
= ____________ a popular actor, he can't go around freely.

5 As I thought my mother was asleep, I turned off the TV.
= ____________ my mother was asleep, I turned off the TV.

□ headache 두통
□ popular 인기 있는
□ freely 자유롭게
□ turn off 끄다

STEP 3 다음 우리말과 일치하도록 할 때, 빈칸에 들어갈 말로 알맞은 것은? 내신

그녀가 Taipei에 도착했을 때 그녀는 그녀의 남편에게 연락했다.
➞ __________ in Taipei, she contacted her husband.

① Arrive ② Arrives ③ Arrived ④ To arrive ⑤ Arriving

Answer p.33

Point 049 오른쪽으로 돌면 너는 그 건물을 볼 수 있다.

Turning right, you can see the building.

- 조건: ~한다면, ~라면(if)
  If you write your name on the book, you can find it easily.
  = **Writing** your name on the book, you can find it easily.
- 양보: 비록 ~일지라도, ~에도 불구하고(although, though)
  Although[Though] I was very tired, I had to study.
  = **Being** very tired, I had to study.

STEP 1 다음 문장을 밑줄 친 부분에 유의하여 우리말로 해석하시오.

1 Opening the box, you will be surprised.
2 Being old enough, he doesn't try to work.
3 Knowing her mistake, he forgave her.
4 Climbing to the top of the mountain, you can see a great view.
5 Being promoted to a director, I weren't happy.

□ mistake 실수
□ forgive 용서하다
□ climb 오르다
□ view 풍경, 전망
□ director 이사

STEP 2 다음 두 문장이 같은 뜻이 되도록 할 때, 빈칸에 알맞은 말을 쓰시오.

1 Though he was poor, he was always confident.
= ___________ poor, he was always confident.

2 If you turn to the left, you can find me.
= ___________ to the left, you can find me.

3 If you want to be a doctor, you should study hard.
= ___________ to be a doctor, you should study hard.

4 Though he failed the test, he wasn't disappointed.
= ___________ the test, he wasn't disappointed.

5 If you leave now, you will be there on time.
= ___________ now, you will be there on time.

□ confident 자신 있는
□ disappointed 실망한

STEP 3 다음 두 문장이 같은 뜻이 되도록 할 때, 빈칸에 들어갈 말로 알맞은 것은? 내신

Although I knew her name, I didn't say anything to her.
= _________ her name, I didn't say anything to her.

① Know ② Knows ③ Knew ④ Knowing ⑤ To know

Answer p.34

Point 050 밝게 미소 지으면서 그녀는 나를 향해 달렸왔다. 분사구문의 의미(동시동작, 연속동작)

Smiling brightly, she ran towards me.

- 동시동작: ~하면서(while, as)
  As we held hands, we took a walk.
  = **Holding** hands, we took a walk.
- 연속동작: 그러고 나서 ~하다(and)
  He raised his hand and stood up.
  = **Raising** his hand, he stood up.

STEP 1 다음 문장을 밑줄 친 부분에 유의하여 우리말로 해석하시오.

1 Turning on the radio, I cleaned my room.
2 Watching the movie, he ate popcorn.
3 Eating breakfast, she read the newspaper.
4 Smiling broadly, he said hello to us.
5 Departing at 6, the train arrives there at 9.

□ broadly 활짝

STEP 2 다음 우리말과 일치하도록 괄호 안의 말을 바르게 배열하시오.

1 산책을 하면서 그녀는 커피를 마셨다. (a, taking, walk)
_______________, she drank coffee.

2 그는 책을 읽으면서 의자에 앉아 있었다. (a, reading, book)
He was siting on the chair _______________.

3 밤에 잠을 자면서, 그는 이를 갈았다. (at, sleeping, night)
_______________, he ground his teeth.

4 그녀의 차례를 기다리면서 그녀는 노래를 불렀다. (turn, for, her, waiting)
_______________, she sang a song.

□ repair 수리하다
□ grind one's teeth 이를 갈다
□ turn 차례

STEP 3 다음 우리말과 일치하도록 할 때, 빈칸에 들어갈 말로 알맞은 것은? 내신

숫자를 세면서 나는 문제를 풀었다.
➡ _______ the numbers, I solved the problem.

① Count ② Counts ③ Counted ④ Counting ⑤ To count

□ count 세다

Answer p.34

Point 051 무엇을 해야 할지 몰라서 그는 도움을 요청했다.

Not knowing what to do, he asked for help.

- 분사구문의 부정은 분사 앞에 not이나 never를 쓴다.
  Because I was not tired, I was able to stay up late at night.
  = **Not being** tired, I was able to stay up late at night.
- 분사구문의 의미가 수동이면 수동형 분사구문 「**being + 과거분사**」를 쓴다.
  As she was left alone, she couldn't do anything.
  = **Being left** alone, she couldn't do anything.

STEP 1 다음 밑줄 친 부분을 바르게 고치시오.

□ injure 다치게 하다

1 Being not old enough, he couldn't drive a car.
2 Be interested in English, she often watches TV programs in English.
3 Being filling with happiness, she couldn't stop smiling.
4 Having not enough money, I had to work part-time.
5 Being injuring, I couldn't move my legs.

STEP 2 다음 우리말과 일치하도록 괄호 안의 말을 바르게 배열하시오.

□ elevation 해발, 고도
□ climate 기후

1 표를 구하지 못해서 나는 콘서트에 갈 수 없었다. (a, ticket, getting, not)
_______________, I wasn't able to go to the concert.

2 해발 1,350미터에 위치하고 있기 때문에 그 도시는 따뜻한 기후를 갖는다.
(an, elevation, located, being, at)
_______________ of 1,350 meters, the city has a warm climate.

3 잠을 잘 못 잤기 때문에 그녀는 매우 피곤함을 느꼈다. (well, sleeping, not)
_______________, she felt very tired.

4 그녀가 한국말을 할 수 있는지 몰랐기 때문에 나는 그녀에게 이야기하지 않았다.
(Korean, could, not, she, speak, knowing)
_______________, I didn't talk to her.

STEP 3 다음 빈칸에 들어갈 말로 알맞은 것은? 내신

□ decide 결정하다

_______ where to go, I stayed at the hotel.

① Not decide ② Deciding not ③ Not decided
④ Not deciding ⑤ Decided not

Answer p.34

Point 052 전에 그녀를 만난 적이 있기 때문에 나는 그녀의 이름을 알았다.

Having met her before, I knew her name.

- 완료 분사구문은 부사절의 시제가 주절의 시제보다 앞서는 경우 「**having + 과거분사**」의 형태로 쓴다.
  After I had washed the car, I went to the park.
  = **Having washed** the car, I went to the park.
- 완료 수동형 분사구문은 「**having been + 과거분사**」를 쓴다.
  After he had been hurt in an accident, he was in the hospital.
  = **Having been hurt** in an accident, he was in the hospital.

STEP 1 다음 밑줄 친 부분을 바르게 고치시오.

1 Have eaten dinner in a hurry, I left home.
2 Having taking a vacation, I came back refreshed.
3 Having be written in Korean, the book is expected to sell well.
4 Having finishing my homework, I went out.
5 Having read the book, he returned it to the library.

□ in a hurry 서둘러, 급히
□ vacation 휴가, 방학
□ refresh 상쾌해지다, 기운 나게 하다
□ expect 기대하다

STEP 2 다음 두 문장이 같은 뜻이 되도록 할 때, 빈칸에 알맞은 말을 쓰시오.

1 As she had visited the palace before, she knew the location.
= ______ ______ the palace before, she knew the location.

2 As I studied English education at university, I can teach English.
= ______ ______ English education at university, I can teach English.

3 Since I had lost my pencil case, I bought a new one.
= ______ ______ my pencil case, I bought a new one.

4 As she was raised in China, she speaks Chinese well.
= ______ ______ ______ in China, she speaks Chinese well.

□ palace 궁전

STEP 3 다음 빈칸에 들어갈 말로 알맞은 것은? 내신

______ several time, the towel looked clean.

① Having washed
② Having being washed
③ Having been washed
④ Been washed
⑤ Be washed

□ several 몇 번의

Answer p.35

Point 053 그 소식에 놀라서 그녀는 울었다. Being 또는 Having been의 생략

(Being) Surprised at the news, she cried.

- 「Being / Having been+형용사 / 과거분사 / 명사」의 형태로 시작하는 분사구문에서 Being이나 Having been은 생략할 수 있다.
  (Being) Awarded the scholarship, she was happy.
  (Having been) Praised by the teacher, I felt good.

STEP 1 다음 문장에서 생략 가능한 부분에 밑줄을 그으시오.

1 Being sleepy, she went to bed.
2 Having been written easily, this book is good for students.
3 Being recommended to take a rest, he took a day off.
4 Having been born in Japan, Julia spent her childhood there.
5 Being left alone in the park, he felt lonely.

□ sleepy 졸린
□ recommend 권고하다, 추천하다
□ lonely 외로운
□ childhood 어린 시절

STEP 2 다음 두 문장이 같은 뜻이 되도록 할 때, 빈칸에 알맞은 말을 쓰시오.

1 As he was asked to be a leader, he was happy.
= ___________ to be a leader, he was happy.

2 As I was bitten by a snake, I am afraid of it.
= ___________ by a snake, I am afraid of it.

3 As she was hit by a car, she is in the hospital.
= ___________ by a car, she is in the hospital.

4 Interested in music, she wants to be a musician.
= As ___________ ___________ ___________ in music, she wants to be a musician.

5 Born in a wealthy family, he wasn't worried about money.
= Because ___________ ___________ ___________ in a wealthy family, he wasn't worried about money.

□ bite 물다
□ snake 뱀
□ be afraid of ~을 무서워하다
□ run over 치다
□ wealthy 부유한

STEP 3 다음 빈칸에 들어갈 말로 알맞은 것은? 내신

___________ with me, he didn't eat anything.

① Disappoint ② Disappoints ③ Disappointed
④ Disappointing ⑤ Be disappointed

Answer p.35

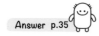

Point 054 날씨가 좋다면 나는 소풍을 갈 것이다.

The weather being fine, I'll go on a picnic.

- 독립분사구문이란 주어가 있는 분사구문으로, 부사절의 주어와 주절의 주어가 일치하지 않을 때 분사구문의 주어를 생략하지 않고 그대로 두는 것을 말한다.
  As **it** was Sunday, **I** didn't go to work.
  = **It being** Sunday, **I** didn't go to work.

STEP 1 다음 괄호 안에서 알맞은 말을 고르시오.

1 My mother (yelling, yell) at me, I went to my room.
2 The concert (be, being) over, everyone applauded.
3 My sister ran to me, her hair (flies, flying) in the wind.
4 Vacation (start, starting) in a week, we made our plans.
5 It (be, being) a holiday, the post office was closed.

□ applaud 박수 치다

STEP 2 다음 문장을 분사구문으로 바꿀 때, 빈칸에 알맞은 말을 쓰시오.

1 As the girl was so cute, I wanted to date her.
→ ____________________, I wanted to date her.

2 Because it snowed heavily, we canceled our tour.
→ ____________________, we canceled our tour.

3 When the sky became darker, he turned the light on.
→ ____________________, he turned the light on.

4 After the sun set, we started for home.
→ ____________________, we started for home.

5 Though everyone enjoys the game, I don't want to join it.
→ ____________________, I don't want to join it.

□ cute 귀여운
□ cancel 취소하다
□ set 지다
□ start for ~을 향해 출발하다

STEP 3 다음 우리말과 일치하도록 할 때, 빈칸에 들어갈 말로 알맞은 것은? 내신

그가 나의 제안을 받아들였기 때문에 나는 직업을 얻을 수 있었다.
→ He ________ my offer, I could get a job.

① accept ② accepted ③ accepting
④ to accept ⑤ is accepted

□ accept 받아들이다
□ offer 제안

Answer p.36

Point 055 솔직히 말해서, 난 너를 믿지 않는다.

Frankly speaking, I don't believe you.

• 분사구문의 주어와 주절의 주어가 다를지라도, 분사구문의 주어가 일반인일 때에는 생략하고 관용 표현처럼 쓴다. (비인칭 분사구문)

- frankly speaking	솔직히 말해서	- compared to[with]	~와 비교하면
- generally speaking	일반적으로 말해서	- speaking of	~에 대해 말하자면
- strictly speaking	엄격히 말해서	- judging from[by]	~으로 판단하건데
- briefly speaking	간단히 말해서	- considering (that)	~을 고려하면

Generally speaking, Korean people are diligent.

STEP 1 다음 괄호 안에서 알맞은 말을 고르시오.

□ product 제품
□ skip 거르다

1 (Considering, Generally speaking) the price, the service was good.
2 (Judging from, Briefly speaking), I have to move to another city.
3 (Frankly speaking, Compared) with other products, this is easy to use.
4 (Compared to, Frankly speaking), I skipped the after-school class yesterday.
5 (Speaking generally, Speaking of) the movie, it was really boring.

STEP 2 다음 우리말과 일치하도록 빈칸에 알맞은 말을 쓰시오.

□ schedule 일정
□ active 활동적인

1 엄격히 말해서, 그 소년은 학생이 아니다.
______________________, the boy is not a student.

2 이 일정으로 판단하건데, 바쁜 일주일이 될 것이다.
______________________ this schedule, it will be a busy week.

3 일반적으로 말해서, 여자가 남자보다 오래 산다.
______________________, women live longer than men.

4 그녀의 나이를 고려하면, Lisa는 매우 활동적이다.
______________________ her age, Lisa is very active.

5 Jane에 대해 말하자면, 그녀는 매우 아프다.
______________________ Jane, she is very sick.

STEP 3 다음 우리말과 일치하도록 할 때, 빈칸에 들어갈 말로 알맞은 것은? 내신

내 경험으로 판단하건데, 이곳이 가장 좋은 장소이다.
→ ________ from my experience, this is the best place.

① Judge ② To judge ③ Judged ④ Judges ⑤ Judging

Answer p.36

Point 056 그는 다리를 꼬고 의자에 앉았다.

He sat on the chair with his legs crossed.

- 「**with + (대)명사 + 분사**」 구문은 '~가 …한[된] 채로'의 의미로, (대)명사와 분사의 관계가 능동이면 현재분사를 사용하고 수동이면 과거분사를 사용한다.
  I was running **with my dog following** me. (능동)
  I was listening to music **with my eyes closed**. (수동)
- 「**with + (대)명사+형용사/부사/전치사구**」 구문은 '~가[를] …한[된] 채로'의 의미로 동시동작을 나타낸다.
  You should not speak **with your mouth full**.

STEP 1 다음 괄호 안에서 알맞은 말을 고르시오.

1 I take a shower with the radio (turning, turned) on.
2 She is doing the dishes with water (pouring, poured) from the tap.
3 I can't study with the door (closing, closed).
4 It is spring with the wind (blowing, blown).
5 He is waiting for me with his arms (folding, folded)

□ take a shower 샤워하다
□ pour 흘러나오다
□ tap 수도꼭지
□ blow 불다
□ fold (팔을) 끼다, 접다

STEP 2 다음 두 문장이 같은 뜻이 되도록 할 때, 「with+(대)명사+분사」의 형태를 이용하여 빈칸에 알맞은 말을 쓰시오.

1 He was sleeping, and his mouth was open.
= He was sleeping ______________________.

2 She made a special dish, and her baby sat on the floor.
= She made a special dish ______________________.

3 We went out for dinner, and the light was turned on.
= We went out for dinner ______________________.

4 Randy was reading a book, and his wife was washing the dishes.
= Randy was reading a book, ______________________.

5 I got the prize, and tears ran down my face.
= I got the prize ______________________.

□ dish 요리
□ prize 상
□ tear 눈물

STEP 3 다음 빈칸에 들어갈 말로 알맞은 것은? 내신

It was a nice day with the sun ________ brightly.

① shine ② shines ③ shone ④ shining ⑤ to shine

□ shine 빛나다
□ brightly 밝게

Answer p.36

Point 055

01 다음 중 어법상 옳은 것은?

① Judging her job, she will be kind to people.
② Judged from her job, she will be kind to people.
③ Having judged her job, she will be kind to people.
④ Judging from her job, she will be kind to people.
⑤ Being judged from her job, she will be kind to people.

Point 053

02 다음 밑줄 친 부분 중 생략할 수 있는 것은?

① It being hot, I turned on the fan.
② I was standing there waiting for my son.
③ She went downstairs with her hand waving.
④ There being no information, I can't find the answer.
⑤ Having been built many years ago, the bridge was quite dangerous.

[03~04] 다음 중 어법상 틀린 것을 고르시오.

Point 048

03
① Turning left, you can see my house.
② Cooked well, the dish tasted great.
③ It being cold, I turned on the heater.
④ Finished his work, he took a shower.
⑤ Feeling sleepy, I drank a cup of coffee.

고난도 Point 048

04
① Taken a walk, I wear sneakers.
② It being rainy, we played soccer.
③ Going straight, you will find a bank.
④ Feeling nervous, I took a deep breath.
⑤ Having a toothache, I went to see a dentist.

Point 049

05 다음 두 문장이 같은 뜻이 되도록 할 때, 빈칸에 들어갈 말로 알맞은 것은?

> Although I was very rich, I had no friends.
> = ______________________, I had no friends.

① I was very rich
② Being very rich
③ Been very rich
④ Having very rich
⑤ Having been very rich

중요 Point 041

06 다음 문장을 분사구문으로 잘못 고친 것은?

① He is sitting on the sofa and he is nodding his head.
→ He is sitting on the sofa, nodding his head.
② Since he doesn't have a car, he has to take a bus.
→ Not having a car, he has to take a bus.
③ Though he was late for school, he went for a walk.
→ Though being late for school, he went for a walk.
④ Though I drank water, I'm still thirsty.
→ Having drunk water, I'm still thirsty.
⑤ As I didn't get enough sleep, I drank a cup of coffee.
→ Getting not enough sleep, I drank a cup of coffee.

[07~10] 다음 빈칸에 들어갈 말로 알맞은 것을 고르시오.

Point 056

07

> She was standing at the bus stop with tears ________ down her cheeks.

① roll ② rolls ③ rolled
④ rolling ⑤ to roll

Point 052

08

> ________ the places before, we decided where to go.

① Discuss
② Being discussed
③ Discussed
④ Having discussing
⑤ Having discussed

Point 047

09

_________ much free time, I enjoyed some activities.

① Have ② Having
③ To have ④ Having be
⑤ To having

Point 049

10

_________ very sick, I did my work.

① Be ② Being
③ To be ④ Have
⑤ Having be

Point 055

11 다음 중 밑줄 친 부분 중 어법상 틀린 것은?

① Frankly speaking, I don't like you.
② Considering her age, she is very skillful.
③ Comparing with other cars, mine is clean.
④ Generally speaking, English is not easy to learn.
⑤ Judging from his appearance, he must be gentle.

12 다음 보기 의 밑줄 친 부분과 바꿔 쓸 수 있는 것은?

보기 Shortly, it's a waste of money.

① Strictly speaking ② Generally speaking
③ Frankly speaking ④ Considering
⑤ Briefly speaking

서술형

Point 051

13 다음 문장을 분사구문으로 바꿔 쓸 때, 빈칸에 알맞은 말을 쓰시오.

As she hadn't slept well, she wanted to take a rest.

→ ______________________________, she wanted to take a rest.

Point 056

14 다음 우리말과 일치하도록 주어진 조건을 이용하여 영작하시오.

조건 1 with, hold를 사용하고 필요시 변형할 것
조건 2 총 4단어로 쓸 것

아기가 그의 손으로 엄마의 손가락을 쥔 채로 자고 있다.
→ A baby is sleeping __________ __________ __________ __________ his mother's finger.

[15~16] 다음 문장에서 어법상 틀린 부분을 찾아 바르게 고쳐 쓰시오.

Point 055

15

Spoken of James, he won first place in the writing contest.

__________________ → __________________

Point 051

16

Receiving not her answer, I called her again.

__________________ → __________________

02회 내신 적중 실전 문제

Point 048

01 다음 두 문장이 같은 뜻이 되도록 할 때, 빈칸에 들어갈 말로 알맞은 것은?

> Coming home from work, I found the refrigerator empty.
> = ________ I came home from work, I found the refrigerator empty.

① If ② When ③ And
④ While ⑤ Though

[02~03] 다음 밑줄 친 부분 중 어법상 틀린 것을 고르시오.

고난도 Point 048

02 ① Walking to school, I felt tired.
② Being sick, he had to work hard.
③ Living not with my family, I missed them.
④ Having done the dishes, I can go out.
⑤ Written by a beginner, it needs to be revised.

Point 048

03 ① Being angry at me, he has gone.
② Drawn a picture, I took it to my teacher.
③ Being a vegetarian, she never eats meat.
④ Not having enough money, I couldn't buy the shirt.
⑤ Having been born in a wealthy family, she might be very happy now.

Point 054

04 다음 우리말을 영어로 바르게 옮긴 것은?

> 날씨가 좋아서, 우리는 공원에 갔다.

① Being fine, we went to the park.
② Having been fine, we went to the park.
③ The weather is fine, we went to the park.
④ The weather been fine, we went to the park.
⑤ The weather being fine, we went to the park.

Point 054

05 다음 문장을 분사구문으로 바꿀 때, 빈칸에 들어갈 말로 알맞은 것은?

> As there was no money left, she couldn't buy the gift for her parents.
> → ________________, she couldn't buy the gift for her parents.

① There no money left
② As being no money left
③ There no money leaving
④ There being no money left
⑤ There have been no money left

Point 053

06 다음 빈칸에 생략된 말로 알맞은 것은?

> ________ born in England, he can't speak Korean.

① Be ② Been
③ Having ④ Having been
⑤ Having being

[07~08] 다음 빈칸에 들어갈 말로 알맞은 것을 고르시오.

Point 056

07

> I fell asleep ________ the light turned on yesterday.

① in ② of ③ with
④ by ⑤ from

Point 051

08

> ________ me before, she doesn't know my name.

① Not met ② Not meet
③ Meeting not ④ Not having met
⑤ Having not met

[09~10] 다음 빈칸에 들어갈 말로 알맞지 않은 것을 고르시오.

Point 047, 048

09

______ an only child, I often feels lonely.

① Being ② As I am
③ As being ④ Because being
⑤ Having being

Point 047, 051

10

______ home alone, I had to take care of my cat.

① Left ② Being left
③ Having left ④ Since I was left
⑤ Since being left

Point 056

11 다음 중 어법상 틀린 것은?

① Having been full, he ate more.
② Surprised at the news, he fell down.
③ He listened to me with his legs crossing.
④ I turned around with tears running down my face.
⑤ Being good at painting, he learned to draw cartoons.

중요

Point 054

12 다음 중 분사구문으로 잘못 고친 것은?

① As it snowed a lot, he went skiing.
→ It snowing a lot, he went skiing.
② Though he was sick, he cleaned his office.
→ Being sick, he cleaned his office.
③ After she had prepared the meal, we had dinner.
→ Having prepared the meal, we had dinner.
④ After I moved to another house, I invited my friends.
→ After moving to another house, I invited my friends.
⑤ Although the song was written 20 years ago, the song is still popular.
→ Written 20 years ago, the song is still popular.

서술형

Point 054

13 다음 문장을 분사구문으로 바꿀 때 빈칸에 알맞은 말을 쓰시오.

Although it is windy, they will go fishing.

→ ______ ______ ______, they will go fishing.

Point 097

14 다음 우리말과 일치하도록 주어진 조건을 이용하여 영작하시오.

조건 1 분사구문을 사용할 것
조건 2 총 4단어로 쓸 것

최선을 다하지 않았기 때문에, 나는 성공하지 못할 것이다.
→ ______________, I am not able to succeed.

[15~16] 다음 문장에서 어법상 틀린 부분을 찾아 바르게 고쳐 쓰시오.

Point 055

15

Speaking frankly, he is not my brother.

______ → ______

Point 056

16

Kevin came home with his shoes covering with mud.

______ → ______

Grammar Review 핵심 정리

1 분사구문 만드는 법

Point

Having no car, I have to go to work by subway. 047

☞ 먼저 부사절의 접속사를 생략하고, 부사절과 주절의 주어가 일치하면 부사절의 주어를 생략한다. 마지막으로 부사절과 주절의 시제가 같으면 동사를 「동사원형+-ing」로 바꾼다.

2 분사구문의 의미

Getting up late, I missed the bus. 048

☞ 때: ~할 때(as, when), ~하는 동안(while), ~ 후에(after) / 이유: ~ 때문에(because, as, since)

Turning right, you can see the building. 049

☞ 조건: ~한다면, ~라면(if) / 양보: 비록 ~일지라도, ~에도 불구하고(although, though)

Smiling brightly, she ran towards me. 050

☞ 동시동작: ~하면서(while, as) / 연속동작: 그러고 나서 ~하다(and)

3 분사구문의 부정, 수동

Not knowing what to do, he asked for help. 051

☞ 분사구문의 부정은 분사 앞에 not이나 never를 쓴다. / 수동형 분사구문은 「being+과거분사」를 쓴다.

4 완료 분사구문

Having met her before, I knew her name. 052

☞ 완료 분사구문은 「having+과거분사」의 형태로 쓴다. / 완료 수동형 분사구문은 「having been+과거분사」를 쓴다.

5 Being 또는 Having been의 생략

Being Surprised at the news, she cried. 053

☞ 「Being/Having been+형용사/과거분사/명사」로 분사구문에서 Being이나 Having been은 생략할 수 있다.

6 독립분사구문

The weather being fine, I'll go on a picnic. 054

☞ 부사절과 주절의 주어가 다를 때, 분사구문의 주어를 생략하지 않고 그대로 둔다.

7 관용적으로 쓰이는 분사구문

Frankly speaking, I don't believe you. 055

frankly speaking	compared to[with]	generally speaking	speaking of
strictly speaking	judging from[by]	briefly speaking	considering (that)

8 with+(대)명사+분사

He sat on the chair **with his legs crossed.** 056

☞ 「with+(대)명사+분사」 구문은 '~가 …한[된] 채로'의 의미이다.
☞ 「with+(대)명사+형용사/부사/전치사구」 구문은 '~가[를] …한[된] 채로'의 의미이다.

LESSON 07

관계사

Point 057 주격 관계대명사
Point 058 소유격 관계대명사
Point 059 목적격 관계대명사
Point 060 주로 관계대명사 that을 쓰는 경우
Point 061 관계대명사 what
Point 062 관계부사 when, where
Point 063 관계부사 why, how
Point 064 관계부사와 선행사의 생략
Point 065 관계사의 계속적 용법
Point 066 전치사+관계대명사
Point 067 관계대명사의 생략
Point 068 복합관계대명사 whoever, whomever
Point 069 복합관계대명사 whichever, whatever
Point 070 복합관계부사

내신 적중 실전 문제 | 1회 | 2회

Grammar Review 핵심 정리

Point 057 나는 긴 머리를 가진 소녀를 좋아한다.

I like the girl who has long hair.

- 관계대명사는 앞에 오는 선행사(명사)를 꾸며주며, 「**접속사 + 대명사**」 역할을 한다.
- 주격 관계대명사는 관계사절의 주어 역할을 하며, 관계사절 내의 동사는 선행사의 인칭과 수에 일치시킨다.

선행사	사람	사물, 동물	사람, 사물, 동물
주격 관계대명사	who	which	that

I know the woman. + She lives next door. = I know the woman **who[that]** lives next door.

TIP 「주격 관계대명사 + be동사 + 분사/형용사」 구문에서 '주격 관계대명사 + be동사'는 생략할 수 있다.
Look at the boy (who is) sitting on the bench.

STEP 1 다음 괄호 안에서 알맞은 말을 고르시오.

1 I saw a girl (who, which) wore a red dress.
2 He reads many books (that, who) are about gardening.
3 This is a cake (who, which) is delicious.
4 The music (who, which) is playing is beautiful.
5 The man (which, that) is singing is my father.

□ gardening 원예

STEP 2 다음 두 문장을 주격 관계대명사를 이용하여 한 문장으로 바꿔 쓰시오.

1 I have a dog. It is a Chihuahua.
→ ______________________________

2 Do you know the tall man? He is famous in this town.
→ ______________________________

3 I have a girlfriend. She lives in Dallas.
→ ______________________________

4 This is an expensive restaurant. It serves many kinds of rare dishes.
→ ______________________________

□ Chihuahua 치와와
□ serve (음식을) 차려내다

STEP 3 다음 빈칸에 공통으로 들어갈 말로 알맞은 것을 모두 고른 것은? 내신

• I like pizza ____________ has a lot of toppings.
• He has many plastic models ____________ are made in Japan.

① who ② that ③ whom
④ whose ⑤ which

□ topping (음식 위에 얹는) 고명, 토핑
□ plastic model 조립식 장난감

Answer p.40

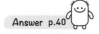

Point 058 나는 Tom이라는 이름의 남자를 안다.

I know a man whose name is Tom.

- 소유격 관계대명사는 수식하는 선행사의 소유격 역할을 한다.

선행사	사람	사물, 동물
소유격 관계대명사	whose	whose, of which

He bought the book. + Its cover was black. = He bought the book **whose** cover was black.

TIP of which는 문어체에서만 주로 쓰이며, 일상적으로는 거의 사용하지 않는다.

STEP 1 다음 문장의 밑줄 친 부분에 유의하여 우리말로 해석하시오.

□ collect 수집하다
□ stamp 우표

1 I met a boy whose sister is a famous singer.
2 She has a friend whose father works in the bookstore.
3 This is a dog whose owner is my friend.
4 I like him whose hobby is collecting stamps.
5 She is selling a bag whose color is white.

STEP 2 다음 두 문장을 소유격 관계대명사를 이용하여 한 문장으로 바꿔 쓰시오.

□ blond 금발의
□ gleam 빛나는
□ rotate 회전하다

1 I met my friend. Her arm was broken last night.
→ ______________________________

2 She bought a doll. Its hair was bright blond.
→ ______________________________

3 Look at that gleaming tower. Its top is rotating.
→ ______________________________

4 We are looking for a bird. Its body is very colorful.
→ ______________________________

STEP 3 다음 두 문장이 같은 뜻이 되도록 할 때, 빈칸에 들어갈 말로 알맞은 것은? 내신

□ surface 표면
□ slippery 미끄러운

Be careful on the floor. The surface is very slippery.
= Be careful on the floor __________ surface is very slippery.

① who ② that ③ whom
④ which ⑤ whose

Answer p.41

Point 059 나는 내가 사랑하는 아들이 있다.

I have a son whom I love.

- 목적격 관계대명사는 관계사절 내에서 동사나 전치사의 목적어 역할을 한다.

선행사	사람	사물, 동물	사람, 사물, 동물
목적격 관계대명사	whom	which	that

I lost my smartphone. + My father bought it.
= I lost my smartphone **which[that]** my father bought.

TIP (1) 목적격 관계대명사는 생략할 수 있다. Jane likes the doll (which) I gave her.
(2) 구어체에서는 목적격 관계대명사 whom 대신 who를 쓰기도 한다.

STEP 1 다음 괄호 안에서 알맞은 말을 고르시오.

1 These are the earphones (whom, which) I was looking for.
2 The pizza (whose, that) my grandma made was delicious.
3 She has a rabbit (whose, which) I want to have.
4 I met your mother (whom, which) you always praise.
5 He is the man (that, whose) I told you about.

□ praise 칭찬하다

STEP 2 다음 두 문장을 목적격 관계대명사를 이용하여 한 문장으로 바꿔 쓰시오.

1 This is the family picture. I like it the most.
→ ______________________

2 This is the man. I met him at the airport.
→ ______________________

3 I like the people. I work with them.
→ ______________________

4 I forgot the clothes. You told me to bring them.
→ ______________________

STEP 3 다음 밑줄 친 부분 중 생략할 수 없는 것은? 내신

① I have a bag which is a gift from Mom.
② He is the man whom I saw in the park.
③ He found his key which he lost yesterday.
④ It is the parcel that you ordered three days ago.
⑤ This is the presentation that I am preparing for.

□ parcel 소포
□ order 주문하다
□ presentation 발표

Answer p.41

Point 060 이것은 내가 본 가장 흥미로운 영화이다.

주로 관계대명사 that을 쓰는 경우

This is *the most* interesting movie that I've ever seen.

- 선행사가 something, anything과 같이 -thing으로 끝나는 대명사일 때
  Is there *anything* **that** you didn't understand?
- 선행사가 사람과 동물[사물]이 혼합되어 있을 때
  Look at *the girl* and *her dog* **that** are running on the playground.
- 선행사에 「**the + 최상급**」, 「**the + 서수**」, the only, the same, the very, every, all, much, no, little 등이 포함되어 있을 때
  He was *the only* child **that** I had.

TIP 선행사가 this 또는 that인 경우에는 관계대명사 that을 쓸 수 없고 which를 쓴다.

STEP 1 다음 괄호 안에서 알맞은 말을 고르시오.

□ fall into ~에 빠지다
□ lake 호수
□ watch 지켜보다

1 The first problem (that, who) makes me angry is the test.
2 It is the most expensive ring (that, whose) I have bought.
3 The boy and the dog (who, that) fell into the lake were saved.
4 Is there anything (that, whose) I can do for you?
5 All (who, that) I could do was to watch them.

STEP 2 다음 두 문장을 관계대명사를 이용하여 한 문장으로 바꿔쓰시오.

□ employ 고용하다

1 You are the only person. I want to employ you.
→ ______________________________

2 The book has a lot of information. The information is really useful for children.
→ ______________________________

3 I want to buy something. I can wear it at the office.
→ ______________________________

4 This is the same hat. My sister wants to buy it.
→ ______________________________

STEP 3 다음 빈칸에 들어갈 말로 알맞은 것은? 내신

He is the most handsome boy ________ I've ever seen.

① who ② whom ③ that
④ whose ⑤ which

Answer p.41

Point 061 중요한 것은 약속을 지키는 것이다.

What is important is to keep the promise.

- 선행사를 포함하는 관계대명사 what은 the thing which의 의미로 '~하는 것'으로 해석하며, 명사절을 이끈다.
  I bought **what** I need for the cooking class.

STEP 1 다음 밑줄 친 부분을 바르게 고치시오.

1 Which he tried was not swimming but skating.
2 The best way is that he suggested.
3 I don't remember the topic what they talked about.
4 You have to send me that you said.
5 Which makes me sad is the situation around me.

□ suggest 제안하다
□ situation 상황

STEP 2 다음 우리말과 일치하도록 보기 의 단어를 이용하여 빈칸에 알맞은 형태로 쓰시오.

보기	matter	say	surprise	be	make

1 그녀를 행복하게 만들었던 것은 아이들의 행동이었다.
_______ _______ _______ _______ was the children's behavior.

2 너는 네 것만 가져가야 한다.
You should take _______ _______ _______.

3 그녀의 안전이 내게는 중요한 것이다.
Her safety is _______ _______ to me.

4 내가 말하고 있는 것은 네가 올 필요가 없다는 것이다.
_______ _______ _______ _______ is you don't have to come.

5 나를 놀라게 한 것은 그의 멋진 생김새였다.
_______ _______ _______ was his great looks.

□ behavior 행동
□ safety 안전
□ looks 생김새

STEP 3 다음 빈칸에 들어갈 말로 what이 알맞은 것은? 내신

① He cut the tree _______ I planted.
② Can you tell me _______ you need?
③ I know the girl _______ wrote this letter.
④ My teacher brought me the pencil _______ I dropped.
⑤ Edison invented many things _______ can make our lives convenient.

□ plant 심다
□ drop 떨어뜨리다
□ invent 발명하다
□ convenient 편리한

Answer p.42

Point 062 나는 우리가 부부가 된 날을 결코 잊을 수 없을 것이다.

I'll never forget the day when we became a couple.

- 관계부사는 「**접속사 + 부사**」의 역할로 선행사를 수식하는 절을 이끈다. 이때 관계부사는 「**전치사 + 관계대명사**」로 바꿔 쓸 수 있다. 단, 관계대명사 that은 전치사와 함께 쓸 수 없다.
- 관계부사 when은 선행사가 the time, the day, the month 등 시간이나 때를 나타나낼 때 사용하고 「**at/on/in + which**」로 바꿔 쓸 수 있다.
- 관계부사 where는 선행사가 the place, the city, the house 등 장소를 나타나낼 때 사용하고 「**at/on/in + which**」로 바꿔 쓸 수 있다. This is the bank **where[at which]** she works.

STEP 1 다음 괄호 안에서 알맞은 말을 고르시오.

1 I don't know the day (where, when) she will come back.
2 The resort (where, when) you stayed last month is very luxurious.
3 I remember the year (where, when) the first Olympic Games were held.
4 This is the classroom (where, when) I take a Chinese class.
5 Here is the playground (where, which) I played baseball.

□ resort 리조트
□ luxurious 호화스러운
□ hold 개최하다, 열다
□ playground 운동장

STEP 2 다음 우리말과 일치하도록 괄호 안의 말을 바르게 배열하시오.

1 이곳은 Jane이 사는 마을이다. (this, where, is, the, Jane, town, lives)

____

2 나는 그 작가가 머물렀던 그 장소를 방문했다.
(I, where, visited, the, writer, stayed, place, the)

____

3 5월은 많은 축제들이 열리는 달이다.
(May, many, is, the, month, are, festivals, held, when)

____

4 나는 회의가 시작될 시간을 모른다.
(I, know, the, time, the, will, don't, when, meeting, start)

____

□ stay 머무르다
□ festival 축제
□ travel 여행하다

STEP 3 다음 중 어법상 틀린 것은? 내신

① I'll never forget the moment when we fell in love.
② New York is a city where many people like to live.
③ Canada is the country where I want to go to university in.
④ Today is the holiday when people visit their hometowns.
⑤ I'm looking for a restaurant where we can eat delicious seafood.

□ moment 순간
□ holiday 휴일
□ hometown 고향

Answer p.42

Point 063 나는 그가 화가 난 이유를 물었다.

I asked the reason why he got angry.

- 관계부사 why는 the reason과 같이 선행사가 이유를 나타낼 때 사용하고 for which로 바꿔 쓸 수 있다.
  I told him the reason **why** I changed my mind.
- 관계부사 how는 선행사가 방법을 나타낼 때 사용하고 in which로 바꿔 쓸 수 있다. how와 the way는 함께 쓰지 않으며, 둘 중 하나만 써야 한다.
  This is **how** I make a group. = This is **the way** I make a group.

STEP 1 다음 문장에서 틀린 부분을 바르게 고치시오.

□ lie 거짓말하다
□ explain 설명하다
□ guess 추측하다

1 I will tell you the reason for he lied to you.
2 I don't know the way how they come into the house.
3 He explained the reason what he couldn't do his homework to the teacher.
4 Let me know the way in that I can use this new smartphone.
5 She can't guess the reason when he's gone quickly.

STEP 2 다음 우리말과 일치하도록 괄호 안의 말을 바르게 배열하시오.

□ electricity 전기
□ escape 탈출하다
□ nervous 불안한

1 여기 우리가 전기를 절약해야 하는 이유들이 있다.
(electricity, why, we, reasons, should, the, save)
Here are ______________________________.

2 그녀는 우리에게 그 문제를 푸는 방식을 보여주었다.
(how, the, she, solved, problem)
She showed us ______________________________.

3 우리는 화재에서 탈출할 수 있는 방법을 배웠다.
(how, can, from, a, escape, fire, we)
We learned ______________________________.

4 너는 그녀가 불안했던 이유를 아니?
(nervous, reason, why, the, she, was)
Do you know ______________________________?

STEP 3 다음 빈칸에 들어갈 말이 순서대로 짝지어진 것은? 내신

□ cook 요리사
□ quit 그만두다

• The book will teach you ________ you can be a good cook.
• He doesn't know the reason ________ I quit my job.

① who – why ② which – how ③ that – how
④ whose – when ⑤ how – why

Answer p.42

Point 064 오늘은 내가 수영교실에 가는 월요일이다.

Today is Monday, the day (when) I go to the swimming class.

- 선행사가 the time, the place, the reason과 같이 일반적인 경우에는 선행사나 관계부사 중 하나를 생략할 수 있다.
- 관계부사 when은 일상 회화에서 보통 생략한다. Do you know **the time (when)** the movie starts?
- 관계부사 where과 why는 보통 생략하지 않는다. This is the restaurant **where** I first met him.
- 관계부사 how와 선행사 the way는 함께 쓰지 않으며, 둘 중 하나를 생략해야 한다.

STEP 1 다음 밑줄 친 부분을 생략해도 되는 것에 ○표, 안 되는 것에 ×표 하시오.

□ schedule 일정
□ reconcile 화해시키다

1 He asked me the reason why I changed my schedule. ________
2 They learned the way they made tea. ________
3 I will never forget the day when I first met him. ________
4 Let's go to the place where you bought the cake. ________
5 I can't understand how he reconciled me with her. ________

STEP 2 다음 우리말과 일치하도록 괄호 안의 말을 바르게 배열하시오.

□ audition 오디션

1 나는 내가 좋은 성적을 받은 이유를 안다. (grade, got, the, reason, a, good, I)
I know ______________________________.

2 이곳은 네가 약간의 빵을 즐길 수 있는 카페이다. (can, where, some, you, bread, enjoy)
This is the cafe ______________________________.

3 네가 여기에서 떠날 시간을 내게 말해줘. (you, here, leave, the, time, will)
Tell me ______________________________.

4 너는 이 문제를 어떻게 풀었는지 말해줄 수 있니? (this, how, solved, question, you)
Can you tell me ______________________________?

5 이것이 네가 오디션에서 떨어진 이유이다. (failed, you, why, the, audition)
This is ______________________________.

STEP 3 다음 중 어법상 틀린 것은? 내신

□ jewelry 보석류
□ memorize 암기하다
□ vocabulary 어휘

① The town where I grew up is very small.
② This is where my mother keeps her jewelry.
③ I don't know the reason why she left so early.
④ July is the month the weather is usually the hottest.
⑤ Tell me the way how you can memorize lots of vocabulary words.

Answer p.43

Point 065 나는 두 아들이 있는데, 그들은 교사이다.

I have two sons, who are teachers.

- 관계대명사의 계속적 용법은 who와 which가 가능하며, 「**접속사 + 대명사**」로 바꿔 쓸 수 있다. 계속적 용법으로 쓰인 관계대명사는 that으로 바꿔 쓰거나 생략할 수 없다.
  I have two daughters, **who(= and they)** are middle school students.
- 관계부사의 계속적 용법은 when과 where이 가능하며, 「**접속사 + 부사**」로 바꿔 쓸 수 있다.
  He came to my house, **where(= and here)** he had lunch.

TIP 계속적 용법의 관계대명사 which는 앞 문장 전체 또는 일부를 선행사로 취할 수 있다.
He won the game, **which** made him very happy. (선행사: 앞 문장 전체)

STEP 1 다음 괄호 안에서 알맞은 말을 고르시오.

□ follow 따라가다

1 Amy has a daughter, (who, that) became a teacher.
2 I visited the library, (which, where) I spent my weekend.
3 I told a lie to her, (which, what) made me feel bad.
4 He was driving at night, (which, when) someone followed him.
5 She gave me some candies, (which, where) I ate right away.

STEP 2 다음 두 문장이 같은 뜻이 되도록 할 때, 빈칸에 알맞은 관계사를 쓰시오.

□ department store 백화점
□ activity 활동
□ famous 유명한
□ actress 여배우

1 She went to the department store, but it was closed.
= She went to the department store, __________ was closed.

2 He went to the concert hall, and there he had a fun time.
= He went to the concert hall, __________ he had a fun time.

3 I met a friend, and she became a famous actress.
= I met a friend, __________ became a famous actress.

4 I called him at five, but he wasn't at the office then.
= I called him at five, __________ he wasn't at the office.

STEP 3 다음 밑줄 친 부분 중 어법상 <u>틀린</u> 것은? 내신

□ function 기능
□ location 위치

① Henry was very sick, <u>which</u> made me worried.
② I went to the theater, <u>where</u> I saw a famous actor.
③ I bought a new camera, <u>that</u> has many functions.
④ He wanted to meet me at 9, <u>when</u> I was at the shop.
⑤ She met a foreigner, <u>who</u> asked her the location of a station.

Answer p.43

Point 066 내가 관심이 있는 색깔은 노란색이다.

The color in which I'm interested is yellow.

- 관계대명사가 전치사의 목적어로 쓰일 때, 전치사는 관계대명사 앞이나 관계대명사 절 끝에 올 수 있다. 전치사가 관계대명사 앞에 올 때, 관계대명사는 생략할 수 없고, 이때 whom대신에 who를 쓰거나, 관계대명사 that도 쓸 수 없다.
  She is the girl **whom[that]** I talked **about**.
  = She is the girl **about whom** I talked.

STEP 1 다음 괄호 안에서 알맞은 말을 고르시오.

1 This is the room (which, where) my sister hid in.

2 My father is the man on (who, whom) I always depend.

3 I know the child (that, what) you are talking to.

4 Peter is someone for (whom, that) you are waiting.

5 The toys (which, what) they are playing with are mine.

□ hide 숨다
□ depend on ~에 의지하다

STEP 2 다음 두 문장이 같은 뜻이 되도록 할 때, 빈칸에 알맞은 말을 쓰시오.

1 Here is a useful website. I find lots of information on it.
= Here is a useful website ______ ______ I find lots of information.

2 He is a good leader. Many people work for him.
= He is a good leader ______ many people work ______.

3 Tell me about your friend. You traveled with him.
= Tell me about your friend ______ you traveled ______.

4 This is an island. Many animals live on the island.
= This is an island ______ ______ many animals live.

5 I found an interesting article. You will be fond of it.
= I found an interesting article ______ ______ you will be fond.

□ useful 유용한
□ island 섬
□ be fond of ~를 좋아하다

STEP 3 다음 중 어법상 틀린 것은? 내신

① The phone you're looking for is under the chair.
② The phone for you're looking is under the chair.
③ The phone that you're looking for is under the chair.
④ The phone for which you're looking is under the chair.
⑤ The phone which you're looking for is under the chair.

Answer p.44

Point 067 그는 내가 잘 아는 소년이다.

He is the boy (whom) I know well.

- 동사나 전치사의 목적어로 쓰인 목적격 관계대명사 who(m), which, that은 생략할 수 있다. 단, 전치사의 목적어로 쓰인 관계대명사를 생략하려면 전치사는 반드시 관계사절 끝에 놓아야 한다.
  Nancy is a friend **(whom)** I am waiting **for**.
- 「**주격 관계대명사 + be동사**」는 생략되어 분사가 직접 선행사를 수식할 수 있다.
  I read a book **(which is)** written in English.

STEP 1 다음 문장에서 생략 가능한 부분에 밑줄을 그으시오.

□ tip 조언
□ well-known 유명한, 잘 알려진

1 Look at those children that are playing on the ground.
2 He gave me some useful tips that I can use.
3 My sister wants to ride the bicycle which you gave me.
4 The man whom we saw is not a well-known actor.
5 There is a bear which is eating fruit from the trees.

STEP 2 다음 문장에서 생략된 부분을 채워서 다시 쓰시오.

□ wedding 결혼식

1 I couldn't go to the wedding I was invited to.
→ ______________________________

2 This is the umbrella you are looking for.
→ ______________________________

3 I love the waffles served with syrup.
→ ______________________________

4 The person I wanted to see was your daughter.
→ ______________________________

STEP 3 다음 밑줄 친 부분 중 생략할 수 없는 것은? 내신

□ cute 귀여운

① I believed what she told me.
② Here is the album which you were looking for.
③ The baby who is wearing glasses is very cute.
④ My father is the man whom I always depend on.
⑤ *Starry Night* is the painting which was painted by Vincent.

Answer p.44

Point 068 네가 좋아하는 누구든지 초대할 수 있다. 복합관계대명사 whoever, whomever

You can invite whomever you like.

- 「관계사 + ever」 형태의 복합관계대명사는 선행사를 포함하는 관계대명사로, 명사절과 양보의 부사절을 이끈다.
- 사람인 선행사를 포함하는 복합관계대명사: whoever, whomever

복합관계대명사	whoever	whomever
명사절(주어 / 목적어)	~하는 누구나 (= anyone who)	~하는 누구나 (= anyone whom)
양보의 부사절	누가 ~할지라도 (= no matter who)	누구를 ~할지라도 (= no matter whom)

I'll praise **whoever**[anyone who] did this work.

STEP 1 다음 문장을 밑줄 친 부분에 유의하여 우리말로 해석하시오.

□ race 경주
□ prize 상
□ care 신경 쓰다, 걱정하다

1 Whoever wins the race will get a prize.
2 He told me to be kind to whomever I knew.
3 I gave the ticket to whoever arrived first.
4 I'll give it to whoever wants it.
5 I don't care whoever you like.

STEP 2 다음 두 문장이 같은 뜻이 되도록 할 때, 빈칸에 알맞은 말을 쓰시오.

□ hire 고용하다
□ qualified 자격 있는

1 Whoever leaves the room last should close the window.
= ________ ________ leaves the room last should close the window.

2 No matter whom you ask, they will say the same thing.
= ________ you ask, they will say the same thing.

3 Whoever is interested in music can join the club.
= ________ ________ is interested in music can join the club.

4 The company will hire anyone who is the most qualified.
= The company will hire ________ is the most qualified.

STEP 3 다음 우리말과 일치하도록 할 때, 빈칸에 들어갈 말로 알맞은 것은? 내신

□ rule 규칙

네가 누구든지, 너는 그 규칙을 따라야 한다.
→ ________ you are, you should follow the rules.

① Who ② That ③ Which
④ What ⑤ Whomever

Answer p.45

Whatever you say, I will believe you.

• 사물인 선행사를 포함하는 복합관계대명사: whichever, whatever

복합관계대명사	whichever	whatever
명사절 (주어/목적어)	~하는 어느 것이나 (= anything which)	~하는 무엇이나 (= anything that)
양보의 부사절	어느 것을[이] ~할지라도 (= no matter which)	무엇을[이] ~할지라도 (= no matter what)

Whatever[Anything that] you do, I will help you.

TIP whichever와 whatever는 복합관계형용사로 명사를 수식하는 형용사의 역할을 하기도 한다.
You can read **whichever** book you want.

STEP 1 다음 괄호 안에서 알맞은 말을 고르시오.

1 No matter (what, whatever) happens, I will go to school.
2 I remember (who, whatever) I learn.
3 I won't believe (which, whatever) she says. She lies to me all the time.
4 You can order (what, whichever) set you like.
5 No matter (which, whichever) dress she wears, she looks perfect.

□ happen 일어나다
□ believe 믿다
□ order 주문하다

STEP 2 다음 두 문장이 같은 뜻이 되도록 할 때, 빈칸에 알맞은 말을 쓰시오.

1 Your parents will give you whatever you need.
= Your parents will give you ____________ ____________ you need.

2 Whichever she buys, she will not be satisfied with it.
= ____________ ____________ ____________ she buys, she will not be satisfied with it.

3 Whatever he asked, I didn't say anything.
= ____________ ____________ ____________ he asked, I didn't say anything.

4 I will agree with whatever you suggest.
= I will agree with ____________ ____________ you suggest.

□ satisfy 만족시키다
□ perfect 완벽한
□ agree 동의하다
□ suggest 제안하다

STEP 3 다음 빈칸에 들어갈 말이 순서대로 짝지어진 것은? 내신

• ____________ comes to the concert will be excited.
• You can take ____________ you choose for free.

① Whoever – whoever ② Whoever – whatever ③ Whatever – whichever
④ Whatever – whomever ⑤ Whichever – whoever

□ choose 선택하다
□ for free 무료로

Answer p.45

Point 070 너는 네가 원할 때마다 내게 물을 수 있다.

You can ask me whenever you want.

- 「관계부사 + ever」 형태의 복합관계부사는 선행사를 포함한 관계부사이다. 문맥에 따라 시간 · 장소의 부사절이나 양보의 부사절을 이끈다.

복합 관계부사	whenever	wherever	however
시간 · 장소의 부사절	~할 때마다 (= at any time when)	~하는 어디에나 (at any place where)	–
양보의 부사절	언제 ~해도 (= no matter when)	어디에서 ~해도 (= no matter where)	아무리 ~해도 (= no matter how)

Wherever[No matter where] you go, I will follow you.
You can call me **whenever**[at any time when] you need me.

TIP '아무리 ~해도'의 의미인 however는 「**however** + 형용사/부사 + 주어 + 동사」의 어순으로 부사절에만 쓴다.
However[No matter how] smart she is, she can't solve it.

STEP 1 다음 괄호 안에서 알맞은 말을 고르시오.

1 (Whenever, Whatever) I'm in trouble, I talk to my mom or dad about it.
2 (However, Whichever) rich you are, you can't buy everything.
3 Please contact us (whenever, wherever) you have a question.
4 (Wherever, Whichever) she goes, she takes her pillow.
5 (Whatever, However) hard the work is, you should try it.

□ rich 부유한
□ contact 연락하다
□ pillow 베개

STEP 2 다음 우리말과 일치하도록 빈칸에 알맞은 말을 쓰시오.

1 그의 앨범은 나올 때 마다 매진된다.
→ ____________ his album is released, it is sold out.

2 내가 갔던 곳 어디에서나 산을 보았다.
→ I saw the mountain ____________ I went.

3 그는 아무리 피곤해도 항상 열심히 일한다.
→ ____________ tired he is, he always works hard.

4 나는 체육관에 갈 때 마다 그를 만난다.
→ ____________ I go to the gym, I meet him.

□ release 발매하다
□ gym 체육관

STEP 3 다음 밑줄 친 부분이 어법상 틀린 것은? 내신

① Whatever hard he tried, he didn't get fat.
② I can give you whatever you want to have.
③ Wherever I may go, my fans will wait for me.
④ My daughter welcomes me whenever I come home.
⑤ However hard you studied, you didn't have good grades.

□ welcome 환영하다

Answer p.45

01회 내신 적중 실전 문제

[01~02] 다음 중 보기의 밑줄 친 부분과 바꿔 쓸 수 있는 것은?

중요

Point 061

01

보기 The thing that he needs now is to have a holiday.

① Who ② What
③ Which ④ Whatever
⑤ Whichever

Point 057

02

보기 I like people that make me comfortable.

① who ② whom ③ what
④ whose ⑤ which

Point 066

03 다음 중 어법상 틀린 것은?

① The girl whom I'm interested in is Kate.
② The hotel which they stayed at has a bar.
③ Tell me the time at which the game starts.
④ The activity what they chose was baseball.
⑤ The day on which we started school was March 2.

Point 059

04 다음 빈칸에 들어갈 말이 나머지 넷과 다른 것은?

① I have a pet ________ name is Namu.
② Look at the car ________ door is open.
③ She met a man ________ shirt was torn.
④ The house ________ walls are dirty is not mine.
⑤ This hamburger ________ you made is delicious.

Point 065

05 다음 두 문장이 같은 뜻이 되도록 할 때, 빈칸에 들어갈 말로 알맞은 것은?

I invited Helen, but she didn't come.
= I invited Helen, ________ didn't come.

① that ② whom ③ what
④ who ⑤ which

Point 067

06 다음 밑줄 친 부분 중 생략할 수 없는 것은?

① Summer is the season which I like.
② Show me anything that you have now.
③ She has many friends from whom she gets help.
④ The person whom I respect most is my mother.
⑤ I don't know the man who was holding a stick.

[07~08] 다음 빈칸에 들어갈 말로 알맞은 것을 고르시오.

Point 059

07

This is the bottle ________ I bought at the shop.

① who ② whom ③ what
④ whose ⑤ which

Point 067

08

The boy ________ flowers is my brother.

① holding ② is holding
③ who holding ④ who are holding
⑤ whom is holding

Answer p.46

[09~10] 다음 빈칸에 들어갈 말이 순서대로 짝지어진 것을 고르시오.

Point 062

09

- Tell me the time ________ the window was broken.
- I graduated from a university ________ I learned a lot about economics.

① when – where ② why – where
③ when – which ④ why – which
⑤ where – where

Point 070

10

- ________ you're ready just let me know.
- I listen to music ________ I have free time.

① Wherever – whoever
② Whatever – whoever
③ Wherever – whichever
④ Whenever – whenever
⑤ Whenever – whomever

고난도

Point 067

11 **다음 중 어법상 옳은 것은?**

① The game what he chose was boring.
② Rachel is the girl Randy fell in love with.
③ He has some balls with that you can play.
④ The boy, that scored two goals, is my friend.
⑤ We had a good time at the place which you recommended it.

Point 070

12 **다음 우리말과 일치하도록 할 때, 빈칸에 들어갈 말로 알맞은 것을 모두 고르면?**

당신이 아무리 부자라고 해도, 사랑을 얻을 수는 없다.
= ________________, you can't get love.

① How rich may be you
② However rich you may be
③ However you may be rich
④ No matter how rich you may be
⑤ No matter how you may be rich

서술형

Point 058

13 **다음 두 문장을 관계대명사를 이용하여 한 문장으로 바꿔 쓰시오.**

Do you know the woman? Her daughter is a famous professor.

→ Do you know the woman ________________
________________?

Point 070

14 **다음 우리말과 일치하도록 주어진 조건을 이용하여 영작하시오.**

조건 1 복합관계부사를 사용하지 말 것
조건 2 start를 포함하여 총 6단어로 쓸 것

네가 아무리 일찍 출발할지라도, 7시 비행기에 맞춰 갈 수가 없다.

→ ________________, you can't be in time for the seven o'clock flight.

Point 065

15 **다음 문장에서 틀린 부분을 찾아 바르게 고쳐 쓰시오.**

The student told a secret to someone, that made his friend very angry.

________ → ________

Point 069

16 **다음 우리말과 일치하도록 괄호 안의 말을 바르게 배열하시오.**

네가 어떤 방법을 선택하더라도 그것은 어려운 수술이 될 것이다. (whichever, choose, method, you)

→ It will be a difficult operation, ________________
________________.

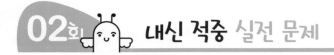

Point 070

01 다음 우리말과 일치하도록 할 때, 빈칸에 들어갈 말로 알맞은 것은?

> 네가 어디에 있더라도, 내가 네 곁에 있다는 것을 잊지 마라.
> → _________ you are, don't forget that I stand by you.

① Whoever ② Whenever
③ Whatever ④ Wherever
⑤ However

Point 060

02 다음 중 어법상 틀린 것은?

① Cars made in Korea are very popular.
② He is the tallest man what I've ever met.
③ I visited the house which Shakespeare lived in.
④ She liked the man whose hobby was playing the piano.
⑤ We can't guess the time when the hurricane hit our town.

Point 067

03 다음 밑줄 친 부분 중 생략할 수 없는 것은?

① He is the man whom I talked to.
② This is the picture that she painted.
③ She is the actress whom everyone likes.
④ Do you know the house in which they live?
⑤ There are two cats that are playing on the bench.

중요 Point 061

04 다음 밑줄 친 부분의 쓰임이 보기 와 다른 것은?

> 보기 I told the teacher what I knew about the situation.

① What she wants to be is a doctor.
② Can you find what you are looking for?
③ What do you think of the man you introduced?
④ What I don't understand is why he gave me the gift.
⑤ Don't put off until tomorrow what you can do today.

고난도 Point 059

05 다음 빈칸에 들어갈 말이 나머지 넷과 다른 것은?

① I miss Seoul, _________ I used to live.
② This is the garden _________ the festival was held.
③ The palace _________ we visited was beautiful.
④ Do you know the year _________ Korea hosted the PyeongChang winter Games?
⑤ This center is the place _________ you can find the information you want.

Point 068

06 다음 보기 밑줄 친 단어와 바꿔 쓸 수 있는 것은?

> 보기 Anyone who wants this machine can use it.

① Whoever ② Whatever ③ Whenever
④ Whichever ⑤ However

[07~08] 다음 빈칸에 들어갈 말로 알맞은 것을 고르시오.

Point 060

07

> It is the best restaurant _________ serves delicious pizza.

① who ② whom ③ that
④ which ⑤ where

Point 063

08

> I want to know _________ you did it.

① who ② way ③ the way
④ in that ⑤ the way how

Answer p.47

[09~10] 다음 빈칸에 들어갈 말이 순서대로 짝지어진 것을 고르시오.

Point 065, 068

09

• A orange is an anti-aging fruit, _________ is rich in vitamin.
• I'll give my clothes to _________ wants them.

① that – who ② which – what
③ that – whoever ④ which – whoever
⑤ whoever – whoever

Point 065

10

• I went to Hanoi, _________ I met Rachel.
• We had a party on Saturday, _________ there was no class.

① that – than ② there – then
③ which – when ④ where – when
⑤ where – which

Point 069

11 다음 중 어법상 틀린 것은?

① I'll do whatever is necessary.
② Whichever you choose, it's yours.
③ Have a seat wherever you want.
④ Whatever happens, he won't be surprised.
⑤ You can eat whoever you want in this restaurant.

Point 065

12 다음 빈칸에 공통으로 들어갈 말로 알맞은 것은?

• Do you know the reason _________ she was angry?
• I don't understand _________ my computer is down.

① who ② that ③ how ④ why ⑤ where

서술형

Point 062

13 다음 두 문장을 관계부사를 이용하여 한 문장으로 바꿔 쓰시오.

Did you check the time? The musical we booked starts then.

→ Did you _______________________________?

Point 070

14 다음 우리말과 일치하도록 주어진 조건을 이용하여 영작하시오.

조건 1 복합관계부사를 사용할 것
조건 2 difficult를 포함하여 총 4단어로 쓸 것

그것이 아무리 어려워도, 그녀는 포기하지 않았다.

→ _______________________________, she didn't give up.

Point 060

15 다음 문장에서 어법상 틀린 부분을 찾아 바르게 고쳐 쓰시오.

Whenever my sister sees something what she likes, she always buys it.

_______________ → _______________

Point 066

16 다음 우리말과 일치하도록 괄호 안의 말을 바르게 배열하시오.

너는 우리가 첫 데이트를 했던 놀이공원을 기억하니?
(we, first, our, had, date, which)

Do you remember the amusement park in _____ _______________?

Grammar Review 핵심 정리

1 관계사

Point

I like the girl **who** has long hair. 057

☞ 주격 관계대명사: 관계사절의 주어 역할을 하고, 관계사절 내의 동사는 선행사의 인칭과 수에 일치시킨다.

I know a man **whose** name is Tom. 058

☞ 소유격 관계대명사: 수식하는 선행사의 소유격 역할을 한다.

I have a son **whom** I love. 059

☞ 목적격 관계대명사: 관계사절에서 동사나 전치사의 목적어 역할을 한다.

This is **the most** interesting movie **that** I've ever seen. 060

☞ -thing으로 끝나는 대명사, 「the＋최상급」, 「the＋서수」, the only, the same, the very, every 등이 오면 that을 쓴다.

What is important is to keep the promise. 061

☞ 관계대명사 what: 선행사를 포함하는 관계대명사로 the thing which(~하는 것)의 의미로 명사절을 이끈다.

I'll never forget the day **when** we became a couple. 062

☞ 관계부사 when: 「at/on/in＋which」로 바꿔쓸 수 있다. / 관계부사 where: 「at/on/in＋which」로 바꿔쓸 수 있다.

I asked the reason **why** he got angry. 063

☞ 관계부사 how와 선행사 the way는 함께 쓰지 않고, 둘 중 하나를 생략한다.

Today is Monday, the day **(when)** I go to the swimming class. 064

☞ 선행사가 the time, the place, the reason과 같이 일반적인 경우, 선행사나 관계부사 중 하나를 생략할 수 있다.

2 관계사의 계속적 용법

I have two sons, **who** are teachers. 065

☞ 관계대명사의 계속적 용법은 who와 which가 가능하며, 관계부사의 계속적 용법은 when과 where이 가능하다.

3 전치사 + 관계대명사

The color **in which** I'm interested is yellow. 066

☞ 관계대명사가 전치사의 목적어로 쓰일 때 전치사는 관계대명사 앞이나 관계대명사절 끝에 올 수 있다.

4 관계대명사의 생략

He is the boy **(whom)** I know well. 067

☞ 목적격 관계대명사 who(m), which, that은 생략할 수 있다. / 「주격 관계대명사＋be동사」는 생략할 수 있다.

5 복합관계사

You can invite **whomever** you like. 068

☞ 「관계사＋ever」 형태의 복합관계대명사는 선행사를 포함하는 관계대명사로, 명사절과 양보의 부사절을 이끈다.

Whatever you say, I will believe you. 069

☞ whichever, whatever는 사물인 선행사를 포함하는 복합관계대명사이다.

You can ask me **whenever** you want. 070

☞ 「관계부사＋ever」의 형태의 복합관계부사는 시간 · 장소의 부사절이나 양보의 부사절을 이끈다.

LESSON 08

접속사

Point 071 날씨가 매우 추웠기 때문에 우리는 외투를 입어야 했다. 이유의 접속사

As it was very cold, we had to wear coats.

- '~이기 때문에'라는 뜻의 이유, 원인을 나타내는 접속사로는 because, as, since 등이 있다.
- 「because/as/since + 주어 + 동사 ~」 / 「**because of + 명사(구)**」
  Because a heat wave hit Korea, air conditioners sold very well.
  = **Because of a heat wave** in Korea, air conditioners sold very well.
  TIP since는 '~한 이후로'라는 뜻의 시간의 접속사로도 쓰인다.

STEP 1 다음 괄호 안에서 알맞은 말을 고르시오.

□ low-fat 저지방의
□ mistake 실수

1 We couldn't swim (because, so) the water was deep.
2 (As, But) she wanted to lose weight, Kate started to drink low-fat milk.
3 (Since, If) he left for a business trip, Mark wasn't in the meeting.
4 I sometimes make mistakes (because of, because) my poor memory.
5 (Since, Because) she was young, she has hoped to study abroad.

STEP 2 다음 우리말과 일치하도록 괄호 안의 말을 이용하여 빈칸에 알맞은 말을 쓰시오.

□ on time 정각에
□ common 평범한

1 그는 지하철을 놓쳐서 정각에 도착할 수 없었다. (because, miss the subway train)
He couldn't arrive on time ______________________.

2 나는 그녀가 평범해 보여서 맘에 들지 않는다. (as, look common)
______________________, I don't like her.

3 나는 돈이 충분하지 않았기 때문에 새 차를 사지 않기로 결정했다.
(since, have enough money)
______________________, I decided not to buy a new car.

4 Andy는 고장 난 알람시계 때문에 오늘 아침에 늦게 일어났다. (the broken alarm clock)
Andy got up late this morning ______________________.

5 Jane은 바닷가에 살기 때문에 배를 꽤 자주 본다. (since, live near the sea)
______________________, she sees ships quite often.

STEP 3 다음 빈칸에 공통으로 들어갈 말로 알맞은 것은? 내신

□ earn (돈을) 벌다
□ pay taxes 세금을 내다
□ pass (시간이) 흐르다

- ________ they earn more money, they should pay more taxes.
- Five years have passed ________ we moved to Berlin.

① Because[because] ② Since[since] ③ When[when]
④ If[if] ⑤ Though[though]

Answer p.49

Point 072 제가 없는 동안에 제 집을 돌봐 주세요.

Please take care of my home **while** I am away.

- 시간을 나타내는 접속사로는 when(~할 때), while(~하는 동안에), as(~할 때, ~하면서, ~함에 따라), before(~하기 전에), after(~한 후에), until[till](~할 때까지), since(~한 이후로) 등이 있다.
- 시간을 나타내는 구 접속사로는 「**as soon as + 주어 + 동사**」(~하자마자), 「**on/upon + v-ing**」(~하자마자), 「**every time + 주어 + 동사**」(~할 때마다), 「**whenever + 주어 + 동사**」(~할 때마다) 등이 있다.
  Every time he came to see his mother, he brought some beautiful flowers.

TIP while은 '~하는 반면에', '~하는 한편'이라는 뜻의 접속사로도 쓰인다.

STEP 1 다음 빈칸에 알맞은 말에 V 표시를 하시오.

1 Kate sang songs ________ I studied math. □ because □ while
2 I will wait for him ________ he brings my bag. □ until □ since
3 He has slept ________ he arrived. □ while □ since
4 ________ time goes by, the air gets dirtier. □ Since □ As
5 ________ I try to meet you, you are busy. □ Every time □ As soon as

STEP 2 다음 빈칸에 들어갈 말을 보기 에서 골라 쓰시오.

보기	after	as soon as	before	while

1 그들은 로마에 도착하자마자 콜로세움을 방문했다.
________ they arrived in Rome, they visited the Colosseum.

2 우리는 구름이 더 많아지기 전에 산을 내려가는 것이 좋겠다.
We had better go down the mountain ________ it gets cloudier.

3 어떤 소년들은 실내에서 노는 것을 좋아하는 반면, 다른 소년들은 좋아하지 않는다.
________ some boys like to play indoors, others don't.

4 나는 이 영화를 본 후 영화평을 쓸 것이다.
I'll write a review ________ I see this movie.

□ had better + 동사원형 (~하는 편이) 좋을 것이다
□ indoors 실내에서
□ review 비평, 논평

STEP 3 다음 두 문장을 한 문장으로 바꿀 때, 빈칸에 들어갈 말로 알맞은 것은? 내신

Korean babies are born. They are one year old right after their birth.
→ ________ Korean babies are born, they are one year old.

① While ② Because ③ Since ④ As soon as ⑤ Before

□ birth 태어남, 출생

Answer p.49

Point 073 나는 비록 멀리 떨어져 있지만 언제나 널 생각해.

Even though I'm far away, my thoughts are always with you.

- '비록 ~이지만'이라는 뜻의 양보를 나타내는 접속사로는 though, although, even though 등이 있다.
- even if는 '만약 ~일지라도', '설사 ~라 하더라도'라는 뜻으로, 아직 일어나지 않은 일을 가정할 때 쓰는 접속사이다.

  Even if it rains tomorrow, we will go hiking.

TIP 「A, but B」=「though A, B」

He is young, **but** he has a lot of gray hair. = **Though** he is young, he has a lot of gray hair.

STEP 1 다음 괄호 안에서 알맞은 말을 고르시오.

1. (Though, Since) we may fail, it is worth the challenge.
2. They started to climb the hill (although, because) the road was very muddy.
3. Children had better not play outside (when, though) yellow dust is in the air.
4. (If, Even if) you don't win a medal, you are not a loser.
5. (Because, Even though) I read the manual many times, I used the machine well.

□ worth v-ing ~할 가치가 있는
□ muddy 진흙 투성이인
□ yellow dust 황사
□ manual 설명서

STEP 2 다음 두 문장이 같은 뜻이 되도록 할 때, 빈칸에 들어갈 말을 보기에서 골라 쓰시오.

보기	though	when	because

1. He was short, but he could jump very high.
   = ____________ he was short, he could jump very high.
2. It stopped raining, so Ben wanted to take off his rubber boots.
   = ____________ it stopped raining, Ben wanted to take off his rubber boots.
3. She saw a mouse in the garage. Then she screamed.
   = ____________ she saw a mouse in the garage, she screamed.
4. Tom and Tony look different, but they are twins.
   = Tom and Tony are twins ____________ they look different.
5. The hall was very hot, so I came outside.
   = I came outside ____________ the hall was very hot.

□ rubber boots 고무장화
□ garage 차고
□ scream 비명을 지르다
□ twin 쌍둥이

STEP 3 다음 빈칸에 들어갈 말로 알맞은 것은? 내신

__________ he was shy, he took up the courage to speak to Sarah first.

① If ② Because ③ Since ④ Though ⑤ Until

□ take up the courage 용기를 내다

Answer p.49

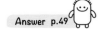

Point 074 만일 네게 우산이 없다면 옷이 젖게 될 것이다.

Unless you have an umbrella, your clothes will get wet.

- '만일 ~라면'이라는 뜻의 조건을 나타내는 접속사는 if이다.
- unless는 '만일 ~하지 않는다면', '~하지 않는 한'이라는 뜻으로, 「**if ~ not**」과 같은 의미를 갖는 접속사이다.
  Unless you finish the work in time, you will have a big problem.
  = **If** you do**n't** finish the work in time, you will have a big problem.

TIP 「명령문, **and** ~」, 「명령문, **or** ~」 구문을 if를 사용한 문장으로 바꿔 쓸 수 있다.

STEP 1 다음 빈칸에 알맞은 말에 V 표시를 하시오.

1 ___________ he exercises regularly, he will be healthier. □ Though □ If
2 You can look around ___________ you want to. □ if □ since
3 You'll miss the train ___________ you walk more quickly. □ if □ unless
4 ___________ you want to see me, call me anytime. □ Even if □ If
5 ___________ I borrow the book, I can't finish my work. □ While □ Unless

□ regularly 규칙적으로
□ borrow 빌리다

STEP 2 다음 우리말과 일치하도록 괄호 안의 말을 이용하여 빈칸에 알맞은 말을 쓰시오.

1 여러분께 질문할 것이 더 없다면 저는 회의를 끝내겠습니다. (unless, have)
I'll close the meeting ______________________________.

2 건강한 음식을 먹으면 너는 회복될 것이다. (if, eat)
______________________________, you will get better.

3 네가 이 버튼을 누르면 세탁기가 작동할 것이다. (if, press)
______________________________, the washing machine will work.

4 내가 밤 12시까지 귀가하지 않으면 우리 아빠는 화가 나실 것이다.
(unless, get, by midnight)
My dad will get angry ______________________________.

5 당신이 웃는 법을 모르면 가게를 열지 마라. (if, know, how to smile)
Don't open a shop ______________________________.

□ get better 회복되다
□ washing machine 세탁기
□ midnight 밤 12시

STEP 3 다음 두 문장이 같은 뜻이 되도록 할 때, 빈칸에 들어갈 말로 알맞은 것은? 내신

Put the food in the refrigerator, or it will spoil.
= __________ you put the food in the refrigerator, it will spoil.

① Even if ② Unless ③ Although ④ While ⑤ Since

□ refrigerator 냉장고
□ spoil (음식이) 상하다

Answer p.50

Point 075 운동은 신체와 정신 양쪽에 모두 유익하다.

Exercise is good for **both** body **and** mind.

- 「**both A and B**」: 'A와 B 둘 다'라는 뜻으로, 주어로 쓰일 경우 복수 동사를 쓴다.
- 「**not only A but (also) B**」: 'A뿐만 아니라 B도'라는 뜻으로, 주어로 쓰일 경우 동사의 수는 B에 일치시킨다. 이를 「**B as well as A**」로 바꿔 쓸 수 있다.
  Not only I **but also** Maria is ready for the game. = Maria **as well as** I is ready for the game.

TIP 「**not A but B**」: 'A가 아니라 B'라는 뜻으로, 주어로 쓰일 경우 동사의 수는 B에 일치시킨다.
Her favorite flower is **not** the rose **but** the lily.

STEP 1 다음 문장에서 틀린 부분을 바르게 고치시오.

□ responsible 책임이 있는
□ cheering 응원

1 Both Mike and Julia was late for English class.
2 You as well as he is responsible for the mistake.
3 We smile not only with our mouths and also with our eyes.
4 Not only the game but also the cheering were fun.
5 They were walking both slowly and quiet.

STEP 2 다음 우리말과 일치하도록 괄호 안의 말을 바르게 배열하시오.

□ celebrity 연예인
□ participate 참석하다
□ household chore 집안일

1 패션 디자이너들뿐만 아니라 연예인들도 그 패션쇼에 참석했다.
(the fashion show, celebrities, fashion designers, as well as, in, participated)

____

2 남편과 나는 둘 다 퇴근 후에 집안일을 한다.
(household chores, and, after, both, do, I, work, my husband)

____

3 Farrel 선생님은 똑똑하실 뿐만 아니라 잘생기셨다.
(but, is, smart, also, Mr. Farrel, only, good-looking, not)

____

4 Nick은 생일 선물로 자전거가 아니라 스마트폰을 원한다.
(a bike, but, Nick, not, for, a smartphone, his birthday, wants)

____

STEP 3 다음 중 문장의 의미가 나머지 넷과 가장 다른 것은? 내신

□ novel 참신한
□ creative 독창적인

① His idea is novel and creative.
② His idea is both novel and creative.
③ His idea is not only novel but also creative.
④ His idea is not novel but creative.
⑤ His idea is creative as well as novel.

Answer p.50

Point 076 나는 열쇠를 서랍 안이나 책상 위에 두고 왔다.

I left my key either in the drawer or on the desk.

- 「**either A or B**」: 'A나 B 둘 중 하나'라는 뜻으로, 주어로 쓰일 경우 동사의 수는 B에 일치시킨다.
  Either Kevin **or** you will be the president of our class.
- 「**neither A nor B**」: 'A와 B 둘 다 아닌'이라는 뜻으로, 주어로 쓰일 경우 동사의 수는 B에 일치시킨다.
  Neither my boyfriend **nor** I like soft drinks.

STEP 1 다음 밑줄 친 부분을 바르게 고치시오.

1 Either Sue or Jane have called me three times.
2 Both Sam and Tim was at the party last week.
3 Neither Alice nor her sister enjoy sports.
4 Not I but Jennifer were good at playing golf when young.
5 Either David or I is going to clean the bathroom.

STEP 2 다음 두 문장이 같은 뜻이 되도록 할 때, 빈칸에 알맞은 말을 쓰시오.

□ nutritious 영양가가 높은
□ lazy 게으른
□ dull 둔한

1 Laura will go to the festival. Or I will go to the festival.
= ____________ Laura ____________ I will go to the festival.

2 The movie was interesting. And it was fantastic.
= The movie was ____________ interesting ____________ fantastic.

3 The crackers are not delicious. They are not nutritious, either.
= The crackers are ____________ delicious ____________ nutritious.

4 Albert was lazy. He was also dull.
= Albert was ____________ only lazy ____________ also dull.

5 Julia doesn't jog every morning. I jog every morning.
= ____________ Julia ____________ I jog every morning.

STEP 3 다음 빈칸에 들어갈 말이 순서대로 짝지어진 것은? 내신

□ conference 회의

- Either I or Ms. Green _________ going to attend the conference.
- Neither Jack nor you _________ to answer the question.

① am – need ② am – needs ③ is – need
④ is – needs ⑤ are – need

Answer p.50

Point 077 그것은 너무 어려운 문제여서 우리는 그것을 처리할 수 없었다.

It was **such a tough problem that** we couldn't handle it.

- 「such + 부정관사(a/an) + 형용사 + 명사 + that …」: '너무 ~해서 …하다'라는 뜻으로, 원인과 결과를 나타낸다.
- 유사한 의미의 구문 「**so + 형용사 + 부정관사(a/an) + 명사 + that** …」의 어순과 구별해야 한다.
  He is **so great an artist that** his works are sold for high prices.

TIP 「**such** + 부정관사(**a/an**) + 형용사 + 명사 + **that** …」은 「형용사 + **enough** + **to**부정사」(~하기에 충분히 …한), 「**too** + 형용사 + **to**부정사」(너무 ~해서 …할 수 없다)로 바꿔 쓸 수 있다.

STEP 1 다음 문장을 우리말로 해석하시오.

1 The forest is too thick to walk through.

2 The roast turkey is big enough to feed a family of four.

3 It is such a thrilling movie that I can't take my eyes off it.

4 It was so impressive a painting that she bought a copy.

5 She has such a beautiful voice that everyone likes to hear her sing.

- □ roast 구운
- □ turkey 칠면조
- □ thrilling 스릴 넘치는
- □ impressive 인상적인
- □ copy 복제품

STEP 2 다음 우리말과 일치하도록 괄호 안의 말을 바르게 배열하시오.

1 그것은 너무 비싼 차여서 나는 그것을 살 만한 형편이 못 된다. (expensive, an, car, such)
That is ______________________ that I can't afford to buy it.

2 그곳은 너무 조용한 방이어서 나는 문을 열 수 없었다. (so, quiet, room, a)
That was ______________________ that I couldn't open the door.

3 그는 가난한 사람들을 도울 만큼 충분히 관대했다. (to, enough, generous, help)
He was ______________________ the poor.

4 그 스케이트장은 너무 붐벼서 남을 건드리지 않고서는 스케이트를 탈 수가 없었다.
(to, crowded, too, skate)
The ice rink was ______________________ without touching others.

5 눈이 많이 오는 날이어서 나는 운전할 수 없었다. (such, snowy, a, day)
It was ______________________ that I couldn't drive.

- □ afford 형편이 되다
- □ generous 관대한
- □ crowded 붐비는
- □ ice rink 스케이트장

STEP 3 다음 빈칸에 공통으로 들어갈 말로 알맞은 것은? 내신

- This is such a difficult book ________ the children can't read it.
- It was so cold a day ________ I wore many layers of clothing.

① when ② if ③ that ④ though ⑤ because

- □ wear many layers of clothing 옷을 여러 겹 껴입다

Answer p.51

Point 078 그 이야기는 아주 재밌어서 우리는 웃음을 멈출 수가 없었다.

The story was so funny that we couldn't stop laughing.

- 「so + 형용사/부사 + that …」: '너무 ~해서 …하다'라는 뜻으로, 원인과 결과를 나타낸다.
- **「so that + 주어 + 조동사 + 동사원형 ~」**: '~하기 위해서'라는 뜻으로, 목적을 나타낸다.
  She swims every day **so that she can stay** healthy.

TIP 「**so** + 형용사/부사 + **that** …」은 「형용사/부사 + **enough** + **to**부정사」, 「**too** + 형용사/부사 + **to**부정사」로 바꿔 쓸 수 있다.

STEP 1 다음 괄호 안에서 알맞은 말을 고르시오.

□ in time 제시간에
□ react 반응을 보이다

1 The weather was (so, such) hot that people drank lots of cold water.
2 I bought some strawberries so (that, what) I could make strawberry jam.
3 Jake helped me (in, so) that I could finish the work in time.
4 Clara was so scared (that, what) she couldn't speak a word.
5 It all happened (so, too) quickly that no one had time to react.

STEP 2 다음 우리말과 일치하도록 괄호 안의 말을 이용하여 빈칸에 알맞은 말을 쓰시오.

□ step aside 비켜서다
□ firefighter 소방관

1 음악이 너무 시끄러워서 나는 공부를 할 수 없었다. (study)
The music was so noisy ______________________.

2 그는 그녀가 지나갈 수 있도록 비켜섰다. (pass by)
He stepped aside so ______________________.

3 나는 위험에 처한 사람들을 도울 수 있도록 소방관이 되고 싶다. (help, in danger)
I want to be a firefighter so ______________________.

4 이 가방은 많은 옷이 들어갈 만큼 충분히 크다. (hold, many clothes)
This bag is big ______________________.

5 Ann은 너무 아파서 파티에 참석할 수 없었다. (too, attend)
Ann was ______________________.

STEP 3 다음 두 문장이 같은 뜻이 되도록 할 때, 빈칸에 들어갈 말로 알맞은 것은? 내신

□ pocket money 용돈
□ sneakers 운동화

Eric saved pocket money to buy his girlfriend, Amy, new sneakers.
= Eric saved pocket money ________ he could buy his girlfriend, Amy, new sneakers.

① if ② so that ③ as soon as
④ unless ⑤ every time

Answer p.51

Point 079 나는 방학이 벌써 끝났다는 것을 믿을 수가 없다.

I can't believe that my vacation is already over.

- that은 '~라는 것'이라는 뜻으로, 명사절을 이끄는 접속사이다. that 뒤에는 문장 성분을 모두 갖춘 절이 온다.
- 보통 주어 역할을 하는 that절은 문장 뒤로 옮기고 주어 자리에는 가주어 it을 쓴다.
  That he is a genius is surprising. = **It** is surprising **that he is a genius**.
- 목적절을 이끄는 접속사 that은 say와 know 같이 일상적으로 흔히 쓰이는 동사 뒤에 올 경우 생략될 수 있다.

TIP 동격절을 이끄는 that: fact, idea, opinion, belief, news와 같은 명사 바로 뒤에 오는 that절은 앞의 명사와 동일한 의미를 갖는 동격의 역할을 한다.

STEP 1 다음 문장에서 틀린 부분을 바르게 고치시오.

1 That was true that the little boy pulled the sword out.
2 My opinion is what we should put more trash cans on the streets.
3 My parents believed if I got better grades than Ted.
4 I heard the news what he succeeded in passing the exam.
5 Most people hope while cancer will be cured.

□ sword 검
□ opinion 의견
□ cancer 암
□ cure 치료하다

STEP 2 다음 우리말과 일치하도록 괄호 안의 말을 바르게 배열하시오.

1 사실은 당신의 주장을 뒷받침할 증거가 없다는 것이다.
(evidence, is, that, to support, the truth, there is no, your claim)
____

2 그가 붉은 진주를 훔쳤다는 소문은 사실이 아니었다.
(false, stole, the rumor, he, the red pearl, that, was)
____

3 그들이 그렇게 거대한 석조 건축물을 지었다는 것은 놀라운 일이다.
(they, a huge stone structure, it, that, built, is amazing, such)
____

4 많은 사람들은 내면의 아름다움이 외면의 아름다움보다 더 중요하다고 말한다.
(than, outer beauty, say, is, inner beauty, many people, more important)
____

□ evidence 증거
□ support 뒷받침하다
□ claim 주장
□ pearl 진주

STEP 3 다음 빈칸에 들어갈 말이 나머지 넷과 다른 것은? 내신

① I believe ________ he will save my life.
② It is impossible ________ Scarlet wins a gold medal in the race.
③ His idea is ________ we should recycle used bottles.
④ Can you understand ________ I'm saying?
⑤ The news ________ the plane crashed was terrible.

□ impossible 불가능한
□ recycle 재활용하다
□ crash 추락하다

Answer p.52

Point 080 우리는 이 보트가 물에 뜰지 안 뜰지가 궁금하다.

We wonder whether this boat will float on the water or not.

- whether(~ or not)는 '~인지 아닌지'라는 뜻으로, 명사절을 이끄는 접속사이다.
  Whether it's true or not doesn't matter.
  The question is **whether** I should go abroad or stay here.

TIP if도 '~인지 아닌지'라는 뜻으로 쓰여 명사절을 이끌 수 있지만, if가 이끄는 명사절은 타동사의 목적어 역할만 할 수 있다.
I want to know **if** Mike loves me.

STEP 1 다음 괄호 안에서 알맞은 말을 고르시오.

1 I wonder (whether, what) Jenny will take part in the contest.
2 (Whether, That) he is in favor of the plan or not is important.
3 My trouble is (whether, that) I don't have enough time.
4 Many people doubted (whether, what) Jean stole the painting.
5 One young lady asked (if, that) they were real police officers.

□ take part in ~에 참가하다
□ be in favor of ~에 찬성하다
□ doubt 의심하다

STEP 2 다음 보기와 같이 괄호 안의 말을 이용하여 문장을 바꿔 쓰시오.

보기 Is he going to accept our offer? (if)
→ I am not sure if he is going to accept our offer.

1 Are you going to keep working on the project? (whether)
→ Have you decided ______________ or not?

2 Is she going to attend the housewarming party tonight? (if)
→ Do you know ______________ tonight?

3 Are they going to go on a field trip to the museum? (whether)
→ I wonder ______________ to the museum or not.

4 Is the weather going to be fine tomorrow? (whether)
→ We can't predict ______________ or not.

5 Are you going to run away from this difficult situation? (if)
→ I want to know ______________.

□ offer 제의, 제안
□ work on ~에 공들이다
□ housewarming party 집들이
□ field trip 현장 학습

STEP 3 다음 빈칸에 공통으로 들어갈 말로 알맞은 것은? 내신

- Do you know ________ Kate got the job?
- You'll catch a cold ________ you don't put on your overcoat.

① that ② whether ③ if ④ even if ⑤ what

□ overcoat 외투

Answer p.52

[01~02] 다음 빈칸에 들어갈 말로 알맞은 것을 고르시오.

Point 076

01

Either Alex or I ________ going to win first prize.

① be ② am ③ is ④ are ⑤ were

Point 073

02

________ there was so much traffic on the road, I chose to go to work by car.

① If ② That ③ Since
④ Though ⑤ Because

[03~04] 다음 빈칸에 공통으로 들어갈 말로 알맞은 것을 고르시오.

Point 074, 075

03

- Leave a message, ________ I'll call you back later.
- Both Brian ________ Paul were absent from school yesterday.

① or ② so ③ but ④ nor ⑤ and

Point 071, 072

04

- He has learned to swim ________ he was five years old.
- ________ she is over sixty-five, she is going to retire.

① if[If] ② when[When]
③ that[That] ④ since[Since]
⑤ because[Because]

Point 077

05 다음 우리말과 일치하도록 할 때, 빈칸에 들어갈 말로 알맞은 것은?

Mike는 아주 무서운 꿈을 꿔서 소리치며 잠에서 깼다.
→ Mike had ________________ that he woke up shouting.

① so a bad dream ② a so bad dream
③ such a bad dream ④ such bad a dream
⑤ a such bad dream

Point 077, 078

06 다음 중 문장의 의미가 나머지 넷과 다른 것은?

① The scenery was too beautiful for me to find the words to describe it.
② The scenery was very beautiful, so I couldn't find the words to describe it.
③ The scenery was so beautiful that I couldn't find the words to describe it.
④ It was such a beautiful scenery that I couldn't find the words to describe it.
⑤ The scenery was beautiful enough for me to find the words to describe it.

[07~08] 다음 밑줄 친 부분 중 쓰임이 나머지 넷과 다른 것을 고르시오.

Point 080

07

① I'll wear my new red raincoat if it rains.
② He will feel better if he takes this medicine.
③ If you are on a diet, try keeping a food diary.
④ I wonder if stars will appear in the sky tonight.
⑤ If she needs my help, I'll be happy to help her.

중요

Point 079

08

① The man that Mary loves is Andy.
② I remember that I should follow the rules.
③ They said that he lost his puppy last week.
④ It is certain that many people trust his word.
⑤ The fact is that human activities destroy the environment.

[09~10] 다음 두 문장을 한 문장으로 바꿀 때, 빈칸에 들어갈 말로 알맞은 것을 고르시오.

Point 073

09

I read the instructions several times. But I couldn't understand how to turn on the machine.
➞ ________ I read the instructions several times, I couldn't understand how to turn on the machine.

① If ② As ③ Since
④ Though ⑤ Because

Point 075

10

Keeping a car in good condition requires money. And it also requires attention.
➞ Keeping a car in good condition requires ______________________.

① money or attention
② not money but attention
③ both money and attention
④ either money or attention
⑤ neither money nor attention

Point 077

11 **다음 두 문장이 같은 뜻이 되도록 할 때, 빈칸에 들어갈 말로 알맞은 것은?**

Tom was a very lovely cat, so every cat liked him.
= Tom was ______________________ every cat liked him.

① too lovely to ② such lovely that
③ so a lovely cat that ④ such a lovely cat that
⑤ such lovely a cat that

고난도

Point 080

12 **다음 중 어법상 틀린 것은?**

① If the rumor is true or not is important.
② Whether he will win or not doesn't matter.
③ I want to ask her if she will buy that dress.
④ My problem is whether he will pick me or not.
⑤ They don't know if the musical will succeed.

서술형

Point 071

13 **다음 두 문장을 한 문장으로 바꿀 때, 괄호 안의 말을 이용하여 빈칸에 알맞은 말을 쓰시오.**

Michael caught a bad cold. So he didn't play well in his last game.

(1) Michael didn't play well in his last game ______________________. (because)
(2) Michael didn't play well in his last game ______________________. (because of)

Point 075

14 **다음 괄호 안의 말을 이용하여 대화문을 한 문장으로 요약하시오.**

Tony: Do you like cheese?
Linda: Of course, I do! How about you, Tony?
Tony: Me too.

➞ ______________________________ (both)

Point 079

15 **다음 우리말과 일치하도록 괄호 안의 말을 이용하여 빈칸에 알맞은 말을 쓰시오.**

우리들이 결과를 예측할 수 없다는 것은 사실이다.
(predict, result)

➞ It is true ________ ________ ________ ________ ________ ________.

Point 078

16 **다음 두 문장이 같은 뜻이 되도록 할 때, 빈칸에 알맞은 말을 쓰시오.**

Robin got up early to catch the first bus.

= Robin got up early ________ ________ he ________ catch the first bus.

02회 내신 적중 실전 문제

Point 071, 072

01 다음 빈칸에 공통으로 들어갈 말로 알맞은 것은?

- _________ I had a headache, I came home early.
- Maggie has lived in Hawaii _________ she was born.

① As[as] ② When[when]
③ Since[since] ④ While[while]
⑤ Because[because]

[02~03] 다음 빈칸에 들어갈 말로 알맞은 것을 고르시오.

Point 073

02

_________ Jake is very hungry now, he won't eat until his mom arrives.

① When ② Since ③ Although
④ After ⑤ Because

Point 074

03

_________ you turn off your cell phone, it will bother other audience members.

① If ② Since ③ Unless
④ While ⑤ Though

중요

Point 075

04 다음 중 두 문장의 의미가 서로 다른 것은?

① Not only Mark but also I will go hiking.
= Not Mark but I will go hiking.
② I want to buy the blender, and she does, too.
= Both I and she want to buy the blender.
③ Unless you leave right now, you'll miss the airplane.
= If you don't leave right now, you'll miss the airplane.
④ Luke didn't have a smartphone, and Jerry didn't, either.
= Neither Luke nor Jerry had a smartphone.
⑤ If you attend the meeting, you will be informed of the result.
= Attend the meeting, and you will be informed of the result.

Point 076

05 다음 대화문을 한 문장으로 요약한 것은?

Sam: Have you heard Jack's new song?
Lucy: Yes, I have. But I don't like it.
Sam: Me, either. It sounds unfamiliar to me.

① Both Sam and Lucy like Jack's new song.
② Sam as well as Lucy likes Jack's new song.
③ Neither Sam nor Lucy likes Jack's new song.
④ Either Sam or Lucy doesn't like Jack's new song.
⑤ Not only Lucy but also Sam likes Jack's new song.

Point 078

06 다음 두 문장을 한 문장으로 바꿀 때, 빈칸에 들어갈 말이 순서대로 짝지어진 것은?

The theory is very complex. I can't explain it to students.
→ The theory is _________ complex _________ I can't explain it to students.

① such – as ② so – as ③ very – that
④ such – that ⑤ so – that

[07~08] 다음 밑줄 친 부분을 어법에 맞게 고친 것을 고르시오.

Point 075

07

Not only my teacher <u>and my friends looks</u> happy to finish the project.

① 고칠 필요 없음
② and my friends look
③ but also my friends look
④ and also my friends look
⑤ but also my friends looks

Point 077

08

It was <u>so a fine day that</u> they went outside to take a walk together.

① so fine a day that ② a so fine day that
③ a fine day so that ④ a such fine day that
⑤ such fine a day that

Point 079

09 다음 두 문장을 한 문장으로 바꿀 때, 빈칸에 들어갈 말로 알맞은 것은?

> Today is a holiday. I am happy about the fact.
> → I am happy about the fact ________ today is a holiday.

① of ② if ③ on ④ that ⑤ while

Point 073

10 다음 빈칸에 들어갈 말이 나머지 넷과 다른 것은?

① I can't read the sign ________ it is written in Chinese.
② I can't stand the children's noise ________ they are lovely.
③ She was late for the meeting ________ she missed the first train.
④ They didn't go to the concert ________ they couldn't get the tickets.
⑤ I couldn't concentrate in class ________ I didn't get enough sleep last night.

Point 074

11 다음 빈칸에 들어갈 말로 알맞지 않은 것은?

> ________ it was dark, we decided to go back to the hotel.

① As ② When ③ Since
④ Unless ⑤ Because

고난도

Point 079

12 다음 밑줄 친 부분 중 쓰임이 나머지 넷과 다른 것은?

① It is true that he called an ambulance for her.
② Janet believed that her brother would come back soon.
③ My problem is that I have difficulty deciding for myself.
④ Many people think that human beings will be in danger someday.
⑤ The legs of the table that I bought from your company are shaky.

서술형

Point 077

13 다음 우리말과 일치하도록 괄호 안의 말을 이용하여 빈칸에 알맞은 말을 쓰시오.

> 그녀는 아주 매력적인 여자여서 주목을 많이 받는다.
> (such, attractive)

→ She is ________________ she receives a lot of attention.

Point 080

14 다음 우리말과 일치하도록 괄호 안의 말을 바르게 배열하시오.

> 의문점은 그가 돈을 훔쳤는지 아닌지이다.
> (whether, stole, the question, or, he, money, is, not)

→ ________________________________

[15~16] 다음 대화의 내용을 참고하여 괄호 안의 말을 이용해 빈칸에 알맞은 말을 쓰시오.

Point 078

15

> A: Did you enjoy the musical?
> B: No, it was so boring. So I walked out in the middle of the performance.

→ B: The musical ________________________
________________________. (so ~ that)

Point 076

16

> Jake: Can you speak Spanish, Sally?
> Sally: No, I can't. How about you, Jake?
> Jake: I can. Then what about Chinese?
> Sally: Well, I can't speak it, either.

→ Sally ________________________.
(neither ~ nor)

Grammar Review 핵심 정리

Point

1 이유의 접속사

As it was very cold, we had to wear coats. 071

☞ 이유를 나타내는 접속사: because, as, since(~이기 때문에)

2 시간의 접속사

Please take care of my home **while** I am away. 072

☞ 시간을 나타내는 접속사: when(~할 때), while(~하는 동안에), as(~할 때, ~하면서, ~함에 따라), before(~하기 전에), after(~한 후에), until[till](~할 때까지), since(~한 이후로)

3 양보의 접속사

Even though I'm far away, my thoughts are always with you. 073

☞ 양보를 나타내는 접속사: though, although, even though(비록 ~이지만), even if(만약 ~일지라도)

4 조건의 접속사

Unless you have an umbrella, your clothes will get wet. 074

☞ 조건을 나타내는 접속사: if(만일 ~라면), unless(만일 ~하지 않는다면, ~하지 않는 한)

5 both A and B / not only A but (also) B

Exercise is good for **both** body **and** mind. 075

☞ 「both A and B」: 'A와 B 둘 다'라는 뜻으로, 주어로 쓰일 경우 복수 동사를 쓴다.

☞ 「not only A but (also) B」, 「B as well as A」: 'A뿐만 아니라 B도'라는 뜻으로, 주어로 쓰일 경우 동사의 수는 B에 일치시킨다.

6 either A or B / neither A nor B

I left my key **either** in the drawer **or** on the desk. 076

☞ 「either A or B」: 'A나 B 둘 중 하나'라는 뜻으로, 주어로 쓰일 경우 동사의 수는 B에 일치시킨다.

☞ 「neither A nor B」: 'A와 B 둘 다 아닌'이라는 뜻으로, 주어로 쓰일 경우 동사의 수는 B에 일치시킨다.

7 such ~ that

It was **such a tough problem that** we couldn't handle it. 077

☞ 「such+부정관사(a/an)+형용사+명사+that …」: '너무 ~해서 …하다'

8 so ~ that / so that ~

The story was **so funny that** we couldn't stop laughing. 078

☞ 「so+형용사/부사+that …」: '너무 ~해서 …하다' / 「so that+주어+조동사+동사원형 ~」: '~하기 위해서'

9 명사절을 이끄는 접속사

I can't believe **that** my vacation is already over. 079

☞ 접속사 that은 '~라는 것'이라는 뜻으로, 문장에서 주어, 목적어, 보어로 사용되는 명사절을 이끈다.

We wonder **whether** this boat will float on the water or not. 080

☞ whether(~ or not)는 '~인지 아닌지'라는 뜻으로, 문장에서 주어, 목적어, 보어로 사용되는 명사절을 이끈다.

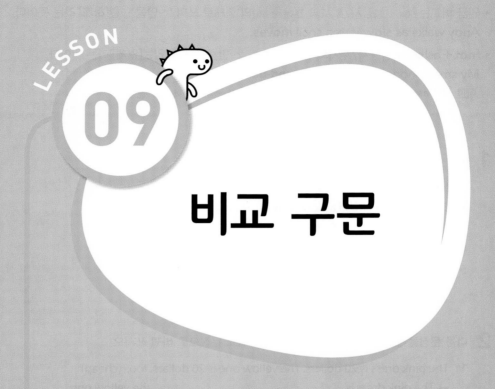

LESSON

09

비교 구문

Point 081 그녀는 황소처럼 힘이 세다

She is as strong as an ox.

- 원급 비교는 「**as + 형용사/부사의 원급 + as**」의 형태로 쓰며 '~만큼 …한[하게]'라는 뜻이다.
  Andy walks **as slowly as** a snail moves.
- 「**not + as[so] + 형용사/부사의 원급 + as**」는 '~만큼 …하지 않는[않게]'라는 뜻이다.
  My smartphone is **not as[so] brand-new as** yours.

TIP as와 as 사이에 명사가 오는 경우 「as + (수량) 형용사 + 명사」의 어순을 취한다.

STEP 1 다음 괄호 안에서 알맞은 말을 고르시오.

□ suitcase 여행 가방

1 Mike is (as, so) smart as his brother, Eddie.
2 Bob plays basketball as (good, well) as Mr. Curry.
3 Julie didn't eat breakfast as often (as, than) Laura.
4 This suitcase is not (so, much) heavy as that one.
5 Kate has as many toy miniature dolls (so, as) her friends.

STEP 2 다음 문장을 괄호 안의 말을 이용하여 원급 비교 문장으로 바꿔 쓰시오.

1 The pink dress is 20 dollars. The yellow one is 20 dollars, too. (cheap)
→ The pink dress is ______________________ the yellow one.

2 I have one hundred books. Mark has three hundred books. (many)
→ I don't have ______________________ Mark does.

3 Jason is 170 centimeters tall. Jake is 165 centimeters tall. (tall)
→ Jake is ______________________ Jason.

4 My dog is 7 years old. Nick's dog is 3 years old. (young)
→ My dog is ______________________ Nick's dog.

5 I go to bed at 10:30. Jenny goes to bed at 10:30, too. (early)
→ I go to bed ______________________ Jenny does.

STEP 3 다음 빈칸에 공통으로 들어갈 말로 알맞은 것은? 내신

□ burst into (갑자기) ~을 터뜨리다

- As soon ________ he came home, he burst into tears.
- Janet is not so lucky ________ her sister.

① so ② as ③ than ④ that ⑤ when

Answer p.56

Point 082 시간은 돈보다 훨씬 더 중요하다.

Time is much more important than money.

- 비교급 비교는 「**비교급 + than**」의 형태로 쓰며 '~보다 더 …한[하게]'라는 뜻이다.
- 비교급 앞에 even, much, still, far, a lot 등을 써서 비교급을 강조할 수 있다. '훨씬 더' 라는 뜻으로 해석한다.
  Janet gets up **much earlier than** her brother.

TIP 「**A 비교급 + than B**」 = 「**B less + 원급 + than A**」 = 「**B not as + 원급 + as A**」
The giant is **heavier than** Jack. = Jack is **less heavy than** the giant. = Jack is **not as heavy as** the giant.

STEP 1 다음 괄호 안에서 알맞은 말을 고르시오.

□ thoughtful 사려 깊은

1 Jessie drives faster (as, than) Tom.
2 Mars is (very, much) larger than Mercury.
3 I know a (very, much) thoughtful girl in my town.
4 His father is richer (so, than) his grandfather.
5 Soccer is (popular, more popular) than baseball in Brazil.

STEP 2 다음 우리말과 일치하도록 괄호 안의 말을 바르게 배열하시오.

□ fluently 유창하게

1 돌고래가 개보다 훨씬 더 영리하다. (dolphins, cleverer, than, dogs, are, much)

____

2 걷는 것이 차를 타는 것보다 건강에 더 좋다.
(is, healthier, than, walking, taking a car)

____

3 James는 Rachel보다 영어를 더 유창하게 말할 수 있다.
(James, Rachel, than, more, can, fluently, speak, English)

____

4 과학은 수학보다 덜 어렵다. (science, less, difficult, than, math, is)

____

STEP 3 다음 두 문장이 같은 뜻이 되도록 할 때, 빈칸에 들어갈 말로 알맞은 것은? 내신

□ stylish 멋진

Gray is more stylish than blue.
= Blue is ____________ gray.

① as stylish as
② so stylish as
③ not as stylish as
④ more stylish than
⑤ not stylish than

Answer p.57

Point 083 이 기타가 우리 가게에서 가장 싼 악기이다.

This guitar is the cheapest instrument in my shop.

- 최상급 비교는 「**the + 최상급**」의 형태로 쓰며 '가장 ~한[하게]'라는 뜻이다. 셋 이상의 비교를 할 때 사용하며 보통 뒤에 비교 범위를 한정해 주는 in이나 of가 함께 온다.
  Jenny is **the tallest** girl **in** my class.
  Today is **the coldest** day **of** the month.

STEP 1 다음 괄호 안에서 알맞은 말을 고르시오.

□ electronic 전자의
□ impressive 인상적인

1 His electronic car is (newest, the newest) in my town.
2 My little pig is the (cuter, cutest) of the three pigs.
3 Stephen was the (more famous, most famous) player in the NBA.
4 The Eiffel Tower is the (impressive, most impressive) in Paris.
5 Jake is (smarter, the smartest) of the three boys.

STEP 2 다음 우리말과 일치하도록 괄호 안의 말을 이용하여 빈칸에 알맞은 말을 쓰시오.

□ attractive 매력적인

1 이것은 한국에서 가장 오래된 종이다. (old)
This is ________________ bell in Korea.

2 그녀는 그 가게에서 가장 비싼 가방을 샀다. (expensive)
She bought ________________ bag in the store.

3 Harry는 그 영화에서 가장 용감한 캐릭터이다. (brave)
Harry is ________________ character in the movie.

4 Mei는 이 동물원에서 가장 뚱뚱한 판다이다. (fat)
Mei is ________________ panda in this zoo.

5 이 시장은 중국에서 가장 매력적인 장소이다. (attractive)
This market is ________________ place in China.

STEP 3 다음 빈칸에 들어갈 말로 알맞은 것은? 내신

□ Arctic 북극의
□ ocean 대양, 바다

The Arctic Ocean is ________ ocean in the world.

① smallest
② smaller
③ most small
④ the smallest
⑤ the most small

Answer p.57

Point 084 가능한 빨리 나에게 전화해줘.

as+원급+as possible/ 배수사+as+원급+as

Call me as soon as possible.

- 「as + 원급 + as possible」은 '가능한 ~한[하게]'의 뜻을 나타내며, 「**as + 원급 + as + 주어 + can[could]**」로 바꿔 쓸 수 있다.
  Run away **as** fast **as possible**. = Run away **as** fast **as you can**.
- 「**배수사 + as + 원급 + as**」는 '~배 만큼 …한'의 의미를 가지며, 「**배수사 + 비교급 + than**」으로 바꿔 쓸 수 있다.
  He has **100 times as much** money **as** I have.
  = He has **100 times more** money **than** I have.

STEP 1 다음 괄호 안에서 알맞은 말을 고르시오.

1 My dog always eats as much food (as, than) possible.
2 I weigh twice as (heavy, heavier) as my sister.
3 Paul bought as many masks as he (can, could).
4 She tried to explain as (exactly, more exactly) as possible.
5 His garden is 1.5 times (large, larger) than mine.

□ weigh 무게[체중]가 ~이다
□ explain 설명하다
□ exactly 정확하게

STEP 2 다음 두 문장이 같은 뜻이 되도록 할 때, 빈칸에 알맞은 말을 쓰시오.

1 Go to school as early as possible.
= Go to school as early as you ____________.

2 Dad has four times as many toy cars as I do.
= Dad has four times ____________ toy cars ____________ I do.

3 He went home as quickly as possible.
= He went home as quickly as he ____________.

4 I earned three times more money than she did.
= I earned three times ____________ ____________ money ____________ she did.

5 Benjamin sat down on the sofa as comfortably as he could.
= Benjamin sat down on the sofa as comfortably as ____________.

□ quickly 빨리
□ earn (돈을) 벌다

STEP 3 다음 우리말과 일치하도록 할 때, 빈칸에 들어갈 말로 알맞은 것은? 내신

화성은 지구의 1/2배 이다.
→ Mars is a half ____________ the earth.

① so big as ② as big as ③ as bigger as
④ big than ⑤ bigger as

Answer p.57

Point 085 네가 그를 사랑하면 할수록, 너는 더 외로움을 느낄 것이다.

The more you love him, the lonelier you feel.

- 「**비교급 + and + 비교급**」은 '점점 더 ~한[하게]'의 뜻이다.
  His voice became **louder and louder**.
- 「**the + 비교급, the + 비교급**」은 '~하면 할수록 더 …한[하게]'의 뜻이다.
  The more you study, **the more** you learn. = As you study more, you learn more.
  TIP 비교급이 「more + 원급」의 형태인 경우 「more and more + 원급」으로 쓴다.
  The movie became **more and more exciting**.

STEP 1 다음 밑줄 친 부분을 바르게 고치시오.

□ iceberg 빙산
□ climb 오르다

1 I felt cold and colder as it got dark.
2 Closer I get to the North Pole, the more icebergs I can see.
3 The high we climbed, the cooler we felt.
4 The more books you read, the wise you become.
5 This drama is becoming more famous and famous in Asian countries.

STEP 2 다음 우리말과 일치하도록 괄호 안의 말을 이용하여 빈칸에 알맞은 말을 쓰시오.

□ raindrop 빗방울

1 빗방울이 점점 더 굵어지고 있었다. (big)
The raindrops were getting ________ ________ ________.

2 날이 점점 더 더워져서, 더 많은 사람들이 휴가를 떠난다. (hot, many)
The ________ it gets, the ________ people leave for holiday.

3 그녀는 나이가 들어가면 갈수록 더 총명해진다. (old, smart)
The ________ she becomes, the ________ she gets.

4 그는 점점 더 몸이 나빠져 갔다. (bad)
He felt ________ ________ ________.

STEP 3 다음 두 문장이 같은 뜻이 되도록 할 때, 빈칸에 들어갈 말이 순서대로 짝지어진 것은? 내신

As I studied math more, it became more difficult to me.
= ________ I studied math, ________ it became to me.

① The much – the difficult
② The more – the difficult
③ The more – the more difficult
④ The most – the most difficult
⑤ The much – the more difficult

Answer p.58

Point 086 우리 반의 어떤 다른 소년도 Chris만큼 작지 않다.

No other boy in my class is as short as Chris.

- 「부정주어(no + (대)명사, none, nothing 등) ~ + as + 원급 + as」는 '어떤 것도 …만큼 ~하지 않다'의 뜻으로 최상급의 의미를 갖는다.
  No other subject is **as[so] difficult as** physics to me.
  = Physics is the most difficult subject to me.

STEP 1 다음 괄호 안에서 알맞은 말을 고르시오.

1 No other tree in my backyard is as tall (as, so) this one.
2 No other song on his album is as (popular, more popular) as this song.
3 No other smartphone app is as (easy, easier) as this game.
4 (Any, No) man in the world is as kind as my mom.
5 (Nothing, Anything) is as useful as this tool in my toolbox.

□ backyard 뒤뜰
□ useful 유용한
□ tool 도구
□ toolbox 도구[공구] 상자

STEP 2 다음 우리말과 일치하도록 괄호 안의 말을 바르게 배열하시오.

1 내가 아는 어떤 다른 소년도 Tom만큼 잘생기지 않았다.
(Tom, other, is, as, handsome, boy, as, no, that I know)

____

2 어떤 것도 사랑보다 중요하지 않다. (important, as, nothing, as, is, love)

____

3 우리 가족 중 누구도 Jake만큼 부지런하지 않다.
(one, is, as, Jake, no, in my family, diligent, as)

____

4 어떤 물질도 다이아몬드만큼 단단하지 않다.
(as, is, substance, as, no, hard, a diamond)

____

5 한국의 어떤 다른 바둑 기사도 온돌만큼 어리지 않다.
(as, as, young, other, Baduk player, no, is, in Korea, Ondol)

____

□ diligent 부지런한
□ substance 물질
□ hard 단단한

STEP 3 다음 두 문장이 같은 뜻이 되도록 할 때, 빈칸에 들어갈 말로 알맞은 것은? 내신

Mr. Green is the bravest man in my town.
= No other man in my town is __________ Mr. Green.

① the bravest ② as brave than ③ as brave as
④ not as brave as ⑤ not braver than

Answer p.58

Point 087 오늘은 올해의 다른 어떤 날보다 더 덥다.

비교급을 이용한 최상급 표현

Today is hotter than any other day of the year.

- 비교급을 이용한 최상급 표현에는 「**부정주어(no + (대)명사, none, nothing 등) ~ + 비교급 + than**」, 「**비교급 + than + any other + 단수 명사**」, 「**비교급 + than + all the other + 복수 명사**」가 있다.

  Venus is **the brightest** planet in the solar system.
  = **No other planet** in the solar system is **brighter than** Venus.
  = Venus is **brighter than any other planet** in the solar system.
  = Venus is **brighter than all the other planets** in the solar system.

STEP 1 다음 괄호 안에서 알맞은 말을 고르시오.

□ historical 역사적인
□ site 장소
□ precious 소중한, 귀한

1 Rome has (many, more) historical sites than any other city in Italy.
2 No other plan is (good, better) than hers.
3 I was (cleverer, cleverest) than any other boy in my family.
4 Yuna runs faster than all the other (student, students) in the class.
5 Nothing is (more precious, the most precious) than human life.

STEP 2 다음 두 문장이 같은 뜻이 되도록 할 때, 빈칸에 알맞은 말을 쓰시오.

□ language 언어

1 Seoul is the most crowded city in Korea.
= Seoul is more crowded ________ ________ ________ city in Korea.

2 No other language in the world is more difficult than Latin.
= Latin is more difficult than all ________ ________ ________ in the world.

3 No other puppy in the pet shop is cuter than this brown poodle.
= This brown poodle is ________ ________ puppy in the pet shop.

STEP 3 다음 중 의미가 나머지 넷과 다른 것은? 내신

□ kindergarten 유치원
□ lovely 사랑스러운

① Lisa is the loveliest girl in the kindergarten.
② No other girl in the kindergarten is as lovely as Lisa.
③ No other girl in the kindergarten is lovelier than Lisa.
④ Lisa is lovelier than any other girl in the kindergarten.
⑤ Lisa is not as lovely as other girls in the kindergarten.

Answer p.58

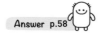

Point 088 그것은 내가 지금까지 본 것 중 가장 최고의 영화였다.

It was the best movie (that) I've ever seen.

- 「**one of the + 최상급 + 복수 명사**」는 '가장 ~한 것들 중 하나'라는 뜻이다.
  Bears are **one of the most dangerous animals** in the world.
- 「**the + 최상급 + (that) + 주어 + have ever p.p.**」는 '지금까지 ~한 것 중 가장 …한'의 뜻이다.

TIP 최상급을 포함한 관용 표현
at least 적어도 / at (the) most 많아야, 고작 / at best 기껏해야

STEP 1 다음 괄호 안에서 알맞은 말을 고르시오.

1 Amy was one of the funniest (girl, girls) among my friends.
2 This is the most fantastic film (which, that) I have ever seen.
3 He has at (less, least) five friends to help him in need.
4 This is the (more, most) delicious dish that I have ever had.
5 Clark is one of the (more, most) powerful men in the world.

□ in need 어려움에 처한
□ dish 요리

STEP 2 다음 우리말과 일치하도록 괄호 안의 말을 바르게 배열하시오.

1 그녀는 세계에서 가장 인기 있는 영화배우 중 한 명이다.
(of, the, popular, movie stars, one, most)
She is ______________________ in the world.

2 피렌체는 내가 지금까지 방문한 적 있는 가장 아름다운 도시이다.
(that, beautiful, the, most, city)
Florence is ______________________ I have ever visited.

3 그녀는 인형이 많아야 3개가 있을 것이다. (most, three, at, has)
She ______________________ dolls.

4 이 소나무는 한국에서 가장 오래된 나무들 중 하나이다. (of, the, trees, oldest, one)
This pine tree is ______________________ in Korea.

5 이것은 내가 지금까지 본 것 중 가장 인상적인 그림이다.
(most, impressive, picture, I, the, ever, seen, that, have)
This is ______________________________________.

STEP 3 다음 밑줄 친 부분 중 어법상 틀린 것은? 내신

Italy is(①) one of(②) the most attractive(③) country(④) in the world(⑤).

Answer p.59

01회 내신 적중 실전 문제

[01~03] 다음 빈칸에 들어갈 말로 알맞은 것을 고르시오.

Point 081

01

Jessica plays the cello as ____________ as her mother.

① well ② better
③ best ④ much better
⑤ the best

Point 083

02

Jake is the ____________ of the players on his football team.

① strong ② stronger
③ strongest ④ very strong
⑤ much stronger

Point 085

03

The sea temperature is getting hotter ________ hotter because of global warming.

① or ② and ③ but
④ that ⑤ than

Point 085

04 다음 빈칸에 공통으로 들어갈 말로 알맞은 것은?

- The ________ we have, the ________ we want.
- The economic problem is ________ important than any other problem.

① many ② best ③ more
④ most ⑤ much

중요

Point 082

05 다음 중 밑줄 친 부분을 대신할 수 없는 것은?

This bridge is <u>much</u> longer than that one.

① far ② even ③ still
④ very ⑤ a lot

[06~07] 다음 빈칸에 들어갈 말이 순서대로 짝지어진 것을 고르시오.

Point 087, 088

06

- This is the ____________ flower that I've ever received.
- Janet is ____________ than all the other sisters.

① beautiful – more beautiful
② most beautiful – beautiful
③ more beautiful – most beautiful
④ most beautiful – more beautiful
⑤ more beautiful – beautiful

Point 081, 083

07

- I earned as ________ money as my dad.
- He ate the ________ food at the restaurant.

① much – more ② more – most
③ much – most ④ more – most
⑤ most – much

[08~09] 다음 우리말을 영어로 바르게 옮긴 것은?

Point 084

08

그녀의 신발은 내 것보다 두 배 더 비싸다.

① Her shoes are twice expensive than mine.
② Her shoes are as twice expensive as mine.
③ Her shoes are twice as expensive as mine.
④ Her shoes are more expensive twice than mine.
⑤ Her shoes are twice most expensive than mine.

09 Point 085

더 많이 알수록 더 겸손해져야 한다.

① The more we know, the humble we must be.
② The much we know, the humble we must be.
③ The most we know, the humbler we must be.
④ The more we know, the humbler we must be.
⑤ The most we know, the humblest we must be.

고난도

10 Point 086, 087

다음 중 의미가 나머지 넷과 다른 것은?

① Jake got the most votes in the school election.
② Jake got as many votes as other students in the school election.
③ No other student in the school election got as many votes as Jake.
④ Jake got more votes than any other student in the school election.
⑤ No other student in the school election got more votes than Jake.

[11~12] 다음 중 어법상 틀린 것을 고르시오.

11 Point 082

① This news is as shocking as yours.
② His toy is much cheaper than mine.
③ My brother is less cleverer than I am.
④ Troy is the most famous city in Greek mythology.
⑤ This concert is more lively than the TV show.

12 Point 088

① This is the best movie that I've ever seen.
② He is one of the greatest composer in Korea.
③ This novel is more interesting than any other novel.
④ The richer she becomes, the unhappier she is.
⑤ The baseball game got more and more exciting.

서술형

[13~14] 다음 두 문장이 같은 뜻이 되도록 할 때, 괄호 안의 말을 이용하여 빈칸에 알맞은 말을 쓰시오.

13 Point 082

This pipe is not as thick as that one.
= That pipe is ____________ this one. (than)

14 Point 084

I wanted to keep the coffee as hot as possible.
= I wanted to keep the coffee as hot ____________.
(can)

[15~16] 다음은 한국 주요 도시의 9월 강수량을 나타낸 표이다. 다음을 보고 괄호 안의 말을 이용하여 문장을 완성하시오.

City	Rainfall
Seoul	110 mm
Busan	130 mm
Daegu	80 mm
Daejeon	100 mm
Gwangju	150 mm

15 Point 082

Seoul has ____________ Busan in September.
(little, rainfall)

16 Point 087

Gwangju has ____________ rainfall than ____________. (much, any, other)

02회 내신 적중 실전 문제

[01~03] 다음 빈칸에 들어갈 말로 알맞은 것을 고르시오.

Point 082

01

If you eat ________ calories than you burn off, you will lose weight.

① few ② most ③ little
④ much ⑤ fewer

Point 087

02

No other singer in Korea is __________ than K-Dragon.

① popular ② more popular
③ most popular ④ the most popular
⑤ not as popular as

Point 082

03

Our world is much __________ than we think.

① complex
② most complex
③ very complex
④ more complex
⑤ the more complex

[04~05] 다음 두 문장이 같은 뜻이 되도록 할 때, 빈칸에 들어갈 말로 알맞은 것을 고르시오.

Point 082

04

Jerry is not as strong as Tom.
= Tom is __________ Jerry.

① as strong as ② the strongest
③ stronger than ④ not stronger than
⑤ less strong than

Point 085

05

As the weather gets cooler, people become more lively.
= __________ the weather gets, the more lively people become.

① The cool
② As cooler
③ The cooler
④ The coolest
⑤ The more cool

[06~07] 다음 중 의미가 나머지 넷과 다른 것을 고르시오.

고난도 Point 086, 087

06

① Kimchi is the most famous food in Korea.
② Kimchi is as famous as all the foods in Korea.
③ Kimchi is more famous than any other food in Korea.
④ No other food in Korea is as famous as Kimchi.
⑤ No other food in Korea is more famous than Kimchi.

중요 Point 081, 082

07

① My dog is heavier than his cat.
② My dog is less light than his cat.
③ My dog isn't so heavy as his cat.
④ His cat is not as heavy as my dog.
⑤ His cat is less heavy than my dog.

Point 084

08 다음 문장의 밑줄 친 부분과 바꾸어 쓸 수 있는 것은?

He made the computer graphic as carefully as <u>he could</u>.

① able ② ability ③ possible
④ possibly ⑤ he should

Point 088

09 다음 우리말과 일치하도록 할 때, 빈칸에 들어갈 말로 알맞은 것은?

> Andy는 키가 적어도 170cm 이다.
> ➜ Andy is ____________ 170cm tall.

① at most ② at last ③ at least
④ at worst ⑤ more or less

[10~11] 다음 중 어법상 틀린 것을 고르시오.

Point 081, 082

10 ① Iron is not as hard as a diamond.
② I think your work is as good as mine.
③ New York is the busiest city in America.
④ Justin is still smarter than his sister, Jane.
⑤ This movie is more interesting as *Star Wars*.

Point 085

11 ① Music is the most interesting thing in my life.
② No country in the world is larger than Russia.
③ This is the easiest problem that I've ever solved.
④ As I jog every morning, I become healthy and healthy.
⑤ Turkey was one of the greatest countries three hundred years ago.

Point 082

12 다음 빈칸에 공통으로 들어갈 말로 알맞은 것은?

> A: Who is ____________, Julia or Jenny?
> B: Jenny is three years ____________ than Julia.

① young ② younger
③ youngest ④ very younger
⑤ most young

서술형

[13~14] 다음 우리말과 일치하도록 괄호 안의 말을 이용하여 빈칸에 알맞은 말을 쓰시오.

Point 085

13

> 위험할수록, 나는 그것을 더 즐긴다. (dangerous)

➜ ________________ it is, the more I enjoy it.

Point 084

14

> 그녀는 나보다 세 배나 많은 옷을 가지고 있다. (than)

➜ She has ______________________ clothes ____________ I do.

[15~16] 다음은 Alex반 소년들의 키와 몸무게를 나타낸 표이다. 다음을 보고 괄호 안의 말을 이용하여 문장을 완성하시오.

Name	Height	Weight
Jack	150 cm	45 kg
Alex	165 cm	57 kg
Jason	170 cm	63 kg
Robin	160 cm	70 kg

Point 086, 087

15 Jason is ____________ of the four boys. (tall)
= Jason is ____________ than any ____________ ____________.
= No other boy is ____________ Jason.
= No other boy is ____________ Jason.

Point 082

16 Alex is not ____________ Jason. (heavy)
= Jason is ____________ than Alex.

Grammar Review 핵심 정리

Point

1 as + 원급 + as

She is **as strong as** an ox. 081

☞ 원급 비교는 「as+형용사/부사의 원급+as」의 형태로 쓰며 '~만큼 …한[하게]'라는 뜻이다.
☞ 「not+as[so]+형용사/부사의 원급+as」는 '~만큼 …하지 않는[않게]'라는 뜻이다.

2 비교급 + than / 비교급 강조

Time is **much more important than** money. 082

☞ 비교급 비교는 「비교급+than」의 형태로 쓰며 '~보다 더 …한[하게]'라는 뜻이다.
☞ 비교급 앞에 even, much, still, far, a lot 등을 써서 비교급을 강조할 수 있다.

3 the + 최상급

This guitar is **the cheapest** instrument in my shop. 083

☞ 최상급 비교는 「the+최상급」의 형태로 쓰며 '가장 ~한[하게]'라는 뜻이다. 보통 뒤에 비교 범위를 한정해 주는 in이나 of가 함께 온다.

4 as + 원급 + as possible / 배수사 + as + 원급 + as

Call me **as** soon **as possible.** 084

☞ 「as+원급+as possible」은 '가능한 ~한[하게]'의 뜻을 나타내며, 「as+원급+as+주어+can[could]」로 바꿔 쓸 수 있다.
☞ 「배수사+as+원급+as」는 '~배 만큼 …한'의 의미를 가지며, 「배수사+비교급+than」으로 바꿔 쓸 수 있다.

5 비교급 + and + 비교급 / the + 비교급, the + 비교급

The more you love him, **the lonelier** you feel. 085

☞ 「비교급+and+비교급」은 '점점 더 ~한[하게]'의 뜻이다.
☞ 「the+비교급, the+비교급」은 '~하면 할수록 더 …한[하게]'의 뜻이다.

6 원급을 이용한 최상급 표현

No other boy in my class **as short as** Chris. 086

☞ 「부정주어(no+(대)명사, none, nothing 등) ~+as+원급+as」는 '어떤 것도 …만큼 ~하지 않다'의 뜻으로 최상급의 의미를 갖는다.

7 비교급을 이용한 최상급 표현

Today is **hotter than any other day** of the year. 087

☞ 비교급을 이용한 최상급 표현에는 「부정주어(no+(대)명사, none, nothing 등)+비교급+than」, 「비교급+than+any other+단수 명사」, 「비교급+than+all the other+복수 명사」가 있다.

8 최상급을 포함한 중요 구문

It was **the best movie (that) I've ever seen.** 088

☞ 「one of the+최상급+복수 명사」는 '가장 ~한 것들 중 하나'라는 뜻이다.
☞ 「the+최상급+(that)+주어+have ever p.p.」는 '지금까지 ~한 것 중 가장 …한'의 뜻이다.

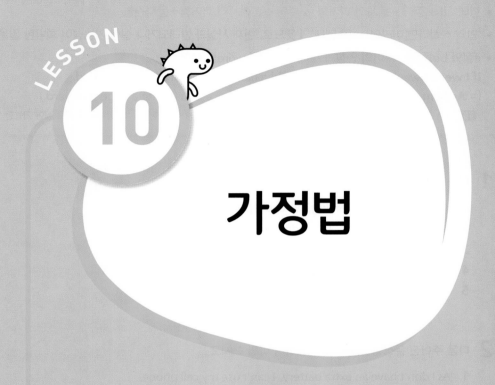

LESSON

10

가정법

Point **089** 가정법 과거

Point **090** 가정법 과거완료

Point **091** 혼합 가정법

Point **092** if의 생략

Point **093** I wish+가정법 과거

Point **094** I wish+가정법 과거완료

Point **095** as if[though]+가정법 과거

Point **096** as if[though]+가정법 과거완료

Point **097** Without[But for] ~+가정법 과거

Point **098** Without[But for] ~+가정법 과거완료

내신 적중 실전 문제 | 1회 | 2회

Grammar Review 핵심 정리

Point 089 만약 내가 바다에 산다면 다양한 물고기들을 만날 텐데.

If I lived under the sea, I would meet a variety of fish.

- 형태: 「If + 주어 + 동사의 과거형~, 주어 + 조동사의 과거형 + 동사원형…」
- '만약 ~하다면[이라면] …할 텐데'의 뜻으로, 현재 사실과 반대되거나 실현 가능성이 희박한 일을 가정할 때 쓴다.
- if절의 be동사는 주어의 인칭과 수에 관계없이 were를 쓴다.
  If I were a wealthy man, **I could build** a nice house with a large backyard.
  (= **As I am not** a wealthy man, **I can't build** a nice house with a large backyard.)

TIP 단순 조건문은 「If + 주어 + 동사의 현재형~, 주어 + 조동사의 현재형 + 동사원형…」의 형태로, 실제로 실현 가능한 일을 가정할 때 쓴다.

STEP 1 다음 괄호 안에서 알맞은 말을 고르시오.

1 If it (isn't, weren't) raining, we could play tennis outside.
2 As I don't have a visa, I (couldn't, can't) work in France.
3 If she exercises every day, she (will, would) be healthy.
4 If you (are, were) in my shoes, what would you do?
5 They (could, can) eat enough if they had some money.

□ visa 비자
□ be in one's shoes ~의 입장에 처하다

STEP 2 다음 주어진 문장을 가정법을 이용하여 바꿔 쓰시오.

1 As I don't have an extra battery, I can't use my cell phone.
→ ______________________________

2 As I am sick, I can't go for a bike ride with you.
→ ______________________________

3 As she is in the middle of a meeting, she can't call me.
→ ______________________________

4 As Jason doesn't keep his word, I can't trust him.
→ ______________________________

5 As Jina doesn't have enough time, she can't cook dinner for us.
→ ______________________________

□ extra 여분의
□ in the middle of ~하는 중에
□ keep one's word 약속을 지키다
□ trust 신뢰하다

STEP 3 다음 빈칸에 들어갈 말로 알맞은 것은? 내신

If I __________ to Paris, I could climb the Eiffel Tower.

① go ② went ③ will go
④ had gone ⑤ have gone

Answer p.62

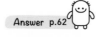

Point 090 만약 그가 주의 깊게 운전했다면 사고는 일어나지 않았을 텐데.

If he had driven **carefully,** the accident would **not** have happened.

- 형태: 「**If + 주어 + had p.p.~, 주어 + 조동사의 과거형 + have p.p.…**」
- '만약 ~했다면[였다면] …했을 텐데'의 뜻으로, 과거 사실과 반대되는 일을 가정할 때 쓴다.
  If the tablet PC had not **been** expensive, **I could have bought** it.
  (= **As the tablet PC was** expensive, **I couldn't buy** it.)

STEP 1 다음 밑줄 친 부분을 바르게 고치시오.

1 If I have had more time, I would have visited the old church.
2 Yesterday he could win the race if he had taken the inside lane.
3 If they invite me, I wouldn't have gone to the other party.
4 If Rosa had been slimmer, the red dress would fit her well.
5 If you turned on the light, you would not have fallen over the chair.

□ lane 차선, 도로
□ invite 초대하다
□ fit (모양 · 크기 등이 ~에게) 맞다
□ fall over ~에 걸려 넘어지다

STEP 2 다음 우리말과 일치하도록 괄호 안의 말을 이용하여 빈칸에 알맞은 말을 쓰시오.

1 만약 내가 헬멧을 썼다면 입원하지 않았을 텐데. (wear)
If I ________ ________ my helmet, I ________ ________ ________ ________ in the hospital.

2 만약 그가 나의 여행에 합류했다면 나는 더 즐거웠을 텐데. (join)
If he ________ ________ me on my trip, I ________ ________ ________ happier.

3 만약 내가 그 책을 읽었다면 네 질문에 대답할 수 있었을 텐데. (answer)
If I ________ ________ the book, I ________ ________ ________ your question.

4 만약 내가 그것을 더 일찍 알았다면 시간을 낭비하지 않았을 텐데. (waste)
If I ________ ________ that earlier, I ________ ________ ________ ________ my time.

□ join 합류하다
□ waste 낭비하다

STEP 3 다음 대화의 빈칸에 들어갈 말로 알맞은 것은? 내신

A: Was Mr. Smith at the meeting?
B: No, he wasn't. If he had attended the meeting, I __________ to him about my idea.

① talk ② will talk ③ had talked
④ have talked ⑤ would have talked

□ attend 참석하다

Answer p.62

Point 091 만약 내가 그 일을 맡았다면 지금 이탈리아에 있을 텐데.

If I had taken the job, I would be in Italy now.

- 형태: 「If + 주어 + had p.p.~, 주어 + 조동사의 과거형 + 동사원형…」의 형태로, if절의 가정법 과거완료와 주절의 가정법 과거가 혼합된 구문이다.
- '(과거에) 만약 ~했다면[였다면] (지금) …할 텐데'의 뜻으로, 과거 사실의 반대를 가정해 보고 그 경우 현재가 어떻게 달라졌을지 나타낼 때 쓴다.

  If it had not **snowed** a lot last night, **the roads would** not **be** so slippery.
  (= **As it snowed** a lot last night, **the roads are** very slippery.)

STEP 1 다음 괄호 안에서 알맞은 말을 고르시오.

1 If she (went, had gone) to the party last night, she would be tired today.
2 If you had not dropped by the cafe, you would not (meet, have met) him then.
3 If he had taken the doctor's advice, he would still (be, have been) alive now.
4 What would you do if you (had had, had) super powers for one day?
5 If I had bought the ring last week, I (would have had, would have) no money now.

□ drop by ~에 들르다
□ advice 충고
□ alive 살아 있는
□ super power 초능력

STEP 2 다음 주어진 문장을 가정법을 이용하여 바꿀 때, 빈칸에 알맞은 말을 쓰시오.

1 As Nick wasted his money, he cannot travel with me this month.
→ ______________________________
2 As she didn't obey the traffic light, she was hurt in a car accident.
→ ______________________________
3 As my little son broke the vase, I don't have it now.
→ ______________________________
4 As she missed the airplane, she is not in Rome now.
→ ______________________________

□ obey (법 · 명령 등을) 지키다
□ traffic light 교통 신호
□ vase 꽃병

STEP 3 다음 빈칸에 들어갈 말로 알맞은 것은? 내신

If she had not borrowed your printer yesterday, I could ________ it now.

① use ② used ③ have used ④ had used ⑤ will use

□ borrow 빌리다

Answer p.63

Point 092 만약 내가 너라면 이렇게 포기하지는 않을 텐데.

Were I in your shoes, I would not give up like this.

- if절의 동사[조동사]가 were나 had일 때 if를 생략할 수 있는데, 이때 주어와 동사[조동사]의 위치가 서로 바뀐다.
  If I had taken the medicine, I would not have been seriously ill.
  → **Had I** taken the medicine, I would not have been seriously ill.

STEP 1 다음 문장의 밑줄 친 부분을 우리말로 해석하시오.

1 Were he here, I would be happier.
2 Were I more careful, I would not make a mistake.
3 Had Jessica not jogged every day, she would have been weaker.
4 Had she seen the movie, she would have recognized Mat.
5 Had he not helped us, we would have had a hard time.

□ mistake 실수
□ weak (몸이) 약한
□ recognize 알아보다

STEP 2 다음 주어진 문장에서 If를 생략할 때, 빈칸에 알맞은 말을 쓰시오.

1 If I were richer, I could help the poor children in Africa.
→ ________________, I could help the poor children in Africa.

2 If my dad had had more time, he would have played more with me.
→ ________________, he would have played more with me.

3 If I had slept less, I could have finished the work.
→ ________________, I could have finished the work.

4 If Mary were more diligent, her room would be cleaner.
→ ________________, her room would be cleaner.

5 If I had accepted his proposal, I would work in Sydney now.
→ ________________, I would work in Sydney now.

□ diligent 부지런한
□ accept 받아들이다
□ proposal 제안

STEP 3 다음 대화의 빈칸에 들어갈 말로 알맞은 것은? 내신

A: Hey! Come here and look at this. The plant died.
B: Oh, no! ________ it regularly, it would have grown well.

① Watered I
② Did I water
③ Does I water
④ Had I watered
⑤ Has I watered

□ plant 식물
□ regularly 규칙적으로

Answer p.63

Point 093 내게 시간 여행을 할 수 있는 타임머신이 있다면 좋을 텐데.

I wish I had a time machine for time travel.

- 형태: 「I wish + (that) + 주어 + 동사의 과거형~」
- '~하면[이라면] 좋을 텐데'의 뜻으로, 실현 불가능하거나 실현 가능성이 희박한 현재의 소망을 나타낼 때 쓴다.
  I wish I were a beauty in the film. (= **I'm sorry (that) I am not** a beauty in the film.)

STEP 1 다음 우리말과 일치하도록 괄호 안의 말을 바르게 고치시오.

1 내가 런던을 방문할 수 있다면 좋을 텐데.
I wish I (can) visit London.

2 그가 지금 당장 나와 함께 있다면 좋을 텐데.
I wish he (be) with me right now.

3 내게 새로운 태블릿 컴퓨터가 있다면 좋을 텐데.
I wish I (own) a new tablet computer.

4 그녀에게 먼저 말을 건넬 용기가 내게 충분히 있다면 좋을 텐데.
I wish I (have) enough courage to speak to her first.

5 그들이 나를 회사에 고용한다면 좋을 텐데.
I wish they (will) hire me at the company.

□ own 가지다, 소유하다
□ courage 용기
□ hire 고용하다

STEP 2 다음 주어진 문장을 가정법을 이용하여 바꿀 때, 빈칸에 알맞은 말을 쓰시오.

1 I'm sorry Amy doesn't apologize for her behavior.
→ I wish Amy ____________ for her behavior.

2 I'm sorry he doesn't consider the feelings of others.
→ I wish he ____________ the feelings of others.

3 I'm sorry my company doesn't appreciate my efforts.
→ I wish my company ____________ my efforts.

4 I'm sorry I'm not capable of managing the work.
→ I wish I ____________ capable of managing the work.

□ appreciate 인정하다
□ effort 노력
□ be capable of ~을 할 수 있다
□ manage 해내다, 처리하다

STEP 3 다음 문장을 가정법으로 만들 때, 빈칸에 들어갈 말로 알맞은 것은? 내신

> Dad is not at home. Mom is not at home, either. I'm lonely now.
> → I wish my parents ____________ at home with me now.

① are ② were ③ will be
④ had been ⑤ would have been

□ either ~도[또한]

Answer p.64

Point 094 내가 운전면허 시험에 합격했다면 좋았을 텐데.

I wish I had passed my driving test.

- 형태: 「**I wish + (that) + 주어 + had p.p.~**」
- '~했다면[였다면] 좋았을 텐데'의 뜻으로, 과거에 이루어지지 못했던 일에 대한 아쉬움이나 후회를 나타낼 때 쓴다.
  I wish I had traveled around the world when young.
  (= **I'm sorry (that) I didn't travel** around the world when young.)

STEP 1 다음 문장을 밑줄 친 부분에 유의하여 우리말로 해석하시오.

1 I wish I were walking in the woods now.
2 I wish I had learned how to play the guitar.
3 I wish I had met Mr. Butler in New York last week.
4 I wish she could pick me up at the airport this afternoon.
5 I wish I had come up with a clever idea at the meeting yesterday.

□ woods 숲
□ pick up ~를 (차에) 태우러 가다
□ come up with ~을 생각해 내다
□ clever 기발한

STEP 2 다음 우리말과 일치하도록 괄호 안의 말을 이용하여 빈칸에 알맞은 말을 쓰시오.

1 내가 여권을 잃어버리지 않았다면 좋았을 텐데. (lose, my passport)
I wish I ______________________.

2 내가 영국에서 좋은 친구들을 사귈 수 있다면 좋을 텐데. (make, good friends)
I wish I ______________________ in England.

3 우리 팀이 농구 경기에서 이겼다면 좋았을 텐데. (win, basketball game)
I wish my team ______________________.

4 내가 그 아이돌 스타의 사인을 받을 수 있다면 좋을 텐데. (get, idol star's, autograph)
I wish I ______________________.

5 우리 아들이 지난 학기에 좋은 성적을 받았다면 좋았을 텐데. (get, good grades)
I wish my son ______________________ last semester.

□ passport 여권
□ autograph 사인
□ semester 학기

STEP 3 다음 대화의 빈칸에 들어갈 말로 알맞은 것은? 내신

A: I heard you visited the British Museum. Did you see the Rosetta Stone?
B: No. I missed it. I wish I __________ it.

① see ② had seen ③ will see
④ am seeing ⑤ have seen

Answer p.64

Point 095 그녀는 마치 대단한 영화배우인 것처럼 보인다. as if[though]+가정법 과거

She looks as though she were a big movie star.

- 형태: 「as if[though] + 주어 + 동사의 과거형~」
- '마치 ~인[하는] 것처럼'의 뜻으로, 실제와 다른 상황을 가정할 때 쓴다.
- 주절의 시제와 관계없이, as if[though]가 이끄는 절은 주절과 같은 시점의 내용을 나타낸다.
  Tom **behaves as if he owned** the place. (= **In fact, he doesn't own** the place.)
  Tom **behaved as if he owned** the place. (= **In fact, he didn't own** the place.)

TIP 「**as if[though]** + 직설법」은 실제로 사실일 가능성이 있을 때 사용된다.
He talks **as though** he **knows** Alex. (그가 Alex를 알고 있을 수도 있음)

STEP 1 다음 문장을 밑줄 친 부분에 유의하여 우리말로 해석하시오.

1 She walks as if she is tired.
2 He speaks as though he loved me.
3 She acted as if she liked the food.
4 You treat me as though I were your daughter.
5 He slept as if he had no cares.

□ treat (특정한 태도로) 대하다
□ care 걱정거리

STEP 2 다음 우리말과 일치하도록 괄호 안의 말을 바르게 배열하시오.

1 James는 마치 무대에서 부끄러워하는 것처럼 보인다. (on, stage, shy, is, the)
James seems as though he ______________________.

2 그는 마치 정답을 아는 것처럼 미소 지었다. (the, knew, answer, correct)
He smiled as if he ______________________.

3 Jay는 마치 모든 일이 잘 되어 가고 있는 것처럼 행동한다. (well, were, going)
Jay behaves as though everything ______________________.

4 Mary는 마치 그의 말을 이해할 수 없는 것처럼 보였다.
(understand, couldn't, words, his)
Mary looked as if she ______________________.

□ correct 정확한

STEP 3 다음 중 어법상 틀린 것은? 내신

① I acted as if I didn't know the secret.
② She feels as if she can control the world.
③ Mike nodded as if he agreed with me.
④ Jessie stood still as though she were not alive.
⑤ Mom always treats me as though I were weak.

□ secret 비밀
□ control 지배하다
□ nod 끄덕이다
□ stand still 가만히 있다

Answer p.64

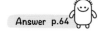

Point 096 그는 마치 그 소식을 듣지 못했던 것처럼 말한다.

as if[though]+가정법 과거완료

He talks as if he hadn't heard the news.

- 형태: 「as if[though] + 주어 + had p.p.~」
- '마치 ~였던[했던] 것처럼'의 뜻으로, 실제와 다른 상황을 가정할 때 쓴다.
- 주절의 시제와 관계없이, as if[though]가 이끄는 절은 주절보다 더 과거 시점의 내용을 나타낸다.
  She **looks as though she had won** the gold medal. (= **In fact, she didn't win** the gold medal.)
  She **looked as though she had won** the gold medal. (= **In fact, she hadn't won** the gold medal.)

STEP 1 다음 문장을 밑줄 친 부분에 유의하여 우리말로 해석하시오.

□ journey 여행
□ explain 설명하다

1 He speaks as if he had been popular when young.
2 Ann looked as though she had returned from a long journey.
3 Jake talked as if he had bought an expensive present for me.
4 Stella explained as though she had visited Greece many times.
5 Judy is eating as if she had not eaten any food for a few days.

STEP 2 다음 보기와 같이 주어진 문장을 가정법 과거완료 문장으로 바꿔 쓰시오.

□ amusement park 놀이공원
□ hidden 숨겨진
□ treasure 보물
□ yawn 하품하다

보기 In fact, she failed her driving test.
→ She looked as though she hadn't failed her driving test.

1 In fact, Jane didn't live in New York.
→ Jane acted as if ______________________.

2 In fact, he didn't go to the amusement park with me.
→ He spoke as though ______________________.

3 In fact, Mike didn't find a hidden treasure.
→ Mike looks as though ______________________.

4 In fact, my mom slept enough last night.
→ My mom is yawning as if ______________________.

STEP 3 다음 우리말과 일치하도록 할 때, 빈칸에 들어갈 말로 알맞은 것은? 내신

그녀는 마치 할 일이 많았던 것처럼 말한다. (사실 그녀에게는 할 일이 많지 않았음)
→ She speaks as though she ________ a lot of work to do.

① has ② had ③ has had
④ had had ⑤ would have

Answer p.65

Point 097 음악이 없다면 내 삶은 따분할 것이다. Without[But for] ~ + 가정법 과거

Without music, my life would be boring.

- 「**Without[But for] ~, 주어 + 조동사의 과거형 + 동사원형…**」은 '~이 없다면 …할 것이다'의 뜻으로, 현재 있는 것이 없다고 가정할 때 쓴다.
- 「Without[But for]~」는 「**If it were not for ~**」로 바꿔 쓸 수 있다.
  But for clean air, **people would** not **live** a healthy life.
  → If it were not for[Were it not for] clean air, **people would** not **live** a healthy life.

STEP 1 다음 문장에서 틀린 부분을 바르게 고치시오.

1 For your help, I could not finish my homework.
2 With water, all living things on Earth would die.
3 But for the heavy rain, we can arrive at the terminal in time.
4 Were it for rules, people would live in a state of disorder.
5 If it is not for a navigation system, I could not know the driving direction.

- □ state 상태
- □ disorder 무질서
- □ navigation system 내비게이션
- □ direction 방향

STEP 2 다음 우리말과 일치하도록 괄호 안의 말을 바르게 배열하시오.

1 비행기가 없다면 우리의 여행은 더 오래 걸릴 것이다.
(without, our journey, take, airplanes, would)
________________ longer.

2 태양이 없다면 또 다시 빙하기가 올 것이다. (were, for, the sun, it, not)
________________, another ice age would come.

3 이 책이 없다면 나는 그 과학자에 대해 잘 알지 못할 것이다.
(for, this book, I, not, know, would, but)
________________ well about the scientist.

4 스마트폰이 없다면 십 대들은 공부에 더 잘 집중할 수 있을 것이다.
(if, smartphones, were, for, it, not)
________________, teenagers could focus better on studies.

- □ ice age 빙하기
- □ focus on ~에 집중하다

STEP 3 다음 두 문장이 같은 뜻이 되도록 할 때, 빈칸에 들어갈 말로 알맞은 것은? 내신

If there were no gravity, our bodies would float around in the air.
= ________ gravity, our bodies would float around in the air.

① With ② For ③ But for ④ Thanks to ⑤ Because of

- □ gravity 중력
- □ float around 떠다니다

Answer p.65

Point 098 이 헬멧이 없었다면 나는 심하게 다쳤을 것이다.

But for this helmet, I would have been badly injured.

- 「**Without[But for] ~, 주어 + 조동사의 과거형 + have p.p.…**」는 '~이 없었다면 …했을 것이다'의 뜻으로, 과거에 있었던 것이 없었다고 가정할 때 쓴다.
- 「Without[But for] ~」는 「**If it had not been for ~**」로 바꿔 쓸 수 있다.
  Without my mom's care, **I would** not **have got** well.
  → **If it had not been for[Had it not been for]** my mom's care, **I would** not **have got** well.

□ inconvenient 불편한
□ flashlight 손전등
□ discovery 발견
□ survive 살아남다

STEP 1 다음 괄호 안에서 알맞은 말을 고르시오.

1 (Thanks to, But for) a cell phone, our life would be inconvenient.
2 (With, Without) this memo, I could not have remembered his birthday.
3 (If it were not for, If it had not been for) James, I could not enjoy this trip.
4 (Were it not for, Had it not been for) this flashlight, I would have lost my way.
5 (If it were not for, If it had not been for) the discovery of fire, men could not have survived.

STEP 2 다음 우리말과 일치하도록 괄호 안의 말을 이용하여 빈칸에 알맞은 말을 쓰시오.

1 너의 도움이 없었다면 나는 그녀의 전화번호를 알 수 없었을 것이다. (but, help)
______________, I could not have known her phone number.

2 시험이 없다면 내 인생은 더 행복할 것이다. (if)
______________ exams, my life would be happier.

3 아이들이 없었다면 공원은 더 조용했을 것이다. (if)
______________ the children, the park would have been quieter.

4 그의 조언이 없었다면 나는 지하철을 타지 않았을 것이다. (take)
Without his advice, I would not ______________ the subway.

STEP 3 다음 빈칸에 들어갈 말로 알맞지 않은 것은? 내신

________ the alarm clock, I could not have woken up early yesterday.

① But for ② Without ③ Had it not been for
④ Were it not for ⑤ If it had not been for

Answer p.66

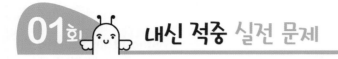

Point 089

01 다음 밑줄 친 부분을 어법에 맞게 고친 것은?

> If he <u>have</u> a smartphone, he could do online shopping anywhere.

① has ② had ③ has had
④ had had ⑤ will have

Point 096

02 다음 빈칸에 들어갈 말로 알맞은 것은?

> She talks as if she ________ in God when young.

① believe ② believes
③ has believed ④ have believed
⑤ had believed

Point 090

03 다음 빈칸에 들어갈 말이 순서대로 짝지어진 것은?

> If Evan ________ well at the job interview last week, he ___________ the job.

① did – could get
② had done – can get
③ did – could have got
④ had done – can have got
⑤ had done – could have got

Point 097, 098

04 다음 빈칸에 들어갈 말로 알맞지 <u>않은</u> 것은?

> ___________ hiking boots, you could not protect your feet from the rough rocks.

① But for ② Without
③ Were it not for ④ If it were not for
⑤ Had it not been for

Point 091

05 다음 우리말과 일치하도록 할 때, 빈칸에 들어갈 말로 알맞은 것은?

> 만약 내가 10년 전에 그와 함께 일을 했다면 지금 부자일 텐데.
> → If I ________ with him ten years ago, I would be rich now.

① work ② worked ③ have worked
④ had worked ⑤ would work

[06~07] 다음 대화의 빈칸에 들어갈 말로 알맞은 것을 고르시오.

Point 093

06

> A: Luke is really tall.
> B: Yes, I wish I ________ as tall as he is.

① am ② were ③ will be
④ had been ⑤ have been

Point 096

07

> A: Did Justin see the musical with you?
> B: No, he didn't. He just talked as though he ________ it.

① sees ② saw ③ has seen
④ had seen ⑤ have seen

[08~09] 다음 우리말을 영어로 바르게 옮긴 것을 고르시오.

Point 089

08

> 만약 내게 충분한 돈이 있다면 아프리카에 병원을 지을 텐데.

① If I had enough money, I would build hospitals in Africa.
② If I have enough money, I would build hospitals in Africa.
③ If I would have enough money, I will build hospitals in Africa.
④ If I had had enough money, I would have built hospitals in Africa.
⑤ If I have had enough money, I would have built hospitals in Africa.

Answer p.66

Point 094

09

> 내가 경기장에 더 일찍 갔다면 좋았을 텐데.

① I wish I go to the stadium earlier.
② I wish I went to the stadium earlier.
③ I wish I would go to the stadium earlier.
④ I wish I had gone to the stadium earlier.
⑤ I wish I have gone to the stadium earlier.

[10~11] 다음 중 어법상 틀린 것을 고르시오.

Point 089, 097

10 ① I wish it weren't cold outside.
② I wish he had not left us without a word.
③ He felt as if somebody were pulling his legs in the dark.
④ Were it not for this backpack, I cannot carry a lot of books.
⑤ If he had hurried, he would not have been late for the game.

중요

Point 098

11 ① If it were not for Lucy, I would not learn to dance.
② But for the penalty, they wouldn't score in yesterday's match.
③ If I had studied harder, I would be attending the university now.
④ If Mike had left home earlier, he could have got to school in time.
⑤ Had she had a dictionary, she could have read the book to the end.

고난도

Point 091

12 **다음 밑줄 친 부분 중 어법상 틀린 것은?**

> If I had slept(①) soundly(②) last night, I would have felt(③) good now. I feel(④) as if all my strength is gone(⑤).

서술형

[13~14] 다음은 Jessica가 후회하는 일에 관한 표이다. 표를 보고 보기 와 같이 괄호 안의 말을 이용하여 문장을 완성하시오.

후회하는 일	지난 주말에 Anna의 파티에 가지 않았던 일
	농구 팀에 가입하지 않았던 일
	오늘 아침에 늦게 일어났던 일

> 보기 I wish I had got up early this morning.

Point 094

13 I wish I ______________________ last weekend. (go, Anna's party)

Point 094

14 I wish I ______________________. (join, the basketball team)

Point 095

15 **다음 대화의 흐름에 맞도록 괄호 안의 말을 이용하여 빈칸에 알맞은 말을 쓰시오.**

> A: Do you know Jiho?
> B: No.
> A: Really? He talks as if you ____________. (know)

Point 092, 098

16 **다음 우리말과 일치하도록 괄호 안의 말을 바르게 배열하시오.**

> 이 카메라가 없었다면 나는 좋은 사진을 찍을 수 없었을 것이다.
> (I, taken, had, it, have, could, this camera, good pictures, not, for, not been)

→ ______________________

____

Point 090

01 다음 빈칸에 들어갈 말로 알맞은 것은?

> If he had had more time, he ________ the picture carefully.

① paints ② painted
③ has painted ④ would paint
⑤ would have painted

[02~03] 다음 밑줄 친 부분을 어법에 맞게 고친 것을 고르시오.

Point 089

02

> If my mom <u>have</u> free time now, she would go to the museum with me.

① has ② had ③ has had
④ had had ⑤ will have

Point 093

03

> I wish every day <u>be</u> like today.

① is ② were ③ will be
④ has been ⑤ had been

고난도

Point 091

04 다음 주어진 문장을 가정법 문장으로 바르게 바꾼 것은?

> It rained a lot last night, so the river is overflowing the bank now.

① If it didn't rain a lot last night, the river would not be overflowing the bank now.
② If it hadn't rained a lot last night, the river would not be overflowing the bank now.
③ If it didn't rain a lot last night, the river would not have been overflowing the bank now.
④ If it hadn't rained a lot last night, the river would have been overflowing the bank now.
⑤ If it hadn't rained a lot last night, the river would not have been overflowing the bank now.

Point 090, 095

05 다음 빈칸에 들어갈 말이 순서대로 짝지어진 것은?

> • Janet likes fried chicken, but she talks as if she ____________ it.
> • If I had studied more, I would ____________ the last exam.

① didn't like – pass
② hadn't liked – pass
③ doesn't like – pass
④ didn't like – have passed
⑤ doesn't like – have passed

[06~08] 다음 대화의 빈칸에 들어갈 말로 알맞은 것을 고르시오.

Point 093

06

> A: Are you going to the party?
> B: No, I have to go to the library to do my homework. I wish I ________ to the party with you.

① go ② can go ③ had gone
④ have gone ⑤ could go

Point 096

07

> A: He has never been to France.
> B: That's right. But he acts as though ____________________ before.

① he travels to France
② he traveled to France
③ he will travel to France
④ he could travel to France
⑤ he had traveled to France

Point 098

08

> A: Thanks for driving me to the airport yesterday.
> B: My pleasure.
> A: Without your help, I ____________ my flight.

① don't take ② didn't take
③ won't take ④ couldn't take
⑤ couldn't have taken

Point 094

09 다음 우리말을 영어로 바르게 옮긴 것은?

> 내가 젊었을 때 이 일을 맡았다면 좋았을 텐데.

① I wish I take this job when young.
② I wish I took this job when young.
③ I wish I had taken this job when young.
④ I wish I would take this job when young.
⑤ I wish I have taken this job when young.

Point 092

10 다음 밑줄 친 부분을 바르게 바꾼 것은?

> <u>If he had not liked Korean food</u>, he could not have lived in Korea so long.

① He had not liked Korean food
② Had he not liked Korean food
③ Not he had liked Korean food
④ Not had he liked Korean food
⑤ Didn't have he liked Korean food

[11~12] 다음 중 어법상 <u>틀린</u> 것을 고르시오.

Point 094

11 ① I wish I could see the movie star.
② I wish I earned a lot of money last year.
③ He acts as though he hadn't heard a word about it.
④ She talks as if she were the most beautiful woman in Korea.
⑤ If it had not been so hot last Saturday, we could have gone hiking.

중요

Point 090, 098

12 ① I would bring my laptop computer if I needed it.
② Had I learned to ski, I could have skied with you.
③ But for this screw, we couldn't have repaired the printer.
④ Were it not for this suitcase, I could not pack a lot of my belongings.
⑤ Had it not been for his support, I couldn't study modern art in my early days.

서술형

[13~14] 다음은 Noah의 습관에 관한 표이다. 표를 보고 보기 와 같이 문장을 완성하시오.

습관	습관을 고치는 방법
wake up late	set the alarm clock
put off doing homework	do my homework right after school
play computer games too much	fix a time limit for games

> 보기 If I set the alarm clock, I would not wake up late.

Point 089

13 ______________________, I would not put off doing homework.

Point 089

14 ______________________, I would not play computer games too much.

Point 097

15 다음 우리말과 일치하도록 주어진 조건을 이용하여 영작하시오.

> **조건 1** 가정법을 사용할 것
> **조건 2** but, human life, meaningless를 사용할 것

예술이 없다면 인간의 삶은 무의미할 것이다.

→ ______________________

Point 094

16 다음 대화의 흐름에 맞도록 괄호 안의 말을 이용하여 빈칸에 알맞은 말을 쓰시오.

> A: You know what? I had an exciting night yesterday.
> B: What happened?
> A: I met a TV star while shopping at the market.
> B: Really? I wish ______________ last night. (be, with you)

Grammar Review 핵심 정리

Point

1 가정법 과거

If I lived under the sea, **I would meet** a variety of fish. 089

☞ 「If+주어+동사의 과거형~, 주어+조동사의 과거형+동사원형…」
☞ 현재 사실과 반대되는 일을 가정할 때 사용하며, '만약 ~하다면[이라면] …할 텐데'로 해석한다.

2 가정법 과거완료

If he had driven carefully, **the accident would** not **have happened**. 090

☞ 「If+주어+had p.p.~, 주어+조동사의 과거형+have p.p.…」
☞ 과거 사실과 반대되는 일을 가정할 때 사용하며, '만약 ~했다면[였다면] …했을 텐데'로 해석한다.

3 혼합 가정법

If I had taken the job, **I would be** in Italy now. 091

☞ 「If+주어+had p.p.~, 주어+조동사의 과거형+동사원형…」
☞ 과거 사실의 반대를 가정할 경우 현재가 어떻게 달라졌을지 나타내며, '만약 ~했다면[였다면] …할 텐데'로 해석한다.

4 if의 생략

Were I in your shoes, I would not give up like this. 092

☞ if절의 동사[조동사]가 were나 had일 때 if를 생략할 수 있는데, 이때 주어와 동사[조동사]의 위치가 서로 바뀐다.

5 I wish + 가정법

I wish I had a time machine for time travel. 093

☞ 「I wish+(that)+주어+동사의 과거형~」은 '~하면[이라면] 좋을 텐데'의 뜻으로, 실현 가능성이 희박한 현재의 소망을 나타낸다.

I wish I had passed my driving test. 094

☞ 「I wish+(that)+주어+had p.p.~」는 '~했다면[였다면] 좋았을 텐데'의 뜻으로, 실현되지 않았던 과거의 일에 대한 아쉬움이나 후회를 나타낸다.

6 as if[though] + 가정법

She looks **as though she were** a big movie star. 095

☞ 「as if[though]+주어+동사의 과거형~」은 '마치 ~인[하는] 것처럼'의 뜻으로, as if[though] 절은 주절과 같은 시점의 내용을 나타낸다.

He talks **as if he hadn't heard** the news. 096

☞ 「as if[though]+주어+had p.p.~」는 '마치 ~였던[했던] 것처럼'의 뜻으로, as if[though] 절은 주절보다 더 과거 시점의 내용을 나타낸다.

7 Without[But for] ~ + 가정법

Without music, **my life would be** boring. 097

☞ 「Without[But for] ~, 주어+조동사의 과거형+동사원형…」은 '~이 없다면 …할 것이다'의 뜻이다.

But for this helmet, **I would have been** badly injured. 098

☞ 「Without[But for] ~, 주어+조동사의 과거형+have p.p.…」는 '~이 없었다면 …했을 것이다'의 뜻이다.

LESSON 11

특수 구문

Point 099 나는 네가 정말 옳다고 믿는다.

I do believe you are right.

- 문장의 내용이 사실임을 강조할 때 동사 앞에 do를 써서 동사를 강조하며 '정말 ~하다'로 해석한다. 주어의 인칭과 수, 시제에 따라 「**do/does/did + 동사원형**」의 형태를 취한다.
  I **do love** Andy.
  He **did keep** his word.
  He **does hope** that he will succeed.

STEP 1 다음 문장에서 틀린 부분을 바르게 고치시오.

□ smell 냄새가 나다

1 This food does smells good.
2 They do finished the work yesterday.
3 Mike do likes the idea.
4 I heard do the news a few days ago.
5 I think she does win the gold medal in the last Olympics.

STEP 2 다음 우리말과 일치하도록 빈칸에 알맞은 말을 쓰시오.

□ poem 시

1 엄마는 시를 정말 싫어한다. (hate)
Mom ____________ ____________ poems.

2 그녀는 책을 읽는 데 시간을 정말 많이 썼다. (spend)
She ____________ ____________ a lot of time reading books.

3 그 소녀는 늑대의 거짓말을 정말로 믿었다. (believe)
The girl ____________ ____________ the wolf's lie.

4 우리는 정말로 그 스타를 보기를 원한다. (want)
We ____________ ____________ to see the star.

5 Tom은 그곳에 정말 갔다. (go)
Tom ____________ ____________ there.

STEP 3 다음 우리말과 일치하도록 할 때, 빈칸에 들어갈 말로 알맞은 것은? 내신

그녀는 다음 게임을 위해 정말 열심히 노력한다.
→ She ____________ hard for the next game.

① do try ② do tries ③ does tries ④ does try ⑤ will try

Answer p.70

Point 100 문에서 나를 기다리는 사람은 바로 Dave이다.

It is *Dave* that waits for me at the door.

- 「**It is[was] ~ that**」 강조 구문은 동사를 제외한 문장의 일부를 강조하며, '~한 것은 바로 …이다[였다]'로 해석한다. 강조하고자 하는 말을 It is[was]와 that 사이에 쓴다.
  Ben made this famous film last year.
  → **It was** *Ben* **that** made this famous film. (주어 강조)
  → **It was** *last year* **that** Ben made this famous film. (부사구 강조)
- 강조하는 대상에 따라 who(사람), which(사물), when(시간), where(장소)를 that 대신 쓸 수 있다.

TIP **강조 구문과 진주어 구문의 차이:** 강조 구문에서는 It is[was]와 that이 빠져도 문장이 완전하지만 진주어 구문에서는 It is[was]와 that이 없이는 불완전한 문장이 된다.
It is a red skirt **that** she wants to buy. (강조 구문) → She wants to buy a red skirt. (○)
It was impossible **that** I solved the question. (진주어 구문) → Impossible I solved the question. (×)

STEP 1 다음 문장에서 틀린 부분을 바르게 고치시오.

1 It was last week where I met him at the museum.
2 It was he that he taught me everything.
3 It was some flowers who he gave me.
4 It is important which we follow the rules.
5 It was her that I invited her to the party.

STEP 2 다음 밑줄 친 부분을 강조하는 문장으로 바꿔 쓰시오.

□ tragic 비극적인
□ prepare 준비하다

1 I want to play basketball with my friends.
→ It is ________________________________.

2 She first met Romeo at the party.
→ It was ________________________________.

3 My uncle told me the tragic news.
→ It was ________________________________.

4 They have to prepare the show tomorrow.
→ It is ________________________________.

STEP 3 다음 빈칸에 공통으로 들어갈 말로 알맞은 것은? 내신

□ backpack 배낭

• It was Cathy ________ they invited to dinner.
• It was surprising ________ she lost her backpack.

① who ② which ③ that ④ when ⑤ where

Answer p.70

Point 101 내가 옆집에 살 지라도 나는 그를 좀처럼 보지 못했다.

I seldom saw him though I lived next door.

- seldom, rarely(좀처럼 ~않는), hardly, scarcely(거의 ~가 아닌), few, little(거의 없는), never(결코 ~이 아닌) 등은 부정의 의미를 포함하고 있으므로, 같은 절 안에서 부정어 no, not 등과 같이 쓰이지 않는다.
  I can hardly believe anything. (○)   I can hardly believe nothing. (×)

TIP few, little은 '거의 없는'의 뜻으로 few는 셀 수 있는 명사와, little은 셀 수 없는 명사와 쓴다.

STEP 1 다음 괄호 안에서 알맞은 말을 고르시오.

□ scold 꾸짖다, 혼내다
□ break down 고장 나다

1 Mom (seldom scolds, doesn't seldom scold) me.
2 There (was, wasn't) little food left for the people.
3 He (hardly ate, didn't hardly eat) any dinner, so he is very hungry now.
4 My car (has, has not) scarcely broken down for many years.
5 Jean, who lives in Egypt, (has never seen, hasn't never seen) snow.

STEP 2 다음 우리말과 일치하도록 빈칸에 들어갈 말을 보기에서 골라 쓰시오.

□ recognize 알아보다

보기 seldom   never   little   hardly   few

1 그의 말을 믿는 사람은 거의 없다.
_____________ people believe what he says.

2 서두르자. 우리는 시간이 별로 없다.
Hurry up. We have _____________ time.

3 Mary는 많이 변해서 나는 그녀를 거의 알아보지 못했다.
Mary has changed a lot, so I _____________ recognized her.

4 Matt는 결코 그림을 그리지 않았다.
Matt _____________ painted paintings.

5 나는 매우 바빠서 가족과 함께 좀처럼 여행을 할 수 없다.
I'm so busy that I can _____________ travel with my family.

STEP 3 다음 우리말과 일치하도록 할 때, 빈칸에 들어갈 말로 알맞은 것은? 내신

□ stage 무대

그는 좀처럼 무대에서 피아노를 연주하지 않는다.
→ He __________ plays the piano on the stage.

① almost   ② never   ③ rarely   ④ often   ⑤ always

Answer p.70

Point 102 그가 아침에 항상 일찍 일어나는 것은 아니다.

He doesn't always get up early in the morning.

- 「**not + all, every, both, always**」는 '모두, 둘 다, 항상 ~한 것은 아니다'라는 의미로 부분 부정을 나타낸다.
  Not all birds can fly.
  Not every teen likes dance music.

□ kitten 새끼 고양이

STEP 1 다음 문장을 밑줄 친 부분에 유의하여 우리말로 해석하시오.

1 Not both of them want the kitten.
2 Not all of them are smart.
3 Not all of his classmates joined the club.
4 Not every man likes to play soccer.
5 Dad doesn't always wash the car.

STEP 2 다음 우리말과 일치하도록 괄호 안의 말을 바르게 배열하시오.

1 모든 채소가 당신의 건강에 좋은 것은 아니다.
(vegetables, are, good, your health, not, for, all)
____

2 그녀가 항상 1등을 할 수 있는 것은 아니다.
(always, she, can't, place, win, first)
____

3 너희 둘 다 기회를 얻지는 않을 것이다.
(not, of, both, will, you, the chance, get)
____

4 모든 아이들이 미래에 대한 꿈이 있는 것은 아니다.
(every, not, has, a dream, child, for the future)
____

5 Ann이 항상 아침을 먹는 것은 아니다. (always, Ann, breakfast, doesn't, eat)
____

STEP 3 다음 두 문장이 같은 뜻이 되도록 할 때, 빈칸에 들어갈 말로 알맞은 것은? 내신

Some of them wanted to play the board game.
= ____________ wanted to play the board game.

① No one ② All of them ③ Not all of them
④ Everyone ⑤ None of them

Answer p.71

Point 103 나의 친구들 중 아무도 내 이야기를 믿지 않았다.

None of my friends believed my story.

- none, no one(아무도 ~하지 않다), neither(둘 다 ~하지 않다), never(결코 ~치 않다), not ~ any... (전혀 ~하지 않다) 등은 문장에서 전체 부정을 나타낸다.
  Neither of the twins has been there.
  She **never** told a lie to me.

STEP 1 다음 문장을 밑줄 친 부분에 유의하여 우리말로 해석하시오.

□ mushroom 버섯

1 Jake never eats mushrooms.
2 Neither of my parents came to my birthday party.
3 I do not want to buy anything at that store.
4 No one gave me a present on Christmas.
5 I have heard none of the songs on your album.

STEP 2 다음 우리말과 일치하도록 괄호 안의 말을 이용하여 빈칸에 알맞은 말을 쓰시오.

□ care about 신경을 쓰다
□ waste 낭비하다

1 우리 둘 중 아무도 어제 쇼핑을 가지 않았다. (go)
______ ______ ______ ______ shopping yesterday.

2 아무도 물 절약에 대해 신경 쓰지 않는다. (care)
______ ______ ______ about saving water.

3 그들 중 아무도 안경을 끼지 않는다. (wear)
______ ______ ______ ______ glasses.

4 나는 아무것도 알지 못한다. (know)
I ______ ______ ______.

5 그는 절대 돈을 낭비하지 않는다. (waste)
______ ______ ______ money.

STEP 3 다음 두 문장을 한 문장으로 바꿀 때, 빈칸에 들어갈 말로 알맞은 것은? 내신

I found a basket of balls. There are only six red balls.
→ ______ of the balls in the basket are green.

① All ② Every ③ Both ④ Neither ⑤ None

Answer p.71

Point 104 모퉁이 도는 곳에 빨간 우체통이 있었다.

Around the corner was the red mailbox.

- 장소나 방향을 나타내는 부사구를 강조하기 위해 문장 앞에 둘 때 주어와 동사가 도치되어 「**부사구+동사+주어**」의 어순이 된다.
  In the doorway stood my sister.
- 부사구가 문장 앞에 나와도 주어가 대명사일 때는 도치하지 않는다.
  From Paris she came.

STEP 1 다음 문장에서 틀린 부분을 바르게 고치시오.

1 On the bench my little cat sat.
2 In the field of sunflowers many birds were.
3 Across the street stood she.
4 In the fruit bowl is oranges.
5 Next to his house were a big pine tree.

□ bowl 그릇
□ pine tree 소나무

STEP 2 다음 문장을 밑줄 친 부사구를 강조하여 바꿔 쓰시오.

1 A brand-new shirt was on the shelf.
→ ____________________

2 Some books are on the desk.
→ ____________________

3 He is on the river bank.
→ ____________________

4 The old man sat in front of the gate.
→ ____________________

5 A dog ran around the pond again and again.
→ ____________________

□ shelf 선반
□ river bank 강둑
□ pond 연못

STEP 3 다음 중 어법상 틀린 것은? 내신

① Down the street she came.
② Out of the room ran my sister.
③ At the top of the tree was she.
④ There goes my neighbor's dog.
⑤ On my table was a bouquet of real flowers.

□ bouquet 꽃다발

Answer p.71

Point 105 나는 이렇게 아름다운 경치를 결코 본 적이 없다.

Never have I seen such beautiful scenery.

- 부정어(구)가 강조를 위해 문장 앞에 위치할 때 주어와 동사는 도치된다.
  - 동사가 조동사일 때: 「부정어 + 조동사 + 주어 + 동사」
    Hardly can I recognize her in the dark. (← I can hardly recognize her in the dark.)
  - 동사가 be동사일 때: 「**부정어 + be동사 + 주어**」
    Never was my sister happy in this situation. (← My sister was never happy in this situation.)
  - 동사가 일반동사일 때: 「**부정어 + do/does/did + 주어 + 동사원형**」
    Rarely did my son study on weekdays. (← My son rarely studied on weekdays.)

STEP 1 다음 문장에서 틀린 부분을 바르게 고치시오.

□ because of ~ 때문에
□ illness 질병

1 Never I will forget your help.
2 Hardly do I have seen her in the last ten years.
3 No more they played together after Tom moved.
4 Little do I thought that he would be famous.
5 Seldom she visited Grandma's house because of her illness.

STEP 2 주어진 어구로 시작하여 문장을 다시 쓸 때, 빈칸에 알맞은 말을 쓰시오.

□ by no means 결코 ~이 아닌
□ speaker 연설가

1 I have never been to New York before.
→ Never ________ ________ ________ to New York before.

2 They will by no means agree with my plan B.
→ By no means ________ ________ ________ with my plan B.

3 He is not only a good writer but also a nice speaker.
→ Not only ________ ________ a good writer but also a nice speaker.

4 I hardly understood what he said.
→ Hardly ________ ________ ________ what he said.

STEP 3 다음 빈칸에 들어갈 말로 알맞은 것은? 내신

Never ______________ that I would become a millionaire.

① I dreamed ② did I dream ③ did I dreamed
④ I did dreamed ⑤ did I not dream

Answer p.72

Point 106 나의 남동생은 강아지를 좋아하고, 나도 그렇다. so[neither/nor] 도치

My brother likes puppies, and so do I.

- 「so[neither/nor]+동사+주어」는 '~도 또한 그렇다[아니다]'라는 뜻으로 앞 문장의 내용을 대신 받는 표현이다. so는 긍정문 뒤에, neither[nor]는 부정문 뒤에 쓰인다.
- 동사 자리에는 앞 문장의 동사가 조동사, be동사이면, 조동사, be동사를, 일반동사이면 do/does/did를 쓴다.
  A: She **will** play outside. B: **So will** I.
  A: Mark **didn't** live in Seoul. B: **Neither did** his parents.

STEP 1 다음 문장에서 틀린 부분을 바르게 고치시오.

□ hidden 숨겨진
□ ski 스키를 타다

1 I had a dog and neither did my sister.
2 Tom went hiking last Saturday and so I did.
3 A: Your mom speaks French a little. B: So do my dad.
4 A: I didn't find the hidden meaning. B: Neither do I.
5 Jake can ski very well, and so does his brother.

STEP 2 다음 보기와 같이 B의 말을 so나 neither를 사용하여 다시 쓰시오.

□ shorts 반바지

보기 A: I don't want to drink hot coffee.
B: I don't want to drink hot coffee, either. → Neither do I.

1 A: I'm not satisfied with his answer.
B: The teacher isn't satisfied with his answer, either. → ________________

2 A: Sarah has not finished her project.
B: I have not finished my project, either. → ________________

3 A: Ann is wearing shorts now.
B: I'm wearing shorts now, too. → ________________

4 A: Paul visited the museum last weekend.
B: I visited the museum last weekend, too. → ________________

STEP 3 다음 대화의 빈칸에 들어갈 말로 알맞은 것은? 내신

A: I don't like cats.
B: ________________

① So am I. ② So do I. ③ Neither am I.
④ Neither do I. ⑤ Nor am I.

Answer p.72

Point 107 잡을 수 있으면 잡아봐.

Catch me if you can (catch me).

- 어구가 반복되어 뒤에 나오는 어구를 생략해도 의미가 통하면 문장을 간결하게 하기 위해 반복되는 어구를 생략한다.
  I read the comic books and my sister **(read)** the novel.
  A bird in the hand is worth two **(birds)** in the bush.

TIP 대부정사 to
같은 동사의 반복을 피하기 위해 to부정사에서 동사원형을 생략하고 to만 쓸 수 있다.
A: I want to play outside.
B: Go outside if you want to (go).

STEP 1 다음 문장에서 생략 가능한 부분에 밑줄을 그으시오.

□ go for a walk 산책하다

1 I washed my dog, and James washed his dog.
2 Two hands are better than one hand.
3 You can leave now if you want to leave.
4 Mom went for a walk, but Dad didn't go for a walk.
5 My room is smaller than my brother's room.

STEP 2 다음 문장의 생략된 부분을 찾아 문장을 다시 쓰시오.

□ stitch (바느질에서) 바늘땀

1 Kate drives faster than Jenny.
→ ______________________

2 He picked up a book and read it carefully.
→ ______________________

3 Paul can play tennis, but I can't.
→ ______________________

4 A stitch in time saves nine.
→ ______________________

5 Just do as I told you to.
→ ______________________

STEP 3 다음 밑줄 친 부분 중 생략할 수 있는 것은? 내신

□ compose 작곡하다
□ shine 빛나다
□ daytime 낮

① Matt went to the stadium and I stayed at home.
② I can compose a song and my brother can sing it.
③ When I was in Seoul, I often visited Namsan tower.
④ The sun shines in the daytime and the moon shines at night.
⑤ My grandma bought a new smartphone, but Grandpa used it.

Answer p.73

부사절에서의 주어+be동사의 생략

Point 108 길을 따라 걷고 있는 동안, 나는 Tom을 만났다.

While (I was) walking along the street, I met Tom.

- 주절의 주어와 부사절의 주어가 같을 경우, 「부사절의 주어 + be동사」는 종종 생략된다.
  They played together when **(they were)** very young.

STEP 1 다음 문장에서 생략 가능한 부분에 밑줄을 그으시오.

□ dough 밀가루 반죽
□ expand 부풀다

1 When I am busy, I often go home at midnight.
2 While you are in the library, you should be quiet.
3 The dough will expand when it is heated.
4 Though she was hurt in her arm, she never gave up.
5 Jake heard the cell phone ring while he was taking a shower.

STEP 2 다음 밑줄 친 부분에서 생략 가능한 부분을 생략하여 다시 쓰시오.

□ bark 짖다
□ loudly 크게
□ stadium 경기장

1 Though I was very tired, I couldn't sleep well.
→ ______________________________

2 When he is hungry, my dog barks at me loudly.
→ ______________________________

3 When I was in L.A., I went to the Dodger Stadium.
→ ______________________________

4 When it was released from the cage, the bird flew away.
→ ______________________________

5 While you are driving, you should fasten your seat belt.
→ ______________________________

STEP 3 다음 밑줄 친 부분 중 생략할 수 없는 것은? 내신

□ relax 긴장을 풀다

① Though he is tall, he can't jump high.
② While I was studying, I found a small insect.
③ Although these shoes are cheap, I like them.
④ Mom wants to stay inside and relax when she is tired.
⑤ Tom and Jerry were good friends when they were in school.

Answer p.73

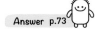

Point 101
01 다음 빈칸에 들어갈 말로 알맞은 것은?

I don't ________ go to the library.

① often ② hardly
③ never ④ seldom
⑤ scarcely

Point 100
02 다음 밑줄 친 부분을 바르게 강조한 문장은?

Paul stood by the big gate with his arms folded.
→ ________________ by the big gate with his arms folded.

① It was Paul that stood
② It was Paul that stands
③ It was Paul when stood
④ It was Paul which stood
⑤ It was Paul that did stand

Point 099
03 다음 밑줄 친 부분 중 쓰임이 나머지 넷과 다른 것은?

① They do expect dinner with us.
② Hit the ball hard, as Tom does.
③ I did have very tiring days at work.
④ I do go pear-picking at my uncle's farm.
⑤ He did believe that my toy bird could fly.

Point 102
04 다음 두 문장을 한 문장으로 바꿀 때, 알맞은 것은?

I sometimes walk to school. I sometimes ride my bike to school.

① I never walk to school.
② I always walk to school.
③ I don't always walk to school.
④ I never ride my bike to school.
⑤ I always ride my bike to school.

고난도 Point 104
05 다음 중 어법상 틀린 것은?

① Behind the tree was she.
② Never did he tell a lie to me.
③ I did hope that I passed the test.
④ It was Nancy who I saw last night.
⑤ It was in the stadium that I found a ball.

중요 Point 105
06 주어진 단어로 시작하는 문장을 만들 때, 빈칸에 알맞은 것은?

They hardly finished what their boss wanted them to do.
→ Hardly ________________ what their boss wanted them to do.

① they finished ② do they finish
③ they did finish ④ did they finish
⑤ did they finished

[07~08] 다음 대화의 빈칸에 들어갈 말로 알맞은 것을 고르시오.

Point 106
07

A: Lucy can't play baseball with us this afternoon.
B: ________________. I twisted my ankle.

① So do I. ② So can I.
③ Neither do I. ④ Neither can I.
⑤ Neither am I.

Point 106
08

A: I would like some chocolate right now.
B: ________________.

① So do I.
② So I would.
③ So would I.
④ Neither I would.
⑤ Neither would I.

Answer p.74

Point 103

09 다음 우리말과 일치하도록 할 때, 빈칸에 들어갈 말로 알맞은 것은?

> 그들 중 누구도 유럽에 가본 적이 없다.
> → ____________ has been to Europe.

① Anyone　② Any of them
③ All of them　④ None of them
⑤ Neither of them

Point 108

10 다음 밑줄 친 부분 중 생략할 수 없는 것은?

① Though she is young, Amy looks old.
② You may eat pizza if you want to eat pizza.
③ I was watching TV when he was calling me.
④ Justin was on the stage while he was dancing to music.
⑤ Mom wanted to go to Europe but Dad wanted to go to America.

Point 100

11 다음 밑줄 친 부분 중 용법이 나머지 넷과 다른 것은?

① It was Jason that applied for the position.
② It was at this restaurant that I first met him.
③ It was the dance group that I wanted to join.
④ It was impossible that he completed the mission.
⑤ It was a national museum that they visited last Sunday.

Point 102

12 다음 우리말을 영어로 바르게 옮긴 것은?

> 이 지역의 사람들이 모두 다 부유한 것은 아니다.

① None in this area is rich.
② No one in this area is rich.
③ Everyone in this area is rich.
④ No one in this area is not rich.
⑤ Not everyone in this area is rich.

서술형

[13~14] Mat와 Julie가 지난 주말에 한 일을 나타낸 표를 보고 다음 대화를 완성하시오.

	Homework	Shopping	Volunteering
Matt	×	○	○
Julie	×	×	○

Point 106

13 Matt: I didn't do my homework last weekend.

Julie: ______________________________. I'll have to do it today.

Point 106

14 Matt: I did volunteering work last weekend.

Julie: ______________________________. I really like to help people.

Point 104

15 다음 문장에서 어법상 틀린 부분을 찾아 바르게 고쳐 쓰시오.

> On the hill a tree stood.

______________ → ______________

Point 100

16 다음 우리말과 일치하도록 괄호 안의 말을 바르게 배열하시오.

> 우리에게 음식을 주었던 사람은 바로 Paul의 엄마였다.
> (Paul's mom, gave, some food, that, was, us)

→ It ______________________________.

02회 내신 적중 실전 문제

중요

Point 100

01 다음 빈칸에 들어갈 말로 알맞은 것은?

It was my camera ________ I lent to Judy yesterday.

① who ② that ③ when
④ where ⑤ what

Point 099

02 다음 두 문장이 같은 뜻이 되도록 할 때, 빈칸에 들어갈 말로 알맞은 것은?

Your dad certainly loves to grow vegetables.
= Your dad ____________ to grow vegetables.

① do love ② did love ③ will love
④ has loved ⑤ does love

[03~05] 다음 우리말을 영어로 바르게 옮긴 것을 고르시오.

Point 101

03 그녀는 좀처럼 파티에 가지 않는다.

① She seldom goes to parties.
② She seldom not goes to parties.
③ She doesn't go to parties seldom.
④ She doesn't seldom go to parties.
⑤ Seldom does she not go to parties.

Point 102

04 모든 학생들이 그의 계획에 동의한 것은 아니다.

① Every student agrees with his plan.
② All the students agree with his plan.
③ Not all students agree with his plan.
④ None of the students agree with his plan.
⑤ Neither of the students agrees with his plan.

Point 104

05 그 소녀는 길 아래로 걸어갔다.

① Down the street the girl walked.
② Down the street walked the girl.
③ Down the street did the girl walk.
④ Down the street do the girl walked.
⑤ Down the street did the girl walked.

Point 101

06 다음 우리말과 일치하도록 할 때, 빈칸에 들어갈 말로 알맞은 것은?

나는 노래 대회에 절대 참가하지 않을 것이다.
→ I ________________ in the singing contest.

① will often participate
② will never participate
③ won't never participate
④ will not always participate
⑤ will never always participate

고난도

Point 105

07 다음 중 어법상 <u>틀린</u> 것은?

① Little did I heard what he said.
② Never has Mom been to another country.
③ Seldom does John go fishing with his father.
④ Not only is the lecture fun, but it's also useful.
⑤ Hardly does he know how to press the button.

중요

Point 106

08 다음 대화의 빈칸에 들어갈 말로 알맞은 것은?

A: I saw this ice ballet last summer.
B: ________________. It was fantastic.

① So am I. ② So do I.
③ So did I. ④ Neither do I.
⑤ Neither did I.

Answer p.75

Point 107

09 다음 밑줄 친 부분 중 생략할 수 없는 것은?

① Though she is young, she has a lot of experience.
② Jerry can run away fast, but Tom can't chase fast.
③ I bought Tom's present and then Andy's present.
④ You finished the work earlier than I finished the work.
⑤ She opened the window though I told her not to open the window.

Point 099

10 다음 밑줄 친 부분의 쓰임이 잘못된 것은?

① I do think Jake is right.
② She does like comic books.
③ This dish does smell sweet.
④ Mom did buy me a nice bike.
⑤ Mr. Jackson did caught the first train.

Point 106

11 다음 두 문장이 같은 뜻이 되도록 할 때, 빈칸에 들어갈 말로 알맞은 것은?

> She won't follow your instructions. I won't follow your instructions, either.
> = She won't follow your instructions, and ________________.

① so won't I　② neither I will
③ neither will I　④ neither won't I
⑤ either I won't

Point 105

12 다음 밑줄 친 부분을 바르게 고친 것은?

> Never I thought he would be a famous star.

① Never thought I　② Never did I think
③ Never did I thought　④ Never do I thought
⑤ Never I did thought

서술형

Point 102

13 다음 방과 후 계획표를 참고하여 문장을 완성하시오.

요일	활동
Monday	Exercise
Tuesday	Piano lesson
Wednesday	Exercise
Thursday	Exercise
Friday	Exercise

→ I ____________ exercise after school. (always)

Point 102

14 다음 문장을 all을 이용한 부분 부정 문장으로 바꿀 때, 빈칸에 알맞은 말을 쓰시오.

> There are ten balls. Some of them are blue. Others are red.

→ ______________________________ are blue.

Point 103

15 다음 우리말과 일치하도록 괄호 안의 말을 바르게 배열하시오.

> 그의 친구들 중 누구도 그에게 무슨 일이 일어났는지 알지 못했다.
> (of, none, what happened, his friends, knew, to him)

→ ____

Point 105

16 다음 문장을 주어진 단어로 시작하는 문장으로 다시 쓰시오.

> I have rarely eaten a very strange food like this.

→ Rarely ________________________________.

Grammar Review 핵심 정리

1 강조 구문

Point

I do believe you are right. 099

☞ 강조의 do: 문장의 내용이 사실임을 강조할 때 동사 앞에 do를 쓰며 '정말 ~하다'로 해석한다.

It is *Dave* that waits for me at the door. 100

☞ It is[was] ~ that 강조 구문: 동사를 제외한 문장의 일부를 강조하며, '~한 것은 바로 …이다[였다]'로 해석한다. 강조하고자 하는 말을 It is[was]와 that 사이에 쓴다.
☞ 강조하는 대상에 따라 who(사람), which(사물), when(시간), where(장소)를 that 대신 쓸 수 있다.

2 부정 구문

I seldom saw him though I lived next door. 101

☞ 부정의 의미를 가진 어구: seldom, rarely, hardly, scarcely, few, little, never 등은 부정의 의미를 포함하고 있으므로, 같은 절 안에서 부정어 no, not 등과 같이 쓰이지 않는다.

He doesn't always get up early in the morning. 102

☞ 부분 부정: 「not+all, every, both, always」는 '모두, 둘 다, 항상 ~한 것은 아니다'라는 의미이다.

None of my friends believed my story. 103

☞ 전체 부정: none, no one, neither, never, not ~ any … 등은 문장에서 전체 부정을 나타낸다.

3 도치 구문

Around the corner was the red mailbox. 104

☞ 부사구 도치: 장소나 방향을 나타내는 부사구를 강조하기 위해 문장 앞에 둘 때 주어와 동사가 도치되어 「부사구+동사+주어」의 어순이 된다. 부사구가 문장 앞에 나와도 주어가 대명사일 때는 도치하지 않는다.

Never have I seen such beautiful scenery. 105

☞ 부정어 도치: 부정어(구)가 강조를 위해 문장 앞에 위치할 때 주어와 동사는 도치되어 「부정어+조동사+주어+동사」의 형태를 취한다. 동사가 일반동사이면 주어 앞에 do[does/did]를 써서 나타낸다.

My brother likes puppies, and so do I. 106

☞ so[neither/nor] 도치: 「so[neither/nor]+동사+주어」는 '~도 또한 그렇다[아니다]'라는 뜻으로 앞 문장의 내용을 대신 받는 표현이다. so는 긍정문 뒤에, neither[nor]는 부정문 뒤에 쓰인다.

4 생략

Catch me if you can (catch me). 107

☞ 공통되는 부분의 생략: 어구가 반복되어 뒤에 나오는 어구를 생략해도 의미가 통하면 문장을 간결하게 하기 위해 반복되는 어구를 생략한다.

While (I was) walking along the street, I met Tom. 108

☞ 부사절에서의 주어+be동사의 생략: 주절의 주어와 부사절의 주어가 같을 경우, 「부사절의 주어+be동사」는 종종 생략된다.

LESSON 12

일치와 화법

Point 109 A and B
Point 110 either A or B / neither A nor B / not only A but also B / not A but B
Point 111 every, each+단수 동사
Point 112 some, most, none, half of+명사
Point 113 복수 주어+단수 동사
Point 114 시제 일치
Point 115 시제 일치의 예외
Point 116 평서문의 화법 전환
Point 117 의문문의 화법 전환 (의문사가 없는 경우)
Point 118 의문문의 화법 전환 (의문사가 있는 경우)
Point 119 명령문의 화법 전환

내신 적중 실전 문제 1회 2회

Grammar Review 핵심 정리

Point 109 Diana와 Rosa는 채식주의자들이다.

Diana and Rosa *are* vegetarians.

- 명사가 and로 묶여 주어 자리에 올 때는 복수 취급하여 복수 동사가 온다.
  There *are* many **sweets and candies** in the basket.
- and로 연결되어 복수 형태이지만 단일 개념으로 생각하여 단수 취급하는 것이 있다.
  Curry and rice *is* my favorite dish. (curry and rice: 한 가지 물품)
  The rapper and idol star *is* popular with teenagers. (The rapper and idol star: 동일인)

TIP 「both A and B」는 'A와 B 둘 다'의 의미로 복수 취급하여 복수 동사가 온다.

STEP 1 다음 괄호 안에서 알맞은 말을 고르시오.

□ director 감독

1 A desk and a chair (is, are) what I want to buy.
2 The director and movie star (was, were) famous when young.
3 There (is, are) many stars and a moon in the sky.
4 Both Tom and Jerry (live, lives) together.
5 Mom and Dad (was, were) taking a walk along the road.

STEP 2 다음 괄호 안에 단어를 빈칸에 알맞은 형태로 쓰시오. (단, 현재시제 사용)

□ first prize 1등상

1 My teacher and my parents ____________ at the party. (be)
2 The coach and players on my team ____________ good at catching balls. (be)
3 Toast and jam ____________ his regular breakfast. (be)
4 There ____________ some cakes and cookies on the table. (be)
5 Both Susie and Steve ____________ to win first prize. (want)

STEP 3 다음 빈칸에 들어갈 말로 알맞은 것은? 내신

________________ was what I needed to get.

① A lot of clothes ② A needle and thread ③ Books and pens
④ Many brushes ⑤ Both milk and bread

Answer p.77

Point 110 너 아니면 그녀가 여기에 머물러야 한다.

either A or B/neither A nor B
not only A but also B/not A but B

Either you or she *has* to stay here.

- 표 안의 상관접속사로 연결된 구문은 B에 동사의 수를 일치시킨다.

either A **or** B A나 B 둘 중의 하나	**neither** A **nor** B A도 B도 아닌
not only A **but also** B A뿐만 아니라 B도	**not** A **but** B A가 아니라 B

Neither Tom **nor** his parents *were* angry about my sudden calling.
Not only my son **but also** my daughters *are* at the party.
Not I **but** he *has* been to the museum.

TIP 「not only A but also B」는 「B as well as A」로 바꿔 쓸 수 있고, 주어 자리에 오면 B에 동사의 인칭과 수를 일치시킨다.
My daughters **as well as** my son are at the party.

STEP 1 다음 괄호 안에서 알맞은 말을 고르시오.

1 Either Paul or you (have, has) to do the work right.
2 Not Jenny but her parents (is, are) going to attend the meeting tomorrow.
3 Not only I but also Mike (want, wants) to eat more food.
4 Neither Joe nor his brothers (is, are) going to play outside.
5 Harry as well as Ron (was, were) in the cave last night.

□ attend 참석하다
□ cave 동굴

STEP 2 다음 우리말과 일치하도록 괄호 안의 말을 바르게 배열하시오.

1 너나 그 둘 중 한 명이 운전을 해야 한다. (car, a, either, to, has, you, or, he, drive)

____

2 Andy가 아닌 그의 부모님들이 그 소식을 듣고서 놀랐다.
(his, surprised, news, Andy, hear, not, but, parents, are, to, the)

____

3 Jake뿐만 아니라 그의 여동생들도 강아지 기르기를 원한다.
(keep, as, want, as, his, dog, sisters, well, Jake, to, a)

____

□ keep a dog 강아지를 기르다

STEP 3 다음 빈칸에 들어갈 말로 알맞지 <u>않은</u> 것은? 내신

______________ has seen the opera before.

① Not only I but also Mike
② Both Amy and Jack
③ Neither Mom nor Dad
④ Not you but Jessie
⑤ Either the actors or the director

□ opera 오페라

Answer p.77

Point 111 모든 소년과 소녀는 소풍을 좋아한다.

Every boy and girl *likes* a picnic.

- 「every+단수 명사」, 「**each+단수 명사**」, -body, -one, -thing이 주어로 올 때에는 단수 취급하여 단수 동사가 온다.

Everyone in my class *was* happy with the classroom.
Each movie *has* its own background music.
Somebody *is* coming from my country.
Anything *doesn't* happen to me.

STEP 1 다음 밑줄 친 부분을 바르게 고치시오.

□ USIM chip 유심칩
□ machine 기계
□ function 기능
□ wander 돌아다니다

1 Every smart-phone have its USIM chip.
2 Someone are waiting for Amy in her room.
3 Each part of this machine have its own function.
4 Somebody are wandering around the park.
5 Everything are fine with me in this city.

STEP 2 다음 괄호 안에 단어를 빈칸에 알맞은 형태로 쓰시오. (단, 현재시제 사용)

□ president 대통령

1 Each man ____________ a glass of cold water. (have)
2 Every boy in my club ____________ happy to win the race. (be)
3 Everyone in my country ____________ to vote for the new president. (want)
4 Somebody ____________ knocking on my door. (be)
5 Every room in the resort ____________ a view of the sea. (have)

STEP 3 다음 중 어법상 틀린 것은? 내신

① Everyone has his own dream.
② Something strange happened to me.
③ Each part of this car work differently.
④ Somebody is calling me from over there.
⑤ Every student in this room was watching TV.

Answer p.77

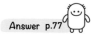

Point 112 대부분의 육지가 눈으로 덮여있다. some, most, none, half of+명사

Most of the land *is* covered with snow.

- 다음과 같이 「부분 표현 of + 명사」에서는 of 뒤의 명사에 수를 일치시킨다.

some of + 명사 ~중 일부분	**most of + 명사** 대부분의 ~
none of + 명사 ~중 아무(것)도 …않다	**half of + 명사** 절반의 ~

Some of the food *is* not fresh.
Most of the students *think* that the idea is excellent.
None of the students *are* in the classroom.
Half of the people *are* going to skate.

TIP 「분수 of + 명사」도 이어지는 명사에 따라 수를 결정한다. **Two thirds of an apple** is rotten.

STEP 1 다음 괄호 안에서 알맞은 말을 고르시오.

□ genius 천재

1 None of this money (is, are) yours.
2 Three quarters of the students (want, wants) to study more.
3 Most of the people (believe, believes) that he is a genius.
4 Some of your friends (was, were) at the party last night.
5 Half of the children under 10 years old (have, has) smart-phones.

STEP 2 다음 괄호 안에 단어를 빈칸에 알맞은 형태로 쓰시오. (단, 현재시제 사용)

□ comfortable 편안한

1 Some of the people I work with ____________ very diligent. (be)
2 Most of my free time ____________ spent playing on-line games. (be)
3 Three-quarters of the players ____________ these comfortable shoes. (wear)
4 They say that none of the children ____________ milk every day. (drink)
5 Half of the dogs in the pet shop ____________ long ears. (have)

STEP 3 다음 중 어법상 틀린 것은? 내신

□ runner 주자
□ stress out 스트레스를 받다

① One-fifths of a pencil are used.
② None of the books are interesting.
③ Half of the runners are in the stadium.
④ Most of the parents are so stressed out.
⑤ Some of the teachers are in the classroom.

Answer p.78

Point 113 10분은 목욕하기에 짧다.

Ten minutes *is* short to take a bath.

- 시간, 금액, 거리, 무게 등의 단위를 나타내는 명사는 형태가 복수일지라도 단수 취급한다.
  Seventy dollars a year *is* a small sum.
  One thousand meters *is* too far for him to run.
- 학과명과 국가명은 형태는 복수일지라도 단수 취급한다.
  Economics *is* one of the most important subjects in Korea.
  The United Kingdoms *is* popular among travelers.

TIP (1) 「**many a** + 단수 명사」는 단수 취급 (2) 「**a number of** + 복수 명사」는 복수 취급
(3) 「**the number of** + 복수 명사」는 단수 취급 (4) 「**The** + 형용사」가 사람을 나타내는 복수일 경우 복수 취급

STEP 1 다음 괄호 안에서 알맞은 말을 고르시오.

1 The Philippines (is, are) famous for pineapples and mangoes.
2 Two weeks (is, are) a long time to travel around Australia.
3 Mathematics (rank, ranks) as my most difficult subject.
4 Twenty kilograms of luggage (is, are) heavy for me to carry.
5 A number of baseball fans (want, wants) to get Mr. Lee's signature.

- □ famous 유명한
- □ travel 여행하다
- □ rank 순위를 차지하다
- □ luggage 수화물
- □ signature 사인

STEP 2 다음 괄호 안에 단어를 빈칸에 알맞은 형태로 쓰시오. (단, 현재시제 사용)

1 The young ____________ to be more promising for the future. (have)
2 The United States ____________ different climates. (have)
3 Physics ____________ not easy for young children to study. (be)
4 Many a child ____________ the fantasy world festival every year. (attend)
5 One hundred dollars ____________ a good sum of money for him to spend now. (be)

- □ promising 진취적인
- □ climate 기후
- □ physics 물리학
- □ fantasy 환상
- □ a good sum of 큰 액수의

STEP 3 다음 빈칸에 들어갈 말로 알맞은 것은? 내신

______________ were reading books in the library.

① Each student ② Every student
③ Many a student ④ The number of students
⑤ A number of students

Answer p.78

Point 114 나는 내 꿈이 이루어질 것이라고 믿는다.

I believe that my dream will come true.

- 주절의 시제가 현재일 때, 종속절에는 어떤 시제라도 올 수 있다.
  I **know** that he **is[was/has been]** sick. (현재/과거/현재완료)
  I **believe** that Rachel **will** succeed. (미래)
- 주절의 시제가 과거일 때, 종속절이 주절과 같은 시제이면 과거를 쓰고, 주절보다 앞선 시제이면 과거완료를 쓴다.
  I **believed** that she **was** honest. (과거)
  Kate **explained** that the clerk **had been** very kind. (과거완료)

STEP 1 다음 괄호 안에서 알맞은 말을 고르시오.

□ contest 대회, 시합

1 I was sure that everything (will, would) be all right.
2 Mr. Pitt knew that his son (dose, did) well in the contest.
3 Joe thinks that he (buys, bought) the laptop computer last week.
4 Huggins said that they (will, would) stay here during the holidays.
5 Amy said that she (will live, had lived) there for three years.

STEP 2 다음 우리말과 일치하도록 괄호 안의 단어를 빈칸에 알맞은 형태로 쓰시오.

□ purchase 구매하다

1 Amy는 그녀의 어린 친구들이 사랑스럽다고 생각했다. (be)
→ Amy thought that her little friends ____________ lovely.

2 그들은 우리가 그 표를 구매해야 한다고 말했다. (have)
→ They said that we ____________ to purchase the tickets.

3 너는 William이 젊었을 때 매우 부자였다는 것을 아니? (be)
→ Do you know William ____________ very rich when young?

4 나는 버스에 내 휴대전화를 놓고 왔다는 것을 깨달았다. (leave)
→ I realized that I ____________ my cell phone on the bus.

STEP 3 다음 빈칸에 들어갈 말로 알맞은 것은? 내신

Steve said that he ________ Mom some flowers.

① give ② gives ③ will give ④ has given ⑤ had given

Answer p.79

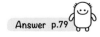

Point 115 우리는 달이 지구 주위를 공전한다는 것을 배웠다.

We learned that the moon goes around the earth.

- 종속절이 현재의 습관이나 사실, 불변의 진리, 속담, 격언 등을 나타낼 때는 주절의 시제와 상관없이 항상 현재시제로 쓴다.
  Jack said that he always **goes** to church on Sundays. (현재의 습관)
- 종속절이 역사적 사실을 나타낼 때는 항상 과거시제를 쓴다.
  My teacher said that the Korean War **broke out** in 1950.
- 시간 · 조건의 부사절에서는 현재시제가 미래시제를 대신한다.
  If it **rains** tomorrow, we won't go to the park.

STEP 1 다음 밑줄 친 부분을 바르게 고치시오.

1 I didn't know that Mozart had composed music at 5 years old.
2 My science teacher said that oil and water didn't mix.
3 Grandma said that honesty was the best policy.
4 Suji told me that Koreans ate songpyeon on Chuseok.
5 We knew that parrots were good at mimicking human sounds.

□ compose 작곡하다
□ honesty 정직
□ policy 정책
□ mimick 흉내를 내기

STEP 2 다음 괄호 안의 단어를 빈칸에 알맞은 형태로 쓰시오.

1 I learned that whales ____________ mammals. (be)
2 Dad told me that many hands ____________ light work. (make)
3 I will call you when I ____________ an e-mail from my boss. (get)
4 Our teacher said that King Sejong ____________ Hangeul. (invent)
5 I heard that my grandparents always ____________ out for dinner on Saturdays. (eat)

□ whale 고래
□ mammal 포유류
□ light 가벼운
□ eat out 외식하다

STEP 3 다음 우리말과 일치하도록 할 때, 빈칸에 들어갈 말로 알맞은 것은? 내신

Alex는 조선 왕조가 1392년에 건국되었다고 말했다.
→ Alex said that the Chosun dynasty ________ in 1392.

① found ② founds ③ founding
④ was founded ⑤ has founded

Answer p.79

Point 116 아빠가 나에게 새 자전거를 사주겠다고 말했다.

Dad told me that he would buy me a new bike.

- 직접 화법은 인용 부호(" ")를 써서 다른 사람의 말을 그대로 전하는 것이고, 간접 화법은 전달하는 사람의 입장에서 다른 사람이 말한 내용을 전달하는 것이다.
- 평서문의 화법 전환
  1. 전달 동사 say[said]는 say[said]로, say[said] to는 tell[told]로 바꾼다.
  2. 주절의 콤마(,)와 인용 부호(" ")를 없애고 두 문장을 that으로 연결시킨다. 이때 that은 생략 가능하다.
  3. that 절의 인칭대명사, 부사구를 전달하는 사람의 입장으로 바꾼다. 시제는 전달동사의 시제에 일치시킨다.

     직접 화법: He **said, "I will go** hiking."

     간접 화법: He **said that he would go** hiking.

TIP 화법 전환 시 부사구의 전환 ago → before / now → then / today → that day / yesterday → the day before [the previous day] / tomorrow → the next day[the following day] / here → there

STEP 1 다음 밑줄 친 부분을 바르게 고치시오.

□ lose weight 몸무게를 줄이다

1 Mary said to me, "I will help the poor children."
→ Mary told me that I would help the poor children.

2 Kevin said to me, "I will lose weight."
→ Kevin told me that I would lose weight.

3 She said, "I'm going to be late for school."
→ She said that I was going to be late for school.

STEP 2 다음 문장을 간접 화법 문장으로 바꿔 쓰시오.

□ dresser 화장대

1 She said, "I have a dresser in my room."
→ She said that ______________________.

2 My aunt said to me, "I will make pancakes today."
→ My aunt told me that ______________________.

3 Ann said to me, "I will send you e-mail."
→ Ann told me that ______________________.

STEP 3 다음 문장을 간접 화법으로 전환할 때, 빈칸에 들어갈 말로 알맞은 것은? 내신

My sister said to Dad, "I will clean your room tomorrow."
→ My sister told Dad that she __________ his room the next day.

① clean ② has cleaned ③ had cleaned
④ would clean ⑤ could clean

Answer p.79

Point 117 나는 Jake에게 그가 전통 한국 가옥에 살았는지 물어보았다. 의문문의 화법 전환 (의문사가 없는 경우)

I asked **Jake** if he lived **in a traditional Korean house.**

- 의문사가 없는 의문문의 직접 화법은 「**ask(+목적어)+if[whether]+주어+동사**」의 형태로 간접 화법으로 전환한다.
- 전환 방법: say[said]나 say[said] to는 ask[asked]로 바꾸고, if나 whether로 두 문장을 연결한다. 인칭, 시제, 시간 및 장소의 부사는 평서문의 화법 전환에서와 같이 바꾼다. whether를 쓰는 경우에는 문장 끝에 or not이 오지만 보통 생략한다.
  Mr. Armstrong said to me, "Have you walked on the moon?"
  → Mr. Armstrong **asked** me **if[whether] I had walked** on the moon.

STEP 1 다음 괄호 안에서 알맞은 말을 고르시오.

□ freeze 얼다
□ keep one's promise 약속을 지키다

1 I said to Henry, "Can you play the violin well?"
→ I (told, asked) Henry if he could play the violin well.

2 She said to me, "Does water freeze at 0℃?"
→ She asked me (that, if) water freezes at 0℃.

3 Dad said to me, "Will you keep your promise?"
→ Dad asked me if I would keep (your, my) promise.

STEP 2 다음 문장을 간접 화법으로 바꿔 쓰시오.

□ be satisfied with ~에 만족하다
□ result 결과

1 Eve said to me, "Will you play soccer after school?"
→ Eve ____________ me ______________________________ soccer after school.

2 I said to Jason, "Are you going to Emma's house tomorrow?"
→ I asked Jason ______________________________ to Emma's house __________.

3 Judy said to me, "Are you satisfied with your result?"
→ Judy ____________ me ______________________________ with my result.

STEP 3 다음 문장을 간접 화법으로 전환할 때, 빈칸에 들어갈 말로 알맞은 것은? 내신

Jerry said to me, "Are you going to visit London for holidays?"
→ Jerry asked me __________ to visit London for holidays.

① that I am going ② that I was going ③ if I am going
④ if I was going ⑤ if he was going

Answer p.80

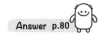

Emma asked me what I was doing.

- 의문사가 있는 의문문의 직접 화법은 「**ask(+목적어)+의문사+주어+동사**」의 형태로 간접 화법으로 전환한다.
- 전환 방법: say[said]나 say[said] to는 ask[asked]로 바꾸고, 의문사로 두 문장을 연결한다. 인칭, 시제, 시간 및 장소의 부사 등은 평서문의 화법 전환에서와 같이 바꾼다. 단, 의문사가 주어인 경우에는 「**의문사+동사**」의 어순을 유지한다.
  I said to Mom, "Where can I get the recipe?"
  → I **asked** Mom **where I could get** the recipe.

STEP 1 다음 문장을 밑줄 친 부분에 유의하여 우리말로 해석하시오.

1 She asked me how I was.
2 Justin asked his mom where his new glasses were.
3 Mark asked me how many languages I could speak.
4 I asked Jerry where I could buy cheese.
5 Kate asked me how old my mom was.

STEP 2 다음 문장을 간접 화법으로 바꿔 쓰시오.

- □ museum 박물관
- □ home address 자택 주소

1 Alice said to me, "Who joined my club?"
→ Alice ____________ me ______________________________.

2 I said to Mom, "What time do you want to leave for the museum?"
→ I ____________ Mom ________________________ to leave for the museum.

3 Rachel said to me, "What is your home address?"
→ Rachel ____________ me ______________________________.

4 Paul said to me, "Who is the man with a ball?"
→ Paul ____________ me ______________________________.

STEP 3 빈칸에 들어갈 말로 알맞은 것은? 내신

- □ horror movie 공포 영화
- □ *Bride of Chucky* 처키의 신부 (사탄의 인형 속편)

Ann asked me ________ horror movies such as *Bride of Chucky*.

① that I liked ② why did I like ③ why I liked
④ whether did I like ⑤ if I did like

Answer p.80

Point 119 의사들은 그에게 그의 몸무게를 줄이라고 충고했다.

Doctors advised him to lose some weight.

- 명령문의 직접 화법은 「tell/ask/advise/order + 목적어 + to부정사」의 형태로 간접 화법으로 전환한다. 부정 명령문일 경우에는 to부정사 앞에 not을 붙인다. 인칭, 시제, 시간 및 장소의 부사 등은 평서문의 화법 전환에서와 같이 바꾸고 명령문의 동사를 to부정사로 바꾼다.

  My teacher said to me, "Don't be late for school."

  → My teacher **told** me **not to be** late for school.

STEP 1 다음 괄호 안에서 알맞은 말을 고르시오.

□ turn on 켜다

1 Mom said to me, "Turn on the TV."
→ Mom (said to, told) me to turn on the TV.

2 Jake said to the children, "Do not pull the puppy's tail."
→ Jake ordered the children (do not to pull, not to pull) the puppy's tail.

3 The doctor said to me, "Drink a cup of water in the morning."
→ The doctor advised me (drink, to drink) a cup of water in the morning.

STEP 2 다음 문장을 간접 화법으로 바꿔 쓰시오.

□ castle 성
□ delicious 맛있는

1 My teacher said to me, "Draw an old castle on the paper."
→ My teacher told me ____________ an old castle on the paper.

2 Tom said to me, "Don't forget to bring your car keys."
→ Tom advised me ____________ to bring my car keys.

3 Mike said to his sister, "Cook a delicious pie."
→ Mike told his sister ____________ a delicious pie.

STEP 3 다음 문장을 간접 화법으로 전환할 때, 빈칸에 들어갈 말로 알맞은 것은? (내신)

He said to me, "Fasten your seat belt."
→ He told me ______________________ seat belt.

① fasten my ② fasten his ③ fasten your
④ to fasten my ⑤ to fasten your

Answer p.81

[01~02] 다음 빈칸에 들어갈 말이 순서대로 짝지어진 것을 고르시오.

Point 109

01

- Trial and error ________ you cope with the issues.
- Both tomatoes and apples ________ what I want to buy.

① help – is ② help – are ③ helps – is
④ helps – are ⑤ helped – is

Point 112

02

- Half of the water in the glass ________ evaporated.
- Most of the apples in the basket ________ very fresh.

① has – is ② has – was ③ has – are
④ have – are ⑤ have – is

Point 111

03 다음 빈칸에 들어갈 be동사가 나머지 넷과 다른 것은? (현재시제 사용)

① Both Harry and Paul ________ in the flying car.
② Not only I but also you ________ playing together.
③ Every boy on the stage ________ dancing to the music.
④ Not I but you ________ going to make this toy plane.
⑤ A number of children ________ standing in a circle.

고난도 Point 109

04 다음 중 어법 상 틀린 것은?

① Not Ann but I was in the hall yesterday.
② Either I or you were blamed for the mistake.
③ Both Jake and Terra wants to visit my house.
④ Not only you but also he has to go there with me.
⑤ Neither Paul nor his friend was playing baseball.

[05~06] 다음 빈칸에 들어갈 말로 알맞은 것을 고르시오.

Point 115

05

The Maldives ________ located southwest of Sri Lanka.

① be ② is ③ are
④ have been ⑤ were

Point 115

06

Sam told me that every dog ________ his day.

① has ② has had ③ have
④ will have ⑤ had

Point 114

07 빈칸에 들어갈 말로 알맞지 않은 것은?

Nancy told us that she ________________.

① went hiking with Paul
② has lost her passport
③ had invited him to dinner
④ was at the party last night
⑤ would visit Paris for the Christmas holidays

[08~11] 다음 문장을 화법 전환할 때, 빈칸에 들어갈 말로 알맞은 것을 고르시오.

중요 Point 116

08

He said to me, "Julie will go out tonight with me."
➜ He told me that ________________.

① Julie goes out tonight with him
② Julie goes out that night with him
③ Julie will go out that night with him
④ Julie would go out that night with me
⑤ Julie would go out that night with him

09 Point 117

Jack said to me, "Have you been to DDP?"
➞ Jack asked me ______________________.

① if I had been to DDP
② if I have been to DDP
③ that I have been to DDP
④ if I have been to DDP or not
⑤ whether I have been to DDP or not

10 Point 118

He asked me when I went on a business trip.
➞ He said to me, "______________________?"

① When I went on a business trip
② When did I go on a business trip
③ When do I go on a business trip
④ When did you go on a business trip
⑤ When do you go on a business trip

11 Point 119

The zookeeper said to many children, "Don't touch the baby tiger."
➞ The zookeeper told many children, ______________________.

① not touch the baby tiger
② don't touch the baby tiger
③ not touching the baby tiger
④ not to touch the baby tiger
⑤ to not touch the baby tiger

12 Point 117
우리말을 영어로 바르게 옮긴 것은?

Jade는 나에게 경기가 재미있었는지 물었다.

① Jade told me if the game was exciting.
② Jade told me that the game is exciting.
③ Jade asked me if was the game exciting.
④ Jade asked me if the game was exciting.
⑤ Jade asked me that was the game exciting.

서술형

[13~14] 다음 표를 보고 보기 와 같이 질문에 답하시오.

Question	Jordan	Alex
Are you interested in sports?	Yes	No
Are you able to play the guitar?	No	No
How do you go to school?	by bus	by bus

보기 Jordan과 Alex는 스포츠에 관심이 있나요?
➞ Either Jordan or Alex is interested in sports.

13 Point 110
Jordan과 Alex는 기타를 연주할 수 있나요?
➞ ______________________
(neither A nor B 사용)

14 Point 110
Jordan과 Alex는 어떻게 학교에 가나요?
➞ ______________________
(not only A but also B 사용)

[15~16] 다음 대화의 밑줄 친 부분을 간접 화법으로 전환하시오.

15 Point 119

A: Watch out! Cars are coming fast.
B: Okay. Look at the sign. It says, "Don't cross the street."

➞ The sign tells us ______________________.

16 Point 118

Flight attendant: "May I help you?"
Alice: "Where can I put my bags?"

➞ Alice asked the flight attendant ______________________
______________________.

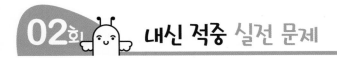

[01~02] 다음 빈칸에 들어갈 말로 알맞은 것을 고르시오.

Point 115

01

Dad told me that the sun _________ in the west.

① set ② sets
③ setting ④ has set
⑤ had set

Point 110

02

_______________ has lived in New York.

① Both Tom and Paul
② Not only Mike but also I
③ Neither I nor my friends
④ Not Amy but her parents
⑤ Either Jessica or her brother

[03~04] 다음 빈칸에 들어갈 말이 순서대로 짝지어진 것을 고르시오.

Point 111

03

• Each Lego piece _________ its own place.
• Everyone in this room _________ a name tag.

① have – have ② have – has
③ has – has ④ has – have
⑤ has – having

Point 114

04

• I expect that the Korean team _________ 1st place in the next game.
• Mom knew I _________ a bad score on the last midterm exam.

① win – get ② won – get
③ won – got ④ will win – got
⑤ will win – get

[05~06] 다음 빈칸에 들어갈 말로 알맞지 않은 것을 고르시오.

Point 113

05

_________ don't have enough time for exercise.

① The rich
② Many people
③ Many a teenager
④ Most of the people
⑤ A number of my friends

Point 112

06

Three-fifths of the milk _________ on my computer.

① is spilled ② was spilled
③ has been spilled ④ have been spilled
⑤ had been spilled

고난도 Point 115

07 다음 중 어법상 틀린 것은?

① We knew that Vienna is in Austria.
② Mr. Kim told me that Bell invented the telephone.
③ Julie said that she always exercises every morning.
④ The teacher told us that Sparta defeated Athens.
⑤ I heard that Korea had gained independence in 1945.

[08~10] 다음 문장을 화법 전환할 때, 빈칸에 들어갈 말로 알맞은 것을 고르시오.

Point 116

08

He said to me, "I will spend lots of money traveling when I turn 30."
➜ He _________ me that he would spend lots of money traveling when he turned 30.

① say ② told ③ ordered
④ asked ⑤ advised

Answer p.82

중요
Point 117

09

> Tom said to me, "Can you get useful information from the web site?"
> → Tom asked me ________ useful information from the web site.

① that I can get
② that could I get
③ if I can get
④ if could I get
⑤ if I could get

Point 118

10

> The man said to me, "Where is the nearest convenience store?"
> → The man ______________________.

① said to me where is the nearest convenience store
② asked me where is the nearest convenience store
③ said to me where the nearest convenience store was
④ asked me where the nearest convenience store was
⑤ asked me where was the nearest convenience store

Point 118

11 다음 문장에서 when이 들어가기에 알맞은 곳은?

> Alice (①) asked (②) me (③) the exit (④) closed (⑤) in Wonderland.

Point 119

12 다음 문장에서 to가 들어가기에 알맞은 곳은?

> The captain (①) told (②) us (③) fasten (④) our (⑤) seat belts.

서술형

[13~14] 다음은 선생님 말씀을 기록한 것이다. 내용을 보고 각 문장을 완성하시오.

과목	선생님 말씀
History	"General Yi defeated the Japanese Navy with only 12 ships in 1597."
Science	"The sun is 400 times bigger than the moon."

Point 115

13 The history teacher told us that ______________________.

Point 115

14 The science teacher told us that ______________________.

Point 119

15 다음 문장을 화법 전환할 때, 빈칸에 알맞은 말을 쓰시오.

The teacher said to us, "Don't use smartphones in the classroom."
→ The teacher told us ______________ in the classroom.

Point 116

16 다음 전화 대화를 보고 문장을 완성하시오.

> Mark: Hello. This is Mark. May I talk to Jane?
> Jane's mom: She is out. Would you like to leave a message?
> Mark: Yes. "I'll invite her to the party at my house."

Jane의 엄마는 Jone에게 어떻게 Mark의 말을 전하겠습니까?
→ Mark said that ______________________.

Grammar Review 핵심 정리

1 수 일치

Point

Diana and Rosa *are* vegetarians. 109

☞ 명사가 and로 묶여 주어 자리에 올 때는 복수 취급하여 복수 동사가 온다.
☞ and로 연결되어 복수 형태이지만 단일 개념으로 생각하여 단수 취급하는 것이 있다.

Either you or she has to stay here. 110

☞ either A or B / neither A nor B / not only A but also B / not A but B 구문은 B에 동사의 수를 일치시킨다.

Every boy and girl *likes* a picnic. 111

☞ 「every+단수 명사」, 「each+단수 명사」, -body, -one, -thing이 주어로 올 때에는 단수 취급한다.

Most of the land *is* covered with snow. 112

☞ 「부분표현 of+명사」에서는 of 뒤의 명사에 수를 일치시킨다.

some of + 명사 ~중 일부분	**most of + 명사** 대부분의 ~
none of + 명사 ~중 아무(것)도 …않다	**half of + 명사** 절반의 ~

Ten minutes *is* short to take a bath. 113

☞ 시간, 금액, 거리, 무게 등의 단위를 나타내는 명사는 형태가 복수일지라도 단수 취급한다.
☞ 학과명과 국가명은 형태는 복수일지라도 단수 취급한다.

2 시제 일치

I believe that my dream will come true. 114

☞ 주절의 시제가 현재일 때, 종속절에는 어떤 시제라도 올 수 있다.
☞ 주절의 시제가 과거일 때, 종속절의 시제는 주절과 같은 시제이면 과거를 쓰고, 주절보다 앞선 시제이면 과거완료 시제를 쓴다.

We learned that the moon goes around the earth. 115

☞ 현재의 습관이나 사실, 불변의 진리, 속담 격언 등은 항상 현재시제로 쓴다.
☞ 역사적 사실은 항상 과거로 쓴다.
☞ 시간 · 조건의 부사절에서는 현재시제가 미래를 대신한다.

3 화법 전환

Dad told me that he would buy me a new bike. 116

☞ 평서문의 간접 화법 전환은 「say(+that)+주어+동사」 또는 「tell+목적어(+that)+주어+동사」이다.

I asked Jake if he lived in a traditional Korean house. 117

☞ 의문사가 없는 의문문의 간접 화법 전환은 「ask(+목적어)+if[whether]+주어+동사」이다.

Emma asked me what I was doing. 118

☞ 의문사가 있는 의문문의 간접 화법 전환은 「ask(+목적어)+의문사+주어+동사」이다.

Doctors advised him to lose some weight. 119

☞ 명령문의 간접 화법 전환은 「tell/ask/advise/order+목적어+to부정사」이고, 부정 명령문은 「not+to부정사」의 형태로 만든다.

FINISH

10 minutes

마무리 10분 TEST

Lesson 01 동사의 시제

[01~04] 다음 밑줄 친 부분을 바르게 고치시오.

01 It was raining since last Sunday.

02 Have you ever gone to China before?

03 I will have being here for two years by 2019.

04 Anna felt tired because she has been walking for three hours.

[05~08] 다음 우리말과 일치하도록 괄호 안의 말을 이용하여 빈칸에 알맞은 말을 쓰시오.

05 그들은 그날 이후로 말을 하지 않는다. (talk)

They ______________ since that day.

06 그는 부산으로 이사 가기 전에 제주에서 살았다. (live)

He ______________ in Jeju before he moved to Busan.

07 그녀는 다음 주까지는 자신의 차를 수리할 것이다. (repair)

She ______________ her car by next week.

08 당신은 전에 이 프로그램을 사용해 본 적이 있습니까? (use)

________ ________ ever ________ this program before?

[09~12] 다음 두 문장을 한 문장으로 바꿀 때 빈칸에 알맞은 말을 쓰시오.

09 The radio was off a minute ago. But it's on now.

→ Someone ________ just ________ on the radio.

10 It started snowing the day before yesterday. It's still snowing now.

→ It ________ ________ ________ for three days.

11 I got to school. The class already started.

→ When I got to school, the class ________ ________ ________.

12 It began to rain six days ago. It will rain tomorrow as well.

→ It ________ ________ ________ for a week by tomorrow.

[13~16] 다음 괄호 안의 단어를 빈칸에 알맞은 형태로 쓰시오.

Answer p.85

13 They ________ Thailand twice in 2010. (visit)

14 I have ________ music since middle school. (write)

15 My mom ________ ________ Korean for 25 years when she retired. (teach)

16 She ________ ________ ________ the movie three times if she sees it tomorrow. (see)

[17~20] 다음 주어진 문장을 지시에 맞게 바꿔 쓰시오.

17 He has cleaned his room. (의문문으로)

→ ________________________________

18 Lisa has found her smartphone. (부정문으로)

→ ________________________________

19 He was unhealthy before he started to exercise. (과거완료 문장으로)

→ ________________________________

20 James was watching TV before I called him. (과거완료진행형 문장으로)

→ ________________________________

[21~25] 다음 우리말과 일치하도록 괄호 안의 말을 바르게 배열하시오.

21 그 기차는 방금 역을 떠났다. (left, has, the station, just)

The train ________________________________.

22 당신은 포항에 산 지 얼마나 되었나요? (have, in Pohang, long, been, you)

How ________________________________?

23 우리는 7시까지는 방을 청소할 것이다. (cleaned, have, will, our room, we)

________________________________ by seven o'clock.

24 나는 남동생과 함께 이미 저녁을 먹었다. (dinner, had, already, my brother, have, with)

I ________________________________.

25 그녀가 공항에 도착했을 때 비행기는 이미 이륙한 뒤였다. (when, had, she, already, off, arrived, taken)

The plane ________________________________ at the airport.

Lesson 02 조동사

[01~05] 다음 밑줄 친 부분에 유의하여 우리말로 해석하시오.

01 I can't go camping.

02 You must not cheat on exams.

03 It must have snowed last night.

04 We would rather stay at home.

05 You had better not be late again.

[06~09] 우리말과 일치하도록 괄호 안의 말을 이용하여 빈칸에 알맞은 형태로 쓰시오.

06 우리는 수업 전에 저녁을 먹는 편이 좋다. (have)
We ________ ________ ________ ________ dinner before the class.

07 그는 배가 고픈 것이 틀림없다. (hungry)
He ________ ________ ________.

08 너는 수업 중에 먹지 말았어야 했다. (eat)
You ________ ________ ________ ________ in class.

09 나는 꽃들을 사는 것보다 만드는 게 좋겠다. (make)
I ________ ________ ________ flowers than buy them.

[10~13] 우리말과 일치하도록 빈칸에 알맞은 말을 쓰시오.

10 그가 어제 그 건물에 왔을 리가 없다.
He ________ have come to the building yesterday.

11 너는 기회를 놓치지 않는 것이 낫다.
You ________ ________ ________ miss an opportunity.

12 너는 더 일찍 떠났어야 했다.
You ________ ________ left earlier.

13 그녀는 너를 만날 필요가 없다.
She ________ ________ ________ meet you.

[14~17] 다음 밑줄 친 부분을 바르게 고치시오.

Answer p.85

14 Mary <u>would</u> live in Seoul, but now she lives in Incheon.

15 It cannot <u>has</u> rained a lot last night.

16 I <u>would not rather</u> buy the red dress.

17 He <u>don't have to</u> write it down.

[18~21] 다음 두 문장이 같은 뜻이 되도록 할 때, 빈칸에 알맞은 말을 쓰시오. (단, 조동사를 이용할 것)

18 I can't find my bag. Perhaps I left it at the office.
= I ________ ________ ________ my bag at the office.

19 You didn't study English so you got bad grade on the test.
= You ________ ________ ________ English.

20 I think you should brush your teeth before you go to bed.
= You ________ ________ ________ your teeth before you go to bed.

21 She had to be more careful, but she wasn't.
= She ________ ________ ________ more careful.

[22~25] 다음 우리말과 일치하도록 괄호 안의 말을 바르게 배열하시오.

22 너는 지금 방을 청소하지 않는 게 좋겠다. (clean, better, had, not)
You ______________________________ your room now.

23 내가 그런 실수를 했을 리가 없다. (a mistake, have, such, can't, made)
I ______________________________.

24 너는 지금 집에 가는 게 낫겠다. (home, well, go, as, may)
You ______________________________ now.

25 그는 내일까지 숙제를 해야 한다. (homework, do, tomorrow, his, should, by)
He ______________________________.

Lesson 03 수동태

[01~04] 다음 밑줄 친 부분을 바르게 고치시오.

01 My son was not allowed <u>play</u> computer games by me.

02 His pictures were shown <u>for</u> me by him.

03 Australia is known <u>to</u> kangaroos.

04 All her worries will <u>be disappeared</u>.

[05~08] 다음 우리말과 일치하도록 괄호 안의 말을 이용하여 빈칸에 알맞은 말을 쓰시오.

05 Mark가 춤을 추고 있는 것이 우리에게 보였다. (dance)

Mark ________ ________ ________ by us.

06 그녀의 가방은 그녀의 옷으로 가득 차 있었다. (fill)

Her bag ________ ________ ________ her clothes.

07 그 책은 방금 출간된 것이다. (publish)

The book has just ________ ________.

08 그것은 차갑게 먹을 수 있다. (can, eat)

It ________ ________ ________ cold.

[09~12] 다음 우리말과 일치하도록 보기 에서 골라 빈칸에 알맞은 형태로 쓰시오.

보기	destroy	arrest	serve	appear

09 낯선 사람이 모퉁이에 나타났다.

A stranger ________ around the corner.

10 점심은 매일 1시에 제공된다.

Lunch ________ at 1 o'clock every day.

11 이 숲은 몇몇 사람들에 의해 파괴되고 있다.

This forest ________ by some people.

12 강도가 경찰에 체포되었다.

The robber has ________ by the policeman.

[13~17] 다음 문장에서 틀린 부분을 바르게 고치시오.

Answer p.85

13 This coupon should present to the boy to get a discount.

14 The government is believed that be responsible.

15 The rabbits are taken care by my sister.

16 All musicians were surprised about the responses from the audience.

17 Many students are made wear their school uniforms.

[18~21] 다음 주어진 문장을 수동태로 바꿔 쓰시오.

18 People say that he is a famous actor.
→ He ______________________.

19 My grandfather gave me some popular books.
→ Some popular books ______________________.

20 She made me sign the paper.
→ ______________________.

21 She heard the baby crying at night.
→ ______________________.

[22~25] 다음 우리말과 일치하도록 괄호 안의 말을 바르게 배열하시오.

22 Molly는 내게 빨간 장갑을 사주었다. (me, bought, for, were)
The red gloves ______________ by Molly.

23 그 선생님은 50살이 넘으셨다고 생각된다. (that, is, it, thought)
______________ the teacher is over 50 years.

24 그는 나에 의해 천재라고 불린다. (genius, called, is, a)
He ______________ by me.

25 역사는 모든 사람들에 의해 배워져야 한다. (by, be, must, learned)
History ______________ all the people.

Lesson 04 to부정사

[01~04] 다음 밑줄 친 부분을 바르게 고치시오.

01 He seems to be <u>look</u> at me.

02 I was sad <u>miss</u> another opportunity.

03 She did her best <u>to not lose</u> the contest.

04 It is necessary <u>of you</u> to read a newspaper.

[05~08] 다음 우리말과 일치하도록 괄호 안의 말을 이용하여 빈칸에 알맞은 말을 쓰시오.

05 그녀에게는 수선되어야 할 드레스가 있다. (repair)
She has a dress ______________________.

06 말하자면, Louis가 내 남편이다. (speak)
______________________, Louis is my husband.

07 이 책은 1900년에 쓰인 것 같다. (write)
This book seems ______________________ in 1900.

08 그는 내게 약 한 시간 동안 누워서 쉬도록 했다. (lie, relax)
He made me ______________________ for about an hour.

[09~12] 다음 괄호 안의 단어를 빈칸에 알맞은 형태로 쓰시오. (단, 고칠 필요 없으면 그대로 쓸 것)

09 He wanted her __________ the bill. (pay)

10 I watched the soldiers __________ in rows. (stand)

11 Strange __________, I don't like to meet people. (say)

12 We should recycle waste __________ the Earth. (save)

[13~16] 다음 문장에서 틀린 부분을 바르게 고치시오.

Answer p.86

13 It was rude for her not to say sorry.

14 Begin with, you should follow these rules.

15 Can I borrow a mechanical pencil to write?

16 There seemed being many birds in the garden.

[17~20] 다음 두 문장이 같은 뜻이 되도록 할 때, 빈칸에 알맞은 말을 쓰시오.

17 It seems that the thief stole something at the store.
= The thief seems ______________________________.

18 No one was able to be seen in the dark street.
= No one was ______________________________.

19 I asked my mother what I should buy for her birthday.
= I asked my mother what ______________________________.

20 She skips breakfast and it is not good.
= It is not good ______________________________.

[21~25] 다음 우리말과 일치하도록 괄호 안의 말을 바르게 배열하시오.

21 냉장고 안에 먹을 것이 아무것도 없다. (to, in, nothing, eat, the refrigerator)
There is ____.

22 그 남자는 젊었을 때 시인이었던 것 같다. (when, to, a poet, have, young, been)
The man seems ____.

23 이 아기는 부모님에 의해 보살핌을 받을 필요가 있다. (taken, by, to, be, care of, her parents)
This baby needs ____.

24 저 동물들은 파도가 그들에게 다가오는 것을 볼 수 있다. (them, the wave, toward, see, coming)
Those animals can ____.

25 나는 다른 문화에 관해 배우는 것이 흥미롭다는 것을 알았다. (interesting, about, it, learn, other cultures, to)
I found ____.

Lesson 05 동명사

[01~04] 다음 밑줄 친 부분을 바르게 고치시오.

01 I practiced to play badminton every day.

02 He was worried about make a speech.

03 I'm looking forward to go on a picnic.

04 She gave up to climb to the top of the mountain.

[05~09] 다음 우리말과 일치하도록 괄호 안의 말을 이용하여 빈칸에 알맞은 말을 쓰시오.

05 나는 오늘 밤 밖에 나가고 싶지 않다. (feel)
I don't ________ ________ ________ out tonight.

06 오늘의 토론 주제는 논의할 만한 가치가 있다. (discuss)
Today's topic of debate ________ ________ ________.

07 그는 항상 일요일에 쇼핑하러 가는 것을 피한다. (go)
He always avoids ________ ________ on Sunday.

08 나는 당신이 여기에서 기타를 연습하는 것을 신경 쓰지 않는다. (practice)
I don't mind ________ ________ the guitar here.

09 그녀는 만화 그리기를 잘한다. (draw)
She is ________ ________ ________ cartoons.

[10~13] 다음 우리말과 일치하도록 빈칸에 알맞은 말을 쓰시오.

10 나는 일하는 것을 멈추고 휴식을 취했다.
I stopped ________ and took a break.

11 그녀는 내 생일파티에서 너를 만났던 것을 기억하고 있다.
She remembers ________ you at my birthday party.

12 네가 우산을 가져오는 것을 잊지 마라.
Don't forget ________ ________ an umbrella with you.

13 내가 여기에 머물러도 될까요?
Do you mind ________ ________ here?

[14~17] 다음 문장에서 틀린 부분을 바르게 고치시오.

Answer p.86

14 He went hike last Saturday.

15 I imagined to meet the famous actor in person.

16 He thanked me for bring him a watch.

17 He hated being treating like a fool.

[18~21] 다음 주어진 문장을 동명사를 사용하여 바꿔 쓰시오.

18 As soon as she heard the news, she began to cry.

→ ______________________

19 It is useless to worry about it.

→ ______________________

20 It is important to keep the promise.

→ ______________________

21 I am sure that he is honest.

→ ______________________

[22~25] 다음 우리말과 일치하도록 괄호 안의 말을 바르게 배열하시오.

22 밤늦게 자는 것은 건강에 나쁘다. (late, is, for, sleeping, bad, at night)

______________________ your health.

23 나는 그와 악수했던 것을 절대 잊지 않을 것이다. (with, hands, forget, him, shaking)

I will never ______________________.

24 나는 분실한 지갑을 찾느라 바빴다. (lost, busy, wallet, the, looking for)

I was ______________________.

25 너의 질문에 대답해주지 못해 미안하다. (not, question, answering, for, your)

I'm sorry ______________________.

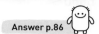

Lesson 06

분사구문

[01~04] 다음 밑줄 친 부분을 바르게 고치시오.

01 Spoken of his dishes, it is very sweet.

02 Frustrating by his poor grades, he wanted to cry.

03 She didn't say anything with her mouth closing.

04 Travel around the world, she kept taking pictures of her visits.

[05~09] 다음 우리말과 일치하도록 할 때, 빈칸에 알맞은 말을 쓰시오.

05 일반적으로 말해서, 아이들은 매운 음식을 좋아하지 않는다.
_______________, children don't like spicy food.

06 그의 체중을 고려하면, 그는 잘 먹지 않는다.
_______________ his weight, he didn't eat well.

07 내 경험으로 판단하건데, 영국으로 가는 것이 현명하다.
_______________ my experience, it is wise to go to England.

08 솔직히 말해서, 나는 약간의 체중을 빼야 한다.
_______________, I have to lose some weight.

09 엄격히 말해서, 그것은 네 잘못이다.
_______________, it's your fault.

[10~14] 다음 분사구문을 부사절로 바꿔 쓰시오.

10 It being hot, I drank a glass of cold water.
→ _______________, I drank a glass of cold water.

11 Crossing the road, you will find the bakery.
→ _______________, you will find the bakery.

12 Not hearing the siren, I couldn't escape from the fire.
→ _______________, I couldn't escape from the fire.

13 Not having been awarded, he feels confident.
→ _______________, he feels confident.

[14~17] 다음 문장에서 틀린 부분을 바르게 고치시오. (틀린 부분이 없으면 × 표시) Answer p.86

14 Having had breakfast, they continued their trip.

15 Strictly spoken, this is not a magazine.

16 Knowing the truth, I could be relieved.

17 Comparing with other friends, Tom is very generous.

[18~21] 다음 부사절을 분사구문으로 바꿔 쓰시오. (단, 접속사는 생략)

18 After I came back home, I watered the plants.
→ ______________________, I watered the plants.

19 When he arrived at the library, he called me.
→ ______________________, he called me.

20 Because it got darker, I decided to take a taxi.
→ ______________________, I decided to take a taxi.

21 As I didn't know his number, I couldn't call him.
→ ______________________, I couldn't call him.

[22~25] 다음 우리말과 일치하도록 괄호 안의 말을 바르게 배열하시오.

22 그의 억양으로 판단하건데, 그는 부산 출신이다. (from, accent, judging, his)
______________________, he is from Busan.

23 그녀는 다리를 꼰 채 껌을 씹고 있었다. (crossed, with, legs, her)
She was chewing gum ______________________.

24 독일어로 쓰여 있어서, 그 설명서는 이해하기가 어렵다. (German, written, being, in)
______________________, the instruction is hard to understand.

25 그는 요리하는 법을 몰라서 종종 외식을 한다. (cook, knowing, to, not, how)
______________________, he often eats out.

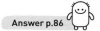

관계사

[01~04] 다음 밑줄 친 부분을 바르게 고치시오.

01 Do you have a hat what is pink?

02 I loved the tree which standing next to the house.

03 This is the house in where I spent my childhood.

04 I don't understand the reason how I have to do this.

[05~08] 다음 우리말과 일치하도록 빈칸에 알맞은 말을 쓰시오.

05 당신이 원하는 곳 아무데나 가방을 두시면 됩니다.
You may leave your bag ___________ you want.

06 많은 아이들은 무엇이든 자신들이 좋아하는 일을 한다.
Many children do ___________ they like.

07 영국은 내가 대학원을 다닌 나라이다.
England is the country ___________ I went to graduate school.

08 난 만점을 받은 날을 잊을 수가 없다.
I can't forget the day ___________ I got a perfect score.

[09~12] 다음 두 문장이 같은 뜻이 되도록 할 때, 빈칸에 알맞은 말을 쓰시오.

09 Whichever pants you choose, he'll buy them for you.
= ___________ ___________ ___________ pants you choose, he'll buy them for you.

10 He is not interested in whatever I say.
= He is not interested in ___________ ___________ I say.

11 My grandmother gives me money, whenever I visit her.
= My grandmother gives me money, ___________ ___________ ___________ ___________ I visit her.

12 This is the hospital where I was born.
= This is the hospital ___________ ___________ I was born.

[13~16] 다음 빈칸에 알맞은 말을 쓰시오.

Answer p.86

13 I showed my friends the pictures __________ I draw yesterday.

14 She found the old coins in __________ I was interested.

15 I bought a lamp, __________ doesn't work.

16 Ramen is the only food __________ I can cook.

[17~21] 다음 두 문장을 관계대명사 또는 관계부사를 이용하여 한 문장으로 바꿔 쓰시오.

17 We moved here in 2001. Our son was born at that time.

→ ______________________________

18 There is a park. Some concerts are held in the park on Sunday.

→ ______________________________

19 The Persian cat looks cute. Its eyes are big.

→ ______________________________

20 There is a store. It sells fresh fruits.

→ ______________________________

21 She is a singer. Everyone knows her.

→ ______________________________

[22~25] 다음 우리말과 일치하도록 괄호 안의 말을 바르게 배열하시오.

22 아무리 춥더라도, 나는 밖에서 놀 것이다. (it, matter, cold, is, no, how)

______________________________, I am going to play outside.

23 네가 지난 금요일에 산 그 가방은 너무 비쌌다. (you, which, the, bag, bought)

______________________________ last Friday was too expensive.

24 그녀는 숲에 갔고, 거기서 그녀는 사진을 찍었다. (a, picture, she, took, where)

She went to the forest, ______________________________.

25 너는 그들이 말한 규칙을 이해할 수 있니? (they, that, the, rule, said)

Can you understand ______________________________?

접속사

[01~04] 다음 괄호 안에서 알맞은 말을 고르시오.

01 Not only Jason (and, but) also his father likes basketball.

02 April came into my room (since, when) I was talking on the phone.

03 Neither a bus (or, nor) the subway is available from the station at midnight.

04 It was (so, such) a wonderful story that it touched everyone in the lecture hall.

[05~08] 다음 우리말과 일치하도록 빈칸에 알맞은 말을 쓰시오.

05 Emma는 천재이거나 바보임이 틀림없다.
Emma must be either a genius ____________ an idiot.

06 나는 끝내 집에 돌아가기로 결정하기 전까지 계속 그를 기다렸다.
I kept waiting for him ____________ I finally decided to go back home.

07 대부분의 사람들은 Kevin이 예의 바른 사람이라고 생각했다.
Most people thought ____________ Kevin was a well-mannered person.

08 그녀가 노래를 끝내자마자 나는 환호하며 박수를 쳤다.
____________ ____________ ____________ she finished singing, I cheered and clapped.

[09~12] 다음 두 문장이 같은 뜻이 되도록 할 때, 빈칸에 알맞은 말을 쓰시오.

09 If you don't stop eating like that, you'll get fat.
= ____________ you stop eating like that, you'll get fat.

10 She was so weak that she couldn't do farm work.
= She was ____________ weak ____________ do farm work.

11 Not only Ann but also Julie wants to buy a silk dress.
= Julie ____________ ____________ ____________ Ann wants to buy a silk dress.

12 I went to the window to see the full moon.
= I went to the window ____________ ____________ I could see the full moon.

[13~16] 다음 문장에서 틀린 부분을 바르게 고치시오.

Answer p.87

13 I'd like to stay not Rome but in London.

14 Fast food is unhealthy because of it has too much trans fat.

15 Check your report once more although you hand it in to your teacher.

16 It was such big problem that my family members were concerned about it.

[17~21] 다음 우리말과 일치하도록 괄호 안의 말을 바르게 배열하시오.

17 너는 식사를 하는 동안 말 한 마디 하지 않는구나.
(a word, are having, you, while, don't speak, a meal)
You ______________________.

18 우리 아빠는 내게 화가 나셨지만 내 의견을 경청하셨다.
(though, listened to, he, was angry, my opinion, with me)
My dad ______________________.

19 너는 대학원에 진학할지 취직할지 결정했니?
(graduate school, to, whether, will go, a job, or, decided, you, get)
Have you ______________________?

20 나는 공원이 아니라 도서관에 갔다. (the library, to, but, went, the park, to, not)
I ______________________.

21 그 아기는 엄마가 자신을 안아 주기 전까지 계속 울었다. (her mother, until, kept crying, her, hugged)
The baby ______________________.

[22~25] 다음 우리말과 일치하도록 괄호 안의 말을 이용하여 빈칸에 알맞은 말을 쓰시오.

22 파르테논 신전은 크고 아름답다. (both, huge)
The Parthenon is ______________.

23 그는 잠을 푹 자기 위해 목욕을 했다. (so, could)
He took a bath ______________ sleep well.

24 그 책은 너무 어려워서 Anna가 읽을 수 없었다. (too, difficult)
The book was ________ ________ for Anna ________ ________.

25 학생들뿐만 아니라 교사들도 봄 방학을 기다리고 있다. (as, the students)
The teachers ______________ are waiting for spring vacation.

Lesson 09 비교 구문

[01~04] 다음 괄호 안에서 알맞은 말을 고르시오.

01 Silk is (very, much) softer than cotton.

02 That dress is as (simple, simpler) as mine.

03 Soccer is (popular, more popular) than any other sport in Europe.

04 My sister always plays smartphone games for as long as she (can, could)

[05~08] 다음 우리말과 일치하도록 괄호 안의 말을 이용하여 빈칸에 알맞은 말을 쓰시오.

05 농구는 우리 반에서 가장 인기 있는 운동이다. (popular, sport)
Basketball is ______________ in our class.

06 그녀는 가능한 천천히 문제를 풀었다. (slowly, possible)
She solved the problem ______________.

07 Bill은 세계에서 가장 부자들 중 하나이다. (one, rich, people)
Bill is ______________ in the world.

08 어떤 다른 금속도 철보다 더 유용하지 않다. (metal, useful)
No other ______________ than iron.

[09~12] 다음 두 문장이 같은 뜻이 되도록 할 때, 빈칸에 알맞은 말을 쓰시오.

09 The green tower is not so old as the brown one.
= The brown tower is ______________ the green tower.

10 As you walk more, you will be able to walk faster.
= ________ you walk, ________ you will be able to walk.

11 Ron is the cutest boy in our town.
= Ron is ________ than any ________ in our town.

12 Nothing is more precious than time.
= Time is the ______________ thing.

[13~17] 다음 밑줄 친 부분을 바르게 고치시오.

Answer p.87

13 The <u>much</u> you practice, the better you will become.

14 Please call the ambulance as soon <u>than</u> possible.

15 Jeju is <u>more</u> beautiful island that I've ever visited.

16 Messi is one of the best soccer <u>player</u> in the world.

17 Your sister bought twice as <u>more</u> apples as I did.

[18~21] 다음 괄호 안의 단어를 빈칸에 알맞은 형태로 쓰시오.

18 No girl in her class was as ____________ as Nancy. (wise)

19 Joe plays the flute ____________ than any other boy on the team. (well)

20 Grapes are not so ____________ as lemons. (sour)

21 This is the ____________ moment that I've ever seen. (impressive)

[22~25] 다음 괄호 안의 말을 바르게 배열하시오.

22 ______________________________ after you cook it.
(as, as, soon, eat, the dish, possible)

23 This is ______________________________ in this city.
(one, the, hotels, of, coziest)

24 As soon as I met him, my heart beat ______________________________.
(faster, faster, and)

25 America is about ______________________________ Korea.
(as, 10 times, large, as)

Lesson 10 가정법

[01~04] 다음 밑줄 친 부분을 바르게 고치시오.

01 Has we looked at the picture, we would have bought it.

02 It were not for an oxygen tank, we could not breathe in the sea.

03 She acted as though she already forgets him. In fact, she hadn't forgotten him.

04 If I had not gained weight during the last summer vacation, I could have worn this skirt now.

[05~08] 다음 주어진 문장을 가정법을 이용하여 바꿀 때, 빈칸에 알맞은 말을 쓰시오.

05 I don't have a credit card, so I can't pay for the shirt.
→ If I __________ a credit card, I __________ __________ for the shirt.

06 In fact, she doesn't know the password to get into the file.
→ She speaks as if ______________________________.

07 I'm sorry I am not brave enough to ask him more questions.
→ I wish ______________________________.

08 We didn't leave earlier, so we couldn't enter the art museum.
→ If we __________ __________ earlier, we __________ __________ __________ the art museum.

[09~12] 다음 두 문장이 같은 뜻이 되도록 할 때, 빈칸에 알맞은 말을 쓰시오.

09 But for your hard work, you wouldn't improve.
= If ____________________, you wouldn't improve.

10 Without his help, I wouldn't have got on the train.
= If ____________________, I wouldn't have got on the train.

11 But for the traffic jam, we would arrive before showtime.
= Were ____________________, we would arrive before showtime.

12 Because of his coaching, she got the highest score in the game.
= Had ____________________, she couldn't have got the highest score in the game.

[13~16] 다음 글의 흐름에 맞도록 빈칸에 알맞은 말을 쓰시오.

Answer p.87

13 He acts as if he __________ me. In fact, he doesn't know me.

14 His skin turned pale as if he __________ __________. In fact, he was not sick.

15 She looked as though she __________ __________ __________ anything. In fact, she ate something.

16 I feel as if I __________ __________ the man on TV before. In fact, I've never seen him before.

[17~20] 다음 괄호 안의 말을 바르게 배열하시오.

17 I wish __________. (when, I, these skills, learned, younger, had)

18 Jake acts as though __________________. (of a store, had, he, a boss, been)

19 __________________, I would not overcome the difficulties. (were, it, for, her advice, if, not)

20 __________________ last Sunday, it would have been the fourth victory in a row for us. (the game, had, we, against the Saints, won)

[21~25] 다음 우리말과 일치하도록 괄호 안의 말을 이용하여 빈칸에 알맞은 말을 쓰시오.

21 그녀는 마치 죄가 없는 것처럼 행동한다. (be, guilty)
She acts as if __________________.

22 만약 춤이 없다면 나의 인생은 지루할 텐데. (for, dance)
If __________________, my life would be dull.

23 내가 프로 야구 선수라면 좋을 텐데. (be, professional baseball player)
I wish __________________________.

24 만약 내가 어젯밤에 어머니에게 사실을 털어 놓았다면 지금 마음이 편할 텐데. (tell, truth)
If __________________, I would feel comfortable now.

25 그가 젊었을 때 운동을 더 많이 했다면 좋았을 텐데. (exercise more, when young)
I wish __________________.

Lesson 11 특수 구문

[01~04] 다음 괄호 안의 지시에 따라 밑줄 친 부분을 강조하는 문장을 만드시오.

01 Travel makes me feel relaxed. (It ~ that 구문으로)

→ ______________________________

02 They stopped playing smartphone games. (It ~ that 구문으로)

→ ______________________________

03 She has to clean her room right now. (It ~ that 구문으로)

→ ______________________________

04 I enjoyed the party at your home. (do 사용하여)

→ ______________________________

[05~08] 다음 밑줄 친 부분에서 생략 가능한 부분을 생략하여 문장을 다시 쓰시오.

05 Though I was poor, I was always satisfied with my life.

→ ______________________________

06 To some life is pleasure, to others life is suffering.

→ ______________________________

07 I told him not to open the box, but he wanted to open the box.

→ ______________________________

08 Mom bought a nice dishes and Dad bought a pretty cup.

→ ______________________________

[09~12] 주어진 어구로 시작하여 문장을 다시 쓸 때 빈칸에 알맞은 말을 쓰시오.

09 I never visited my country again.

→ Never ______________ my country again.

10 A ring was inside the box.

→ Inside the box ______________.

11 We can scarcely see these birds in the city.

→ Scarcely ______________ these birds in the city.

12 The rain came down heavily.

→ Down ______________ heavily.

[13~17] 다음 밑줄 친 부분을 바르게 고치시오.

Answer p.88

13 Little I will pay for my new suit.

14 I don't have a mountain bike, and so does my son.

15 Never I thought that I would be a doctor.

16 Over the rainbow flew it.

17 I have not seldom seen such a beautiful view.

[18~21] 다음 밑줄 친 부분에 생략된 어구를 찾아 문장을 다시 쓰시오.

18 While walking, she met an old friend of hers.

→ ______________________________

19 Though old, he has a lot of energy and strength.

→ ______________________________

20 I didn't like to drive a car, but I had to.

→ ______________________________

21 I will come back in two days or three.

→ ______________________________

[22~25] 다음 우리말과 일치하도록 빈칸에 알맞은 말을 쓰시오.

22 그들 중 누구도 축구 클럽에 가입하지 않을 것이다.

______________ will join the soccer club.

23 그녀가 항상 친절한 것은 아니다.

She is ______________ kind.

24 경기장에서 많은 선수들이 달려 나왔다.

Out of the stadium ______________.

25 나는 음악회를 즐겼고, 그녀도 그랬다.

I enjoyed the concert, and ______________ she.

Lesson 12

일치와 화법

[01~04] 다음 괄호 안에서 알맞은 말을 고르시오.

01 Mathematics (is, are) my favorite subject.

02 Bread and butter (is, are) his usual breakfast.

03 Half of the students in the class (is, are) girls.

04 Everything (is, are) ready for the party.

[05~08] 다음 괄호 안의 단어를 빈칸에 알맞은 형태로 쓰시오.

05 He didn't know that Senegal ___________ in Africa. (be)

06 Unless you ___________ there early, you cannot get good seats. (get)

07 She learned that the Independent War ___________ out in 1775. (break)

08 When he ___________ home, he is going to watch the World Cup game. (come)

[09~12] 다음 밑줄 친 부분을 괄호 안의 말로 바꿀 때, 빈칸에 알맞은 말을 쓰시오. (동일 시제 사용)

09 All students at my school walk to school. (Every)
_______________________________________ to school.

10 Most of my pocket money was stolen on the bus. (my expensive books)
_______________________________________ stolen on the bus.

11 Not only Bill but also his brother is playing volleyball. (Both A and B)
_______________________________________ playing volleyball.

12 Some of this money is yours. (these toys)
_______________________________________ yours.

[13~17] 다음 밑줄 친 부분을 바르게 고치시오.

Answer p.88

13 He asked me if he <u>can</u> meet the idol star.

14 She told me that her sister <u>go would</u> to school the following day.

15 Kevin told me that Jupiter <u>was</u> the largest planet in the solar system.

16 I asked Paul whether he <u>finishes</u> his homework.

17 Tyler advised Suji <u>to not speak</u> fast.

[18~21] 다음 문장을 간접 화법으로 전환할 때, 빈칸에 알맞은 말을 쓰시오.

18 He said to me, "Can you recognize the letters on the paper?"
→ He asked me ________________ the letters on the paper.

19 I said to Mom, "Why did you buy this table?"
→ I asked Mom ________________ table.

20 My girlfriend said, "May I use your pen?"
→ My girlfriend asked ________________ pen.

21 The teacher said to the students, "Don't speak in class."
→ The teacher told the students ________________ in class.

[22~25] 다음 문장을 직접 화법으로 전환할 때, 빈칸에 알맞은 말을 쓰시오.

22 Mom told me that the bottle was recycled.
→ Mom said to me, "________________ recycled."

23 The doctor advised me to take that medicine every morning.
→ The doctor said to me, "________________ every morning."

24 Dad told me not to cross the street.
→ Dad said to me, "________________ the street."

25 Jane told me that she had seen a strange flying object.
→ Jane said to me, "________________ a strange flying object."

Memo

Memo

숨마 주니어®

119 개 대표 문장으로 끝내는

중학 영문법 MANUAL 119

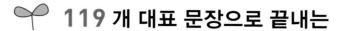

3

중학 3학년 영어 교과서 **핵심 문법** 119개 30일 **완성**!!

총 2,000여 개 문항 3단계 반복 학습으로 **기초 탄탄! 내신 만점!**

SUB NOTE 정답 및 해설

상위권 선호도 1위 브랜드 숨마 주니어® 새교육과정 자기주도 학습서

숨마 주니어®

119 개 대표 문장으로 끝내는

중학 영문법 MANUAL

중학3학년 영어 교과서 **핵심 문법** 119개 30일 **완성!!**

총 2,000여 **개 문항** 3단계 반복 학습으로 **기초 탄탄! 내신 만점!**

3

SUB NOTE 정답 및 해설

Lesson 01 | 동사의 시제

Point 001 현재완료의 용법 (경험, 완료)

본문 14쪽

STEP 1

1 그녀의 생일은 이미 지났다.
2 나는 중국에 두 번 가 봤다.
3 그녀는 전에 길에서 그를 만난 적이 있다.
4 Max는 우리를 위한 요리를 방금 마쳤다.
5 그는 자신의 영어 이름을 세 번 바꾸었다.

STEP 2

1 have, read　　2 have talked
3 have, seen　　4 has, closed

STEP 3 ③

• 나는 한 번도 배를 타고 여행해 본 적이 없다.
• 그는 이미 공항에 도착했다.

STEP 3

A: 너는 그녀를 알고 있니?
B: 응, 나는 전에 그녀를 본 적이 있어.

과거부터 현재까지의 경험을 나타낼 때, 동사를 현재완료 「have/has+p.p.」 형태로 쓴다. 부사 before는 경험을 나타내는 현재완료와 어울린다.

Point 002 현재완료의 용법 (계속, 결과)

본문 15쪽

STEP 1

1 since　2 has lost　3 has gone
4 has been　5 has worked

STEP 2

1 has gone to　2 have lost
3 has been, for　4 have dated, since

STEP 3 ③

• 그는 2010년 이후부터 영어를 가르쳐 왔다.
• 그녀는 런던으로 떠났다. (그 결과 지금 여기에 없다.)

STEP 1

1 그들은 작년부터 세 마리의 개를 키워 왔다.
2 그는 여행 중에 자신의 새 시계를 잃어버렸다.
3 그녀는 서울로 가버렸다. 그녀는 여기에 없다.
4 내가 초등학교를 졸업한 이후에 2년이 지났다.
5 그는 7년 동안 도서관에서 일해 왔다.

STEP 2

1 이 선생님은 베트남에 갔다. 그는 더 이상 여기에 없다.
→ 이 선생님은 베트남에 가버렸다.
2 나는 신분증을 잃어버렸다. 나는 그것을 어디에서도 찾을 수 없다.
→ 나는 신분증을 잃어버렸다.
3 Jay는 2주 전에 호텔에 투숙했다. 그는 여전히 호텔에 있다.
→ Jay는 2주 동안 호텔에 머물러 왔다.
4 나는 지난 5월에 Dave와 데이트를 하기 시작했다. 나는 여전히 그와 데이트를 하고 있다.
→ 나는 지난 5월 이후부터 Dave와 데이트를 해왔다.

STEP 3

보기 그는 어린 시절부터 나를 알고 지내 왔다.
① 나는 방금 TV를 껐다.
② 그는 이미 회의를 취소했다.
③ 그녀는 2년 동안 요가를 배워 왔다.
④ 그들은 중국에 몇 번 방문한 적이 있다.
⑤ 그는 자신의 가족과 일본으로 왔다.

보기와 ③은 계속을 나타내는 현재완료 문장이다. ①, ②는 완료, ④는 경험, ⑤는 결과를 나타낸다.

Point 003 현재완료의 부정문과 의문문

본문 16쪽

STEP 1

1 made　2 did you buy　3 hasn't
4 hasn't　5 have never used

STEP 2

1 haven't played　2 have read　3 have, been
4 haven't heard　5 Have, completed

STEP 3 ④

• 그는 아직도 내게 돈을 갚지 않았다.
• A: 너는 멕시코 음식을 먹어 본 적이 있니?
B: 응, 먹어 봤어. / 아니, 먹어 본 적이 없어.
• A: 너는 어디에 있었니?
B: 나는 공원에 있었어.

STEP 1

1 너는 돌아가기로 결심했니?
2 너는 이 소파를 언제 샀니?
3 오랫동안 비가 오지 않았다.
4 그는 어젯밤 이후로 아무것도 먹지 않았다.
5 나는 전에 스마트폰을 사용해 본 적이 한 번도 없다.

STEP 2

1 A: 너는 바이올린을 연주할 수 있니?
B: 응, 하지만 최근에는 연주하지 않았어.
2 A: 너는 최근에 무슨 책을 읽었니?
B: 나는 'Jane Eyre'와 'Holes'를 읽었어.
3 A: 요즘 어떻게 지내니?
B: 난 잘 지내지. 너는 어때?
4 A: 너는 왜 그녀를 싫어하니?
B: 왜냐하면 나는 그녀가 누군가를 좋게 말하는 것을 들어 본 적이 없기 때문이야.
5 A: 너는 음악 보고서를 완성했니?
B: 아니, 못 했어.

STEP 3

A: 너는 케밥을 먹어 본 적이 있니?
B: 응. 먹어 본 적 있어.
① 너는 케밥을 먹니?
② 너는 케밥을 먹을 수 있니?
③ 너는 케밥을 먹었니?
⑤ 너는 케밥을 먹을 거니?

B가 "Yes, I have."라고 대답한 것으로 보아, A의 말은 현재완료 의문문 「Have you p.p.~?」 형태임을 알 수 있다.

Point 004 과거시제 vs. 현재완료

본문 17쪽

STEP 1

1 called 2 finished 3 haven't read
4 did you go 5 has joined

STEP 2

1 did, do 2 have studied 3 went
4 hasn't said 5 ran

STEP 3 ②

• Bell은 1874년에 전화기를 발명했다.
• 봄이 왔다.

STEP 1

1 Mike는 방금 전에 내게 전화했다.
2 우리는 5분 전에 그 일을 끝냈다.
3 나는 지난 월요일 이후부터 신문을 읽지 않았다.
4 너는 2010년에 가족과 함께 어디에 갔었니?
5 그녀는 전에 사진 동아리에 가입한 적이 있다.

STEP 3

몇 시에 그를 ______________________?
① 너는 보았니 ② 너는 전화했니
③ 네 아들은 만났니 ④ 그녀는 함께 있었니
⑤ 그들은 방문할 예정이었니

what time은 명백한 과거를 나타내는 부사구이므로 현재완료와는 어울리지 않는다.

Point 005 과거완료의 개념

본문 18쪽

STEP 1

1 had been 2 had spent 3 came
4 arrived 5 had learned

STEP 2

1 had promised 2 had, left 3 had eaten
4 had not turned off 5 had never played

STEP 3 ⑤

• 그 집은 몇 년간 비어 있었다.
• 나는 지갑을 집에 두고 와서 그것을 가지러 뛰어서 되돌아갔다.

STEP 1

1 그녀는 스위스에 오기 전에 이탈리아에 갔다.
2 그녀는 자신이 가진 모든 돈을 써버려서 어떤 것도 살 수 없었다.
3 내가 집에 왔을 때 그는 이미 세차를 한 뒤였다.
4 결혼식은 Lay가 그곳에 도착하기 전에 끝났다.
5 나는 한국을 방문하기 전에 태권도를 배웠다.

STEP 3

내가 도서관에 갔을 때, 그곳은 닫혀 있었다.

'도서관에 갔을 때 그곳은 문을 닫은 후였다'라는 의미가 자연스러우므로, 빈칸에는 동사의 과거완료형 「had + p.p.」가 들어가야 한다.

Point 006 완료진행형 (현재완료, 과거완료)

본문 19쪽

STEP 1

1 had been reading 2 have been taking
3 had been running 4 haven't been cleaning
5 has been collecting

STEP 2

1 have been driving 2 had been calling
3 has been teaching 4 had been preparing

STEP 3 ④

• 그는 두 시간째 통화 중이다.
• 그녀는 그가 집에 올 때까지 기다리고 있었다.

STEP 1

1 누군가 종을 울리기 전에 그녀는 책을 읽고 있었다.
2 나는 한 달 동안 테니스 수업을 받아 왔다.
3 Daniel은 자신의 아들이 가게를 인수받기 전까지 그것을 운영해 왔다.
4 그들은 이사 온 이후로 자신들의 방을 청소하지 않았다.
5 그는 수년 동안 꽃 사진을 모아 왔다.

STEP 3

내가 문을 열었을 때, 그는 TV를 보고 있는 중이었다.

내가 문을 열었던 시점보다 그가 TV를 보기 시작했던 시점이 시간상 앞서 있으므로, 주절은 과거완료진행형, when이 이끄는 절은 과거시제로 나타낸다.

Point 007 미래를 나타내는 현재시제와 현재진행형

본문 20쪽

STEP 1

1 starts 2 is having 3 falls
4 are leaving 5 is coming

STEP 2

1 is driving his girlfriend to the station
2 begins this Monday
3 is getting married on May 1
4 takes off at 9 a.m.
5 are also coming to the ballpark

STEP 3 ③

• 회의는 10시에 시작할 것이다.
• 그의 가족은 다른 도시로 이사 갈 것이다.

STEP 1

1 그 영화는 다음 주 일요일 오후 4시에 시작할 것이다.
2 그녀는 내일 오후에 생일 파티를 할 것이다.
3 올해 크리스마스는 월요일이다. 나는 그날이 기다려진다.
4 그들은 오늘 마을을 떠날 거야. 그들에게 작별 인사를 하자.
5 기다려 보자. 우리 어머니가 곧 오실 거야.

STEP 3

내 딸은 다음 주 월요일에 여기에 도착할 예정이다.

현재 준비가 이루어져 있는 미래의 일은 현재진행형 「be동사+v-ing」로 표현한다.

Point 008 미래완료, 미래완료진행형

본문 21쪽

STEP 1

1 10분 후면 그가 3시간째 집을 청소하고 있는 셈이 된다.
2 내가 학교를 졸업할 무렵이면, 여기에서 산 지 3년이 되는 셈이다.
3 그녀는 다음 주면 그 과정을 마치게 될 것이다.
4 만약 그가 그 쇼를 다시 본다면, 그는 그것을 세 번 본 셈이 된다.
5 자정쯤이면 내가 2시간 동안 프로젝트를 계속해 온 셈이 된다.

STEP 2

1 will have built
2 will have been working[will have worked]
3 will have gone
4 will have washed
5 will have learned

STEP 3 ⑤

• 만약 내가 뉴욕을 다시 방문하면, 그곳에 두 번 가 본 셈이 된다.
• 다음 달이면 그녀가 요가를 배운 지 2년이 되는 셈이다.

STEP 3

미래의 특정 시점까지 완료할 일을 말하고 있으므로, 미래완료 「will+have+p.p.」로 표현해야 한다.

01회 내신 적중 실전 문제

본문 22쪽

01 ①	02 ⑤	03 ②	04 ③	05 ④	06 ②
07 ⑤	08 ⑤	09 ③	10 ④	11 ③	12 ④

13 It has been raining for three days.
14 will have been late twice
15 broke, has been
16 has been studying English[has studied English]

01

보기 Nancy는 유럽에 가서 그녀는 지금 여기에 없다.
① Nancy는 유럽에 갔다. (그 결과 지금 여기에 없다.)
② Nancy는 유럽에 가 본 적이 없다.
③ Nancy는 유럽을 방문해 본 적이 없다.
④ Nancy는 유럽에 갈 것이다.
⑤ Nancy는 전에 유럽에 가 본 적이 있다.

보기 문장은 과거에 유럽에 가서 현재 여기에 없다는 의미이므로, ①의 결과를 나타내는 현재완료 문장과 의미가 같다. ②, ③, ⑤는 경험을 나타내는 현재완료 문장이다.

02

① 나는 무엇을 해야 할지 결정하지 못했다.
② 그들은 이미 저녁을 먹었다.
③ 그녀는 아직 수업을 마치지 못했다.
④ 그가 가장 좋아하는 프로그램이 방금 끝났다.
⑤ 그녀는 전에 그 앱을 다운로드받은 적이 있다.

⑤는 경험을 나타내는 현재완료 문장인 반면, 나머지는 모두 완료를 나타내는 현재완료 문장이다.

Words decide 결정하다 app 앱(애플리케이션)

03

보기 내 여동생은 10년 동안 여기에서 살아 왔다.
① 그는 머리숱이 많이 줄었다.
② 나는 2015년 이후로 프랑스어를 배워 왔다.
③ 나는 전에 한 번도 태블릿 PC를 써 본 적이 없다.
④ 그들은 서로를 세 번 만났다.
⑤ 기차는 방금 역에 도착했다.

보기 와 ②는 계속을 나타내는 현재완료 문장인 반면, ①은 결과, ③, ④는 경험, ⑤는 완료를 나타내는 현재완료 문장이다.

Words French 프랑스어 station 역, 정류장

04

① 나는 어젯밤에 TV를 보았다.
② 학기는 다음 주에 끝날 것이다.
③ 그녀는 한 번도 말다툼에서 져 본 적이 없다.
④ 그의 할아버지는 그가 15살이었을 때 돌아가셨다.
⑤ 너는 몇 시에 상사와 만났니?

① 부사구 last night로 보아 과거시제의 문장이므로, have watched를 watched로 고쳐야 한다.
② 부사구 next week으로 보아 미래시제의 문장이며 확정된 미래의 일에 관한 내용이므로, ended를 ends로 고쳐야 한다.
④ 동사 die(죽다)는 순간적인 사건을 뜻하므로 계속을 의미하는 since와 함께 쓸 수 없다. 따라서 since를 when으로 고쳐야 한다.
⑤ what time은 명백한 과거 시점을 나타내는 표현이므로, have you met를 did you meet로 고쳐야 한다.

Words semester 학기 argument 말다툼, 논쟁

05

과거의 특정 시점 이전부터 그 시점까지 계속 진행되고 있었던 일이므로, 동사를 과거완료진행형 「had +been+v-ing」로 써야 한다.

06

• 그녀는 버스가 떠나기 전에 버스 정류장에 도착했다.
• 내가 그를 발견했을 때 그는 한 시간 동안 축구를 하고 있었다.

어느 특정한 과거보다 시간상으로 앞선 과거(대과거)를 나타낼 때, 과거완료 「had+p.p.」나 과거완료진행형 「had+been+v-ing」를 쓴다.

Words bus stop 버스 정류장

07

그녀는 9살 이후로 바이올린 수업을 받아 왔다.

과거의 한 시점부터 현재까지 계속되어 온 일은 현재완료 「have/has+p.p.」로 나타낸다.

08

나는 내일 아침까지는 일을 끝낼 것이다.

미래의 특정 시점까지 완료될 일은 미래완료 「will+have +p.p.」로 나타낸다.

Words finish 끝내다

09

• 너는 끔찍한 꿈을 꾼 적이 있니?
• 우리는 다음 주까지 그 보고서를 끝낼 것이다.
• 나는 지난달에 Olivia를 봤다.

• 나는 오늘 오후에 그에게 소포를 보낼 것이다.
• 그는 여기에 오기 전에 보스턴에서 살았다.

세 번째 문장에서 현재완료 have seen과 과거를 나타내는 부사구 last month는 어울리지 않는다. 맨 마지막 문장에서 주절은 before가 이끄는 절보다 시간상 앞서 있으므로, 주절의 동사를 과거완료 had lived로 고쳐야 한다.

Words report 보고서 package 소포

10

Linda는 ________ 우체국에서 일했다.

① 한 번 ② 전에
③ 작년 이후로 ④ 두 달 전에
⑤ 20일 동안

④ 현재완료는 과거를 나타내는 부사 ago와 함께 쓰지 않는다.

Words post office 우체국

11

① Felix는 곧 한국을 떠날 예정이다.
② 너는 벌써 저녁을 먹었니?
③ 내가 집을 떠나기 전에 비가 오고 있었다.
④ 오페라는 내일 오후 7시에 시작할 것이다.
⑤ 내가 그 건물에 도착했을 때 쇼는 시작한 후였다.

③ 주절은 before가 이끄는 절보다 시간상 앞서 있으므로, 주절의 동사를 과거완료진행형 had been raining으로 고쳐야 한다.

Words reach 도착하다

12

그가 밤새도록 책을 읽은 일은 내가 그 사실을 안 일보다 시간상 앞서 있으므로, that절의 동사를 과거완료 「had+p.p.」로 표현해야 한다.

Words through the night 밤새도록

13

3일 전에 비가 오기 시작했다. 그리고 여전히 비가 내리고 있다.
→ 3일 동안 비가 내리고 있다.

과거에 시작되어 현재까지 계속 진행됨을 강조할 때 문장을 현재완료진행형 「have/has+been+v-ing」로 나타낸다.

14

Lisa가 또 다시 학교에 지각하게 될 미래 시점까지의 경험은 미래완료 「will+have+p.p.」로 나타낸다.

15

A: 네 여동생은 어때? 난 그녀가 어제 다리를 다쳤다고 알고 있어.
B: 응, 그녀는 그때 이후로 병원에 입원해 있어.

A의 말에 과거 시점을 나타내는 부사 yesterday가 있으므로, 동사를 과거시제로 써야 한다. B의 말에 계속을 의미하는 since가 있으므로, 동사를 현재완료로 써야 한다.

16

오후 3시이다. Joy는 지금까지 한 시간 동안 영어를 공부하고 있는 중이다.

현재 시각은 오후 3시로, Joy는 오후 2시부터 현재까지 1시간 동안 영어를 공부해 왔을 것이다. 따라서 현재완료진행형이나 현재완료로 문장을 표현해야 한다.

02회 내신 적중 실전 문제

본문 24쪽

01 ③ 02 ⑤ 03 ⑤ 04 ④ 05 ⑤ 06 ③
07 ③ 08 ④ 09 ③ 10 ⑤ 11 ② 12 ⑤
13 has forgotten
14 has been working
15 (1) for, since
(2) have mastered, will have mastered
16 (1) have wanted, wanted (2) hasn't, hadn't

01

보기 그녀는 그 시를 두 번 읽었다.
① 그는 자기 나라로 가버렸다.
② Jane은 프로젝트를 마쳤다.
③ Ted는 서울에 여러 번 방문했다.
④ 그 소년은 휴대전화를 잃어버렸다.
⑤ 나는 2년 동안 병원에 입원해 있다.

보기 와 ③은 경험을 나타내는 현재완료 문장이다. ①, ④는 결과, ②는 완료, ⑤는 계속을 나타내는 현재완료 문장이다.

Words poem 시 mobile phone 휴대전화

02

① 나는 살이 좀 빠졌다.
② Kate는 자신의 가방을 사무실에 두고 왔다.
③ 그녀는 물어보지도 않고 내 책을 가져갔다.
④ 민수는 영어를 공부하기 위해 미국에 갔다.
⑤ 그는 1시간 넘게 연설을 연습해 왔다.

⑤는 계속을 나타내는 현재완료 문장이고, 나머지는 모두 결과를 나타내는 현재완료 문장이다.

Words weight 체중 office 사무실 practice 연습하다 speech 연설

03

① 그녀는 한 번도 섬에 가 본 적이 없다.
② 나는 이미 숙제를 했다.
③ 내가 왔을 때 그들은 막 그 방을 떠난 후였다.
④ 그는 3시간 동안 소설을 읽고 있다.
⑤ 내가 수지에게 플루트를 연주하는 법을 가르쳐 주기 전까지 그녀는 한 번도 그것을 연주해 본 적이 없다.

⑤ 주절은 before가 이끄는 절보다 시간상 앞서 있으므로, 주절의 동사를 과거완료 had never played로 고쳐야 한다.

Words island 섬 novel 소설

04

① 너는 여기서 얼마나 오래 살았니?
② 지난 금요일 이후로 눈이 내리고 있다.
③ 그는 자신이 2주 동안 아팠다고 말했다.
④ 내년이면 그녀가 그 절에 머문 지 2년이 되는 셈이다.
⑤ 내가 파티에 도착했을 때, 그녀는 집에 가버린 후였다.

④ 미래의 특정 시점까지 지속될 일은 미래완료 「will+have+p.p.」로 나타낸다. (will be → will have been)

Words temple 절, 사원

05

나는 30분 전에 버스를 기다리기 시작했다. 나는 여전히 그것을 기다리고 있다.
→ 나는 30분 동안 버스를 기다리고 있다.

과거의 특정 시점부터 현재까지 행위가 계속 진행되고 있으므로, 현재완료진행형 「have/has+been+v-ing」로 나타낸다.

06

내가 공원에서 그를 만났을 때, 그는 모자를 쓰고 있지 않았다. 그는 그것을 잃어버린 것 같다.

내가 그를 만났던 시점 이전에 그가 모자를 잃어버린 것 같다는 내용이므로, 밑줄 친 부분을 과거완료 「had+p.p.」로 고쳐야 한다.

07

그는 작년 이후부터 일기를 써 왔다.

과거부터 현재까지 계속되어 온 일은 현재완료 「have/has+p.p.」로 나타낸다.

Words keep a diary 일기를 쓰다

08

내가 그녀를 만나기 전에 그녀는 자전거를 탔다.

특정한 과거의 일보다 시간상으로 앞선 과거의 일은 과거완료 「had+p.p.」로 나타낸다.

09

• A: 진수는 어디에 있니?
  B: 그는 여기에 없어. 그는 화장실에 갔어.
• A: 너는 해외여행을 많이 해봤니?
  B: 아니, 나는 한 번도 다른 나라에 가 본 적이 없어.

「have/has gone to」: ~에 가고 (지금 여기에) 없다 (결과)
「have/has been to」: ~에 가 본 적이 있다 (경험)

Words restroom 화장실 travel abroad 해외여행을 하다

10

• 우리 아빠는 4시간 동안 운전하고 계신다.
• 그녀는 2014년 이후부터 수영을 배워 왔다.

첫 번째 빈칸 뒤에는 기간을 나타내는 표현이 왔으므로, 빈칸에는 for가 오는 것이 알맞다. 두 번째 빈칸 뒤에는 과거 시점을 나타내는 표현이 왔으므로, 빈칸에는 since가 오는 것이 알맞다.

11

① 어제 비가 내렸다.
② 우리는 내일 Peter의 집에 갈 것이다.
③ 나는 네가 설거지를 한 것을 알지 못했다.
④ 네가 전화했을 때 나는 막 저녁 식사를 끝낸 후였다.
⑤ 다음 달이면 내가 대구에서 산 지 3년이 되는 셈이다.

① yesterday는 과거 시점을 나타내는 부사이므로 과거시제와 어울린다. (has been raining → was raining)
③ 특정한 과거의 일(상대방이 설거지를 한 사실을 인지)보다 시간상 앞선 과거의 일(상대방이 설거지를 한 일)은 과거완료로 나타내야 한다. (have washed → had washed)
④ 주절은 when이 이끄는 절보다 시간상 앞서 있으므로, 주절의 동사를 과거완료로 고쳐야 한다. (have just finished → had just finished)
⑤ 미래의 특정 시점(다음 달)까지 지속되고 있을 일은 미래완료로 나타내야 한다. (have lived → will have lived)

12

팔이 부러진 일은 운전을 할 수 없었던 일보다 시간상 앞

서 있으므로, 접속사 so 앞의 절은 과거완료로, 뒤의 절은 과거시제로 표현한다.

Words break 부러지다 arm 팔

13

Amy는 그 웹사이트의 비밀번호를 잊어버렸다. 그녀는 지금도 그것을 알지 못한다.

→ Amy는 그 웹사이트의 비밀번호를 잊어버렸다.

과거의 일이 현재에 영향을 미친 결과를 나타낼 때, 동사를 현재완료 「have/has+p.p.」로 표현한다.

Words password 비밀번호

14

과거의 동작이 현재까지 계속 진행됨을 강조할 때 쓰는 현재완료진행형은 「have/has+been+v-ing」이다.

15

나는 지난달 이후부터 테니스 치는 법을 배우고 있다. 내년이면 그것을 숙달하게 될 것 같다.

for 뒤에는 기간이 오고 since 뒤에는 과거 시점이 오므로, 첫 번째 문장에서 과거 시점을 뜻하는 last month 앞의 for를 since로 고쳐 써야 한다. 두 번째 문장의 경우, 미래의 특정 시점(내년)까지 완료될 일을 나타내려면, 현재완료를 미래완료로 고쳐 써야 한다.

Words master 숙달하다

16

우리는 지난 일요일에 뮤지컬을 보기를 원했지만, 표가 매진되었다. 우리는 표를 미리 예매하지 않은 것을 후회했다.

첫 번째 문장에 과거 시점을 나타내는 부사구 last Sunday가 있으므로, 동사를 과거시제로 고쳐 써야 한다. 두 번째 문장의 경우, 후회한 일보다 미리 예매하지 않은 일이 시간상 앞서 있으므로, that절의 동사를 과거완료로 고쳐 써야 한다.

Words sold out 매진된 regret 후회하다 book 예약하다 in advance 미리

Lesson 02 | 조동사

Point 009 can, could

본문 28쪽

STEP 1

1 나는 가수가 되고 싶다. 하지만 노래를 잘 할 수 없다.
2 공항까지 가는 방법을 말해주시겠어요?
3 비가 오면 내 우산을 가져가도 됩니다.
3 그녀의 결정은 나중에 바뀔 수도 있다.
5 나는 다음 주에 동물원에 갈 수 있을 것이다.

STEP 2

1 can't 2 Is, able to 3 could
4 will be able to

STEP 3 ③

• 나는 영어를 잘 말할 수 있다.
• 제게 당신의 펜을 빌려주시겠어요?
• Rachel은 지난주 토요일에 타이베이에 갔다. 그녀는 지금 서울일 리가 없다.

STEP 3

① 그들은 불 위에서 춤을 출 수 있다.
② 나는 이 가방을 나를 수 있다.
③ 그것은 좋은 예시일 수도 있다.
④ 그는 이 문제를 풀 수 있다.
⑤ 나는 세 개의 언어를 말할 수 있다.

③번은 '~일 수도 있다'의 의미로 가능성 · 추측을 나타내고 나머지는 '~할 수 있다'의 의미로 능력을 나타낸다.

Point 010 may, might

본문 29쪽

STEP 1

1 그는 자전거를 샀기 때문에 학교에 버스로 가지 않을지도 모른다.
2 John은 그의 친구들과 이 파티에 올지도 모른다.
3 나는 네가 좋은 결정을 내리는 것을 도와 줄 수도 있다.
4 너는 그런 말을 해서는 안 된다.
5 당신이 원하면, 당신은 이 코트 입어 봐도 된다.

STEP 2

1 May I 2 may[might] 3 may[might] not
4 may[might] 5 may

STEP 3 ①

• 제가 당신의 전화를 사용해도 될까요?
• 그녀는 너의 강의는 완전히 이해하지 못할지도 모른다.

STEP 3

'~일지도 모른다'라는 의미의 추측을 나타내므로 ① may가 들어가는 것이 알맞다.

Point 011 must

본문 30쪽

STEP 1

1 너는 지난 월요일에 네 보고서를 제출해야 했다.
2 점점 추워지고 있다. 우리는 지금 여기를 떠나야 한다.
3 너는 이 드레스를 입을 필요가 없다.
4 그는 살을 빼기 위해 운동을 매일 해야 할 것이다.
5 너는 운전 면허 없이는 운전을 해서는 안 된다.

STEP 2

1 had to 2 must not 3 will have to

STEP 3 ⑤

• 나는 10시 전에 집에 돌아가야 한다.
• 너는 여기서 흡연하면 안 된다.
• 너는 네 책을 가져올 필요가 없다.
• 네 의견은 옳음에 틀림없다.
• 그녀는 잠들었을 리가 없다. 이제 저녁 6시이다.

STEP 3

'~하면 안 된다'는 강한 금지는 ⑤ must not를 쓴다.

Point 012 should, ought to

본문 31쪽

STEP 1

1 should 2 to keep 3 ought
4 ought not to 5 should not

STEP 2

1 should, do 2 should not cheat 3 ought to go
4 ought not to run 5 ought not to break

STEP 3 ②

• 너는 네 숙제를 해야 한다.
• 너는 극장에서 네 전화를 사용해서는 안 된다.

STEP 1

1 너는 네 부모님을 공경해야 한다.
2 너는 비밀을 지켜야 한다.
3 에너지를 아끼기 위해 너는 계단을 올라가야 한다.
4 그는 정장을 입지 않아도 된다.
5 너는 도서관에서 크게 말하면 안 된다.

STEP 3

너는 정원에서 쓰레기를 버리면 안 된다.

ought to의 부정은 「ought not to」로 '~하면 안 된다'의 뜻이므로 ②에 들어가야 한다.

Point 013 had better, would rather

본문 32쪽

STEP 1

1 너는 네 부모님 말씀을 듣는 것이 낫다.
2 너무 늦었다. 우리는 서두르는 것이 낫다.
3 너는 손가락으로 여드름 짜지 않는 것이 낫다.
4 나는 집에 머무르기 보다는 쇼핑하러 가겠다.
5 나는 그녀를 만나지 않겠다. 그녀는 나를 나쁘게 대한다.

STEP 2

1 would rather sleep 2 had better not have
3 had better not waste 4 would rather not eat
5 had better stop

STEP 3 ④

• 너는 싸움을 멈추는 것이 낫다, 그렇지 않으면 너는 다칠 것이다.
• 너는 수업 중에 어떤 것도 먹지 않는 것이 좋다.
• 나는 차라리 혼자 있고 싶다.
• 나는 차라리 그 일을 하지 않겠다.

STEP 3

'~하는 게 좋다'라는 충고나 경고로 ④ had better를 쓴다.

Point 014 used to, would

본문 33쪽

STEP 1

1 used to 2 go 3 is used to
4 would 5 didn't used to

STEP 2

1 am used to speaking 2 used to be
3 would, practice 4 would hang out

STEP 3 ②

- 나는 어렸을 때는 양파를 좋아하지 않았지만, 지금은 그것을 좋아한다.
- 나는 예전에는 만화책을 읽곤 했었지만, 지금은 더 이상 읽지 않는다.
- 우리는 물을 얻기 위해 그 강으로 가곤했다.

STEP 1

1 내 친구와 나는 매 주말마다 농구를 하곤 했다.
2 그는 스트레스를 풀기 위해 종종 등산을 하곤 했다.
3 그는 혼자 밥 먹는 데 익숙하다.
4 나의 아들은 TV를 많이 보곤 했다.
5 그 서점은 그렇게 붐비지 않았었다.

STEP 3

나는 어렸을 때 서울에 살았지만, 지금은 제주도에 산다.
= 나는 어렸을 때 서울에 살았었다.

현재는 더 이상 지속되지 않는 과거의 상태를 나타낼 때는 used to를 사용하고 would는 쓰지 않는다.

Point 015 may well, may as well

본문 34쪽

STEP 1

1 as well 2 may well be 3 may
4 may well 5 may as well not

STEP 2

1 may as well start from the beginning
2 may well yell at you
3 may as well not take a taxi
4 may well gain weight
5 may as well read a book

STEP 3 ③

- 네가 나에게 화를 내는 것은 당연하다.
- 그녀는 아마 홀로 여행하는 것을 원치 않을 것이다.
- 나는 돈을 주머니에 간수하는 편이 좋겠다.
- 너는 그 에스컬레이터를 이용하지 않는 편이 낫겠다.

STEP 1

1 나는 산책을 하는 편이 좋겠다. 나는 생각할 시간이 필요하다.
2 9시다! 네가 학교에 지각하는 것은 당연하다.
3 그는 그의 방을 청소하는 편이 좋겠다.
4 그녀가 그런 질문들에 당황하는 것은 당연하다.
5 날이 춥다. 너는 오늘 낚시하러 가지 않는 게 좋겠다.

STEP 3

그가 지친 것은 당연하다.

'~하는 것은 당연하다'는 「may well+동사원형」의 형태이므로 빈칸에는 ③ may well이 알맞다.

Point 016 must have p.p./can't have p.p.

본문 35쪽

STEP 1

1 그가 빨간 불을 봤을 리가 없다.
2 그녀는 그 회의에 참석했음에 틀림없다.
3 네 재킷은 비싼 것임에 틀림없다.
4 그는 그의 결혼 기념일을 잊었음에 틀림없다.
5 그가 영어 시험에서 A를 받았을 리가 없다.

STEP 2

1 can't have forgotten
2 must have met
3 can't have repeated
4 must have been

STEP 3 ⑤

- 그녀는 노래를 잘 불렀다. 그녀는 연습을 많이 했음에 틀림없다.
- 그는 정직하다. 그가 거짓말을 했을 리가 없다.

TIP 그는 불안했음에 틀림없다.

STEP 3

'~했음에 틀림없다'로 과거 사실에 대한 강한 추측은 「must have p.p.」로 쓴다.

Point 017 should have p.p.

본문 36쪽

STEP 1

1 have followed 2 should 3 should have
4 should not 5 should not

STEP 2

1 must have snowed
2 should not have called
3 can't have prepared
4 should have told

STEP 3 ③

• 너는 그 쇼를 봤어야 했다.
• 너는 어제 그렇게 늦게 TV를 보지 말았어야 했다.

STEP 2

1 너는 그것을 옳게 하지 않았다. 넌 내 충고를 따랐어야 했다.
2 그는 낮은 점수를 받았다. 그는 더 열심히 공부했어야 했다.
3 그 파티는 흥미로웠다. 너는 왔어야 했다.
4 나는 너무 많이 잠을 자지 말았어야 했다.
5 너는 네 돈을 낭비하지 말았어야 했다. 너는 모든 것을 잃었다.

STEP 3

나는 그 책을 읽어야 했지만, 읽지 않았다.
→ 나는 그 책을 읽었어야 했다.

'~했어야 했는데, 하지 못했다'는 「should have p.p.」로 쓴다.

Point 018 may have p.p.

본문 37쪽

STEP 1

1 may have gone 2 may not have won
3 may have 4 may have
5 may not have noticed

STEP 2

1 may[might] have written
2 may[might] have left
3 may[might] have caught
4 may[might] not have wanted

STEP 3 ③

• 나는 사무실에 내 가방을 두고 왔을지도 모른다.
• 그는 그 소식에 대해 알지 못했을지도 모른다.

STEP 2

1 내 여동생은 집에 없다. 그녀는 쇼핑하러 갔을지도 모른다.
2 그는 대회에서 우승을 못했을지도 모른다.
3 그녀는 잠이 들었을지도 모른다.
4 나는 어디에서도 나의 열쇠를 찾을 수 없다. 나는 상점에 그것을 두고 왔을지도 모른다.
5 그들은 그 표지판을 알아차리지 못했을지도 모른다.

STEP 3

A: 왜 그녀는 시험에서 낙제했니?
B: 모르겠어. 그녀는 약간의 실수를 했을지도 몰라.

시험을 망친 이유를 묻는 말에 모른다고 했으므로 과거 사실에 대한 불확실한 추측의 표현으로 「may have p.p.」를 쓴다.

01회 내신 적중 실전 문제

본문 38쪽

01 ⑤	02 ①	03 ④	04 ③	05 ②	06 ③
07 ④	08 ③	09 ④	10 ②	11 ④	12 ①

13 ought to drive
14 must have spent
15 drinking, drink
16 has, have

01

보기 네가 네 숙제를 안 해서 유감스럽다.
① 너는 네 숙제를 했을지도 모른다.
② 너는 네 숙제를 할 필요가 없다.
③ 너는 네 숙제를 할 것이다.
④ 너는 네 숙제를 했음에 틀림없다.
⑤ 너는 네 숙제를 했었어야 했다.

'숙제를 하지 않은 것이 유감스럽다'라는 의미는 숙제를 했어야 했다는 의미와 같으므로 ⑤와 같이 「should have p.p.」로 나타낼 수 있다.

02

① 그것은 사실임에 틀림없다.
② 너는 도서관에서 조용히 해야 한다.
③ 그는 그 시험에 합격해야 한다.
④ 너는 네 방 열쇠를 바꿔야 한다.
⑤ 너는 식사 전에 네 손을 씻어야 한다.

①은 '~임에 틀림없다'는 의미의 강한 추측을 나타내고 나머지는 모두 '~해야 한다'는 의미의 의무를 나타낸다.

Words change 변경하다

03

① 그것이 거짓일 리가 없다.
② 누군가 여기에 있을지도 모른다.
③ 너는 더 열심히 공부했어야 했다.
④ 그 아이들은 차라리 차를 마시는 게 낫다.
⑤ 그녀는 속도를 낮춰야 할 것이다.

④ would rather 다음에는 동사원형을 써야 한다. 따라서 ④의 had를 have로 고쳐야 한다.

Words false 거짓 lower 낮추다

04

① 나는 휴식을 취하는 게 낫다.
② 그녀는 긴 머리를 가졌었다.
③ 나는 차라리 너를 만나지 않겠다.
④ 너는 버스를 타는 게 낫다.
⑤ 여기에는 큰 정원이 있었다.

③ 「would rather+동사원형」의 부정형은 「would rather not+동사원형」으로 '(차라리) ~하지 않는 것이 좋다'의 의미이다.

Words take a rest 휴식을 취하다

05

Julie가 그 버스를 놓친 것은 확실하다.
= Julie가 그 버스를 놓친 것임에 틀림없다.

It is certain that~는 '~하는 것은 확실하다'라는 의미로 「must have p.p.」 '~했음에 틀림없다'로 쓸 수 있다.

06

A: John하고 통화할 수 있을까요?
B: 유감이지만, 그는 나갔어요.

Can은 '~해 주시겠어요?'라는 의미로 요청을 나타내고, 이때 허가를 나타내는 ③ May로 바꿔 쓸 수 있다.

07

그 아기는 지금 자고 있다. 너는 어떤 소음도 내면 안 된다.

아기가 자고 있으므로 시끄럽게 하지 말아야 하므로, '~하지 말아야 한다'는 뜻의 「should not+동사원형」이 알맞다.

Words noise 소음

08

Jerry는 나의 가장 친한 친구였다. 우리는 매일 전화 통화를 하곤 했다.

「would+동사원형」은 '~하곤 했다'의 의미로 과거의 불규칙하게 반복되는 행동을 나타낸다.

09

- 그것은 비밀이야. 너는 누구에게도 말하면 안 된다.
- 나는 집에 있기 보다는 차라리 산책을 하겠다.

must는 '~해서는 안 된다'는 강한 금지를 나타내고, 「would rather+동사원형」은 '차라리 ~하겠다'의 의미이므로 빈칸에 들어가기에 알맞다.

Words secret 비밀

10

- 네가 최선을 다했기 때문에, 너는 네 목표를 성취할 수 있음에 틀림없다.
- 네 새로운 반지를 봐도 되니?

must는 '~임에 틀림없다'의 의미로 강한 추측을 나타내고 Can은 '~해도 된다'의 의미로 허가를 나타낸다.

11

① 그는 무례하지 않아야 한다.
② 너는 사진을 찍을 필요가 없다.
③ 너는 약을 먹지 않는 게 낫겠다.
④ 너는 내 말 듣는 게 편이 좋겠다.
⑤ 그는 너무 많은 커피를 마시지 말아야 한다.

④는 「had better not+동사원형」으로 어법상 옳다.
① ought to not → ought not to
② may well as → may as well
③ have not to → don't have to
⑤ shouldn't to drink → shouldn't drink

12

'~했을 리가 없다'는 「can't have p.p.」로 쓴다.

13

「ought to+동사원형」은 '~해야 한다'의 의미이다.

14

'~했음에 틀림없다'는 「must have p.p.」를 쓴다.

15

나는 커피 한 잔을 더 마시는 편이 좋겠다.

「may as well+동사원형」은 '~하는 편이 좋겠다'의 의미이다.

16

그녀는 이 이야기를 모른다. 그녀는 이 동화를 읽었을 리가 없다.

「can't have p.p.」는 '~했을 리가 없다'라는 뜻으로 과거 사실의 부정적 추측을 나타낸다.

Words fairy tale 동화

02회 내신 적중 실전 문제

본문 40쪽

01 ②	02 ②	03 ④	04 ④	05 ③	06 ⑤
07 ①	08 ④	09 ②	10 ③	11 ③	12 ②

13 cannot[can't] be
14 may as well help
15 leaving, leave
16 (1) to fail, fail (2) to cheat, cheat

01

보기 나는 Tony가 그의 연을 만든 것을 확신한다.

① Tony가 그의 연을 만들었음에 틀림없다.
② Tony가 그의 연을 만들었을지도 모른다.
③ Tony가 그의 연을 만들었을 리가 없다.
④ Tony가 그의 연을 만들었어야 했다.
⑤ Tony가 그의 연을 만들지 말았어야 했다.

I'm sure ~는 확실하다는 의미이므로, '~임에 틀림없다'는 뜻인 「must have p.p.」와 의미가 같다.

02

① 그는 피곤할지도 모른다.
② 내가 여기에 머물러도 되니?
③ 그것은 나쁘지 않을지도 모른다.
④ 그들은 학교에 늦을지도 모른다.
⑤ 그녀는 어떤 것도 먹기를 원치 않을지 모른다.

②는 '~해도 된다'라는 의미로 허가를 나타내고, 나머지는 모두 '~일지도 모른다'라는 의미로 추측을 나타낸다.

Words tired 피곤한

03

① 그는 나를 보기를 원했을지도 모른다.
② 그들은 내게 재미있는 이야기를 해주곤 했다.
③ 그녀는 많은 돈을 저축했음에 틀림없다.
④ 전에 이 나무 옆에는 연못이 있었다.
⑤ 나는 생선을 먹기보다 차라리 닭을 먹겠다.

④의 would는 과거의 상태를 나타낼 때는 쓸 수 없으므로, used to를 써야 한다.

Words pond 연못

04

① 나는 점심은 안 먹는 게 낫겠어.
② 너는 그렇게 많은 돈을 가져올 필요가 없다.
③ 너는 저녁을 먹은 후에 아이스크림을 먹어도 된다.
④ 나는 좋은 점수를 받지 않았다. 나는 공부를 열심히 했었어야 했다.
⑤ 나의 엄마는 예전에는 과학자이셨는데, 지금은 선생님이시다.

④는 과거에 하지 못한 일에 대한 후회를 나타내므로 should have study는 should have studied로 써야 한다.

05

그는 전에 종종 내 사무실을 방문했지만, 지금은 더 이상은 아니다.
= 그는 내 사무실을 방문하곤 했다.

과거의 습관을 나타낼 때는 ③ used to를 쓴다.

06

비가 내리고 있다. 너는 지금 당장 집으로 오는 게 좋겠다.

'~하는 게 좋겠다' 라는 의미의 충고를 나타내는 had better는 ⑤ should로 바꿔 쓸 수 있다.

07

A: 제가 이 가방을 가져도 될까요?
B: 이 가방을 원하는 사람이 아무도 없으면, 내가 이것을 너에게 주는 편이 좋겠다.

「may as well+동사원형」은 '~하는 편이 좋겠다'라는 의미이다.

08

A: Kate가 내 카메라를 훔쳤어.
B: 말도 안 돼! 그녀는 그런 일을 했을 리가 없어. 그녀는 순수한 소녀야.

카메라를 훔친 사실을 믿을 수 없다는 내용이므로 '~했을 리가 없다'라는 의미의 「cannot have p.p.」가 알맞다.

Words innocent 순수한, 결백한

09

• 내가 어렸을 때 그 장소에 가곤 했다.
• 그녀는 나의 집에 방문하고 했지만, 더 이상은 아니다.

'~하곤 했다'의 의미로 과거의 행동을 나타낼때는 「would +동사원형」, 「used to+동사원형」을 쓴다.

Words place 장소

10

• 너는 도서관에서 조용해야 한다.
• 나의 엄마가 학생이셨을 때, 그녀는 학교에 그녀의 도시락을 가져가야 했다.

충고를 나타낼 때는 had better, should 등을 쓴다. '~해야 한다'는 의미의 의무를 나타내는 must의 과거형은 had to로 쓴다.

11

① 너는 아마 틀렸을 것이다.
② 너는 거짓말을 하지 않는 게 낫다.
③ 그는 내 생일을 잊었음에 틀림없다.
④ 그들은 풍선을 사지 말았어야 했다.
⑤ 내가 학생이었을 때 나는 리더였다.

③ '~이었음에 틀림없다'는 「must have p.p.」를 쓴다.
① may well → may well be
② had not better → had better not
④ should have not bought → should not have bought
⑤ would → used to

Words tell a lie 거짓말하다 balloon 풍선

12

① 그는 파리에 있었을 리가 없다.
② 그는 파리에 있었음에 틀림없다.
③ 그는 파리에 있었어야 했다.
④ 그는 파리에 있지 않았을지도 모른다.
⑤ 그는 파리에 있지 않았어야 했다.

'~했을 리가 없다'는 「cannot have p.p.」를 쓴다.

13

그녀는 여름 캠프로 분명 신이 나 있음에 틀림없다.
→ 그녀는 여름 캠프로 신이 나 있을 리가 없다.

'~임에 틀림없다'는 뜻인 must be의 부정은 '~일 리가 없다'는 뜻인 cannot[can't] be이다.

Words excited 신이 난 summer camp 여름 캠프

14

'~하는 것이 낫다'는 had better과 may as well을 쓸 수 있는데, 조건에서 4단어로 쓰라고 했으므로 may as well을 사용한다.

15

사람들이 계산대에 그들의 귀중품을 맡기는 것이 당연하다.

'~하는 것은 당연하다'의 의미인 may well 다음에는 동사원형이 온다.

Words valuable 귀중품 counter 계산대

16

나는 부정행위를 하는 것보다 차라리 낙제하는 것이 낫다.

「would rather A than B」 'B하느니 차라리 A하는 게 낫다'에서 A와 B는 모두 동사원형을 쓴다.

Words cheat 부정행위를 하다

Lesson 03 | 수동태

Point 019 수동태의 개념과 형태

본문 44쪽

STEP 1

1 was made 2 resembles 3 is grown
4 locks 5 are sold

STEP 2

1 is served 2 are caused 3 is stored
4 is covered 5 is delivered

STEP 3 ③

- 대부분의 학생들이 이 책을 읽는다.

STEP 1

1 이 컵은 내 남동생에 의해 만들어졌다.
2 Jessy는 유명한 여배우를 닮았다.
3 그 쌀은 캄보디아의 농부들에 의해 재배된다.
4 경비원은 매일 저녁 건물 문을 잠근다.
5 콘서트 표는 그 상점에서 팔린다.

STEP 3

그 정부는 젊은 대통령에 의해 이끌어진다.
수동태의 형태는 「be동사+과거분사(+by+행위자)」로 나타낸다.

Point 020 수동태의 시제 I (과거, 현재, 미래)

본문 45쪽

STEP 1

1 was written 2 will be fixed 3 will be carried
4 was found 5 were drawn

STEP 2

1 was stolen (by somebody)
2 will be repaired by many workers
3 will not be brought by my brother
4 were developed by his boss
5 is loved by a lot of people

STEP 3 ⑤

- 교실은 매일 학생들에 의해 청소된다.
- 이 집은 나의 할아버지에 의해 지어졌다.
- 나무는 우리에 의해 심어질 것이다.

STEP 1

1 그 편지는 3일 전에 그녀에 의해 쓰였다.
2 너의 컴퓨터는 내일까지 수리될 것이다.
3 그 탁자는 다음 주에 사무실로 옮겨질 것이다.
4 오늘 아침 고양이 한 마리가 부엌에서 발견되었다.
5 이 앨범에 있는 그림들은 내 여동생이 그렸다.

STEP 2

1 누군가 극장에서 내 지갑을 훔쳤다.
2 많은 노동자들이 몇 시간 후에 인도를 수리할 것이다.
3 내 남동생은 도서관으로 애완동물들을 데려오지 않을 것이다.
4 그의 상사는 많은 방식으로 몇 개의 아이디어들을 발전시켰다.
5 많은 사람들이 이 잡지의 모든 호를 아주 좋아한다.

STEP 3

나는 네 이름을 영원히 기억할 것이다.
→ 네 이름은 영원히 기억될 것이다.
미래시제의 수동태는 「will be+과거분사」로 나타낸다.

Point 021 수동태의 시제 II (완료, 진행형)

본문 46쪽

STEP 1

1 been painted 2 been 3 being
4 solved 5 made

STEP 2

1 have been rescued
2 was being cooked (by them)
3 has been found
4 are not being announced
5 has been donated

STEP 3 ⑤

- 많은 책들이 출판되고 있다.
- 이 언어는 많은 나라에 의해 사용되어 왔다.

STEP 1

1 그 벽은 나의 학생들에 의해 칠해졌다.
2 많은 꽃들이 나의 아버지에 의해 심어졌다.
3 약간의 물이 냄비에 부어지고 있었다.
4 모든 문제가 나에 의해 풀렸다.
5 눈사람이 한 소년에 의해 만들어지고 있다.

STEP 2

1 그 소방관이 5명의 다친 사람들을 구했다.
2 그들은 내가 샤워를 하고 있을 때 인도 음식을 요리하고 있었다.
3 조사팀은 뉴질랜드에서 이상한 식물을 발견했다.
4 사회자는 경기 결과를 발표하지 않고 있다.
5 그는 5년 넘게 약간의 돈을 기부해 왔다.

STEP 3

과거진행시제 수동태는 「was / were + being + 과거분사」로 나타낸다.

Point 022 4형식 문장의 수동태

본문 47쪽

STEP 1

1 to 2 to 3 was handed 4 for 5 be sent

STEP 2

1 will be sent to us by the guide
2 were bought for her children by her on Christmas
3 was given beautiful flowers by Mark
4 was cooked for my family by a famous chef
5 were asked of my teacher by me

STEP 3 ⑤

• 그녀는 집에서 우리에게 영어를 가르친다.

STEP 1

1 선물이 내 생일에 나의 엄마에 의해 내게 주어졌다.
2 이 프로그램은 손님들에게 보여질 것이다.
3 그 신문은 Jenny에 의해 그에게 건네졌다.
4 내 방에 있는 모자는 엄마께 사드린 것이다.
5 너는 그녀에 의해 초대장을 받게 될 것이다.

STEP 2

1 그 가이드는 우리에게 정보가 담긴 이메일을 보낼 것이다.
2 그녀는 크리스마스에 자신의 아이들에게 많은 장난감을 사주었다.
3 Mark는 나에게 아름다운 꽃을 주었다.
4 한 유명한 요리사가 나의 가족에게 맛있는 음식을 요리해 주었다.
5 나는 나의 선생님께 많은 질문들을 했다.

STEP 3

나는 아기에게 멋진 스웨터를 만들어 주었다.

4형식 문장에서 직접목적어가 주어가 되는 경우 간접목적어 앞에 전치사를 써야 하는데 make의 경우 for를 쓴다.

Point 023 5형식 문장의 수동태 I

본문 48쪽

STEP 1

1 to 삭제 2 to finish 3 of 삭제
4 to go 5 were encouraged

STEP 2

1 was painted dark brown by him
2 was found broken by my mother
3 was elected president by us
4 is kept clean by Ms. Green
5 was expected to accept her suggestion by her

STEP 3 ③

• 그는 나를 행복하게 했다.
• 나는 그녀에게 이곳에 와달라고 요청했다.

STEP 1

1 그 코미디언은 그의 목소리에 의해 유명해졌다.
2 그는 상사에 의해 그 프로젝트를 더 빨리 끝내라는 이야기를 들었다.
3 그는 사람들에 의해 위대한 지도자라고 여겨진다.
4 그들은 그들의 부모님에 의해 밤에 늦게 나가도록 허락받지 못했다.
5 모든 학생들이 선생님에 의해 대회에 참가하도록 격려를 받았다.

STEP 2

1 그는 이 집을 진한 갈색으로 칠했다.
2 내 어머니는 꽃병이 깨진 것을 발견했다.
3 우리는 Ted를 의장으로 선출했다.
4 Green 부인은 욕실을 깨끗하게 유지한다.
5 그녀는 그가 그녀의 제안을 받아들일 것을 기대했다.

STEP 3

그녀는 내가 도서관에서 나오도록 설득했다.

5형식 문장에서 목적격 보어인 to부정사는 수동태로 바꿔도 「be동사 + 과거분사」 뒤에 그대로 쓴다.

Point 024 5형식 문장의 수동태 Ⅱ (사역동사, 지각동사)

본문 49쪽

STEP 1

1 to wait 2 to wash 3 was made
4 playing 5 to touch

STEP 2

1 were heard singing
2 were made to cut
3 was seen holding
4 was made to exchange
5 were seen to move

STEP 3 ②

• 그 선생님은 그들에게 규칙을 따르도록 했다.
• 나는 네가 거리에서 춤을 추는 것[춤추고 있는 것]을 보았다.

STEP 1

1 그 직원이 그의 차례를 기다리는 것이 보였다.
2 그의 어머니는 그에게 설거지를 하도록 했다.
3 나는 공원에서 쓰레기를 줍게 되었다.
4 Andy가 바이올린 연주하고 있는 것이 내게 들렸다.
5 나는 뭔가가 내 등에 닿는 것이 느껴졌다.

STEP 3

박물관의 바닥이 흔들리는 것이 느껴졌다.
지각동사(feel)가 수동태로 쓰일 때, 목적격 보어로 쓰인 동사원형은 to부정사로 바뀐다.

Point 025 by 이외의 전치사를 쓰는 수동태

본문 50쪽

STEP 1

1 with 2 with 3 from 4 in 5 at

STEP 2

1 is known for 2 are worried about
3 was pleased with 4 was filled with
5 was tired of

STEP 3 ①

STEP 1

1 너는 네 최종 점수에 만족하니?
2 그 산은 연중 내내 눈으로 덮여 있다.
3 요구르트는 우유로 만들어진다.
4 나는 많은 사람들을 구했던 영웅에 대해 흥미가 있다.
5 그 첼로 연주자는 음악당의 크기에 놀랐다.

STEP 3

be known to: ~에게 알려지다

Point 026 조동사의 수동태

본문 51쪽

STEP 1

1 be 2 be planted 3 sent
4 be completed 5 not be

STEP 2

1 will be invited 2 Should, be divided
3 may be offered 4 can be done
5 must not be opened

STEP 3 ③

• 로봇이 설거지를 하는 데 사용될지도 모른다.

STEP 1

1 나는 내 선생님께 꾸지람을 받을지도 모른다.
2 이 나무들은 정원에 심어질 수 있다.
3 이 우편은 그녀에게 이번 주말 안에 보내져야 한다.
4 새로운 도로가 다음 달에 완성될 것이다.
5 그 암호는 잊어버리면 안 된다.

STEP 3

이 회의는 다음 금요일로 연기되어야 한다.
조동사가 있는 수동태는 「조동사+be+과거분사」로 쓴다.

Point 027 동사구의 수동태

본문 52쪽

STEP 1

1 looked up to 2 laughed at
3 be looked after 4 been put off
5 run over by

STEP 2

1 was looked down on 2 been made use of
3 was called off 4 were found out
5 were taken away

STEP 3 ③

• 나는 불을 껐다.

STEP 1

1 그는 많은 사람들에 의해 존경을 받는다.
2 Brian은 그의 친구들에 의해 놀림을 당했다.
3 그 미아는 내 어머니에 의해 돌봐질 것이다.
4 그 지급은 회사에 의해 연기되었다.
5 그 새끼 돼지는 큰 트럭에 치였다.

STEP 3

나의 이모는 매일 아침 내 여동생을 돌보신다.

동사구의 수동태는 하나의 단어로 취급해서 수동태로 바꾼다.

Point 028 that절을 목적어로 하는 문장의 수동태

본문 53쪽

STEP 1

1 say 2 to be 3 is known
4 to be 5 was reported

STEP 2

1 is believed to be
2 is reported that stress causes headaches
3 is known that the early bird catches
4 is said to go
5 is expected to be released

STEP 3 ④

• 사람들은 그가 매우 많은 돈을 번다고 믿는다.

STEP 1

1 사람들은 부산이 음식으로 유명하다고 말한다.
2 그녀는 정직하다고 여겨진다.
3 지구는 둥글다고 알려져 있다.
4 흡연은 당신의 건강에 나쁘다고 여겨진다.
5 몇 명의 사람들이 지진으로 부상당했다고 보고되었다.

STEP 2

1 그녀는 매우 친절하다고 여겨진다.
2 스트레스가 두통을 일으킨다고 보고된다.
3 일찍 일어나는 새가 벌레를 잡는다고 알려져 있다.
4 그 유명한 커플은 사이판에 간다고들 한다.
5 그의 앨범이 곧 발매될 것이라고 기대된다.

STEP 3

우리가 본 뮤지컬은 매우 흥미진진했다고 생각되었다.

that절을 목적어로 하는 문장의 수동태에서 that절의 주어가 수동태의 주어로 쓰이면 「that절의 주어+be동사+과거분사+to부정사」로 쓴다.

01회 내신 적중 실전 문제

본문 54쪽

01 ⑤	02 ⑤	03 ⑤	04 ③	05 ④	06 ③
07 ④	08 ④	09 ①	10 ④	11 ①	12 ⑤

13 is being cut
14 was given to poor people[the poor]
15 seeing, seen
16 eat, to eat

01

① 그는 그 선물에 기뻐했다.
② 나는 내 머리 모양에 만족한다.
③ 그 거리는 많은 사람들로 붐빈다.
④ 그 카페는 커피 향으로 가득하다.
⑤ 그녀는 그의 유머감각에 놀랐다.

⑤는 at을 쓰고 나머지는 with가 들어간다.

02

① 그 깔개는 내 여동생에 의해 만들어졌다.
② 이 세미나는 5시까지 마쳐야 한다.
③ 그녀는 장학금을 수여받았다.
④ 이탈리아 음식이 나의 엄마에 의해 요리되고 있다.
⑤ 약간의 속임수가 그 마술사에 의해 사용되었다.

⑤ 동사구의 수동태는 동사구를 하나로 취급하고 수동태로 바꾼다. made use of 뒤에 by가 들어가야 한다.

Words rug 깔개 scholarship 장학금 trick 속임수 magician 마술사

03

나는 내 여자친구에게 스카프를 사주었다.

4형식 문장의 수동태에서 직접목적어를 주어로 할 때 동사 buy의 경우 간접목적어 앞에 전치사 for를 쓴다.

Words scarf 스카프

04

너는 복도에 네 자전거를 놔두면 안 된다.

조동사가 있는 문장의 수동태는 「조동사+be+과거분사」

의 형태로 쓴다. 부정문은 조동사 뒤에 not을 쓴다.
Words hallway 복도

05
동사구의 수동태는 동사구를 하나로 취급하여 수동태로 바꾼다.
Words wild 야생의

06
미래시제 수동태는 「will be+과거분사」의 형태로 쓴다.

07
그 고장 난 시계는 Jerry에 의해 수리되고 있다.
진행형 수동태는 「be동사+being+과거분사」로 나타낸다.

08
그 노인이 길을 건너고 있는 것이 보였다.
지각동사(see)의 목적격 보어로 쓰인 동사원형은 수동태에서 현재분사나 to부정사가 된다.

09
• 그들은 볼륨을 줄여달라고 요청받았다.
• 그 새 집은 대가족에게 임대되었다.
5형식 문장의 수동태는 능동태의 목적격 보어를 그대로 쓴다. ask는 목적격 보어로 to부정사를 취한다. 4형식 문장에서 직접목적어를 주어로 하는 수동태는 간접목적어 앞에 전치사를 쓰는데 lend의 경우 to를 쓴다.
Words lend 빌려주다, 임대하다

10
• 그 얼룩은 방금 제거되었다.
• 의사는 그에게 금연을 하도록 했다.
완료형 수동태는 「has/have/had+been+과거분사」로 쓴다. 5형식 문장의 수동태에서 사역동사는 목적격 보어로 to부정사를 취한다.
Words stain 얼룩 remove 제거하다

11
① 그녀는 어둠 속으로 사라졌다.
② John은 사람들에 의해 'Big Father'라고 불린다.
③ 개 한 마리가 침대에서 자고 있는 것을 발견했다.
④ 그녀는 Ann보다 춤을 더 잘 춘다고 여겨진다.
⑤ 그 소년은 그의 엄마에 의해 선물을 받았다.
① disappear와 같은 자동사는 수동태로 쓸 수 없다.

12
let은 수동태로 쓸 수 없고 「be allowed to」로 나타낸다.

13
Julia는 칼로 생일 케이크를 자르고 있다.
진행형 수동태는 「be동사+being+과거분사」로 쓴다.

14
4형식 문장을 수동태로 만들 때, 동사 give는 간접목적어 앞에 전치사 to를 쓴다.

15
그 산은 이 방에서 볼 수 있다.
조동사가 있는 문장의 수동태는 「조동사+be+과거분사」로 쓴다.

16
나는 더 많은 채소를 먹으라고 이야기를 들었다.
5형식 문장의 수동태에서 동사는 「be동사+과거분사」로 쓰고, 목적격 보어는 그대로 동사 뒤에 쓴다. tell은 5형식 동사로 쓰일 때 to부정사를 목적격 보어로 취한다.
Words vegetable 채소

02회 내신 적중 실전 문제

본문 56쪽

01 ①, ④ 02 ④ 03 ③ 04 ④ 05 ⑤ 06 ④
07 ⑤ 08 ⑤ 09 ④ 10 ② 11 ① 12 ③
13 (1) is considered that her explanations are always simple
(2) are considered to be always simple
14 have been collected
15 care, care of
16 to, of

01
that절을 목적어로 하는 문장의 수동태는 가주어 it이나 that절의 주어를 수동태의 주어로 쓸 수 있다. that절의 주어를 수동태로 쓸 때는 「that절의 주어+be동사+과거분사+to부정사」의 형태로 쓴다. 이때 that절의 동사가 to부정사로 바뀐다.
Words workaholic 일 중독자, 일벌레

02
① 그들이 크게 함께 이야기하는 것을 들었다.

② 약간의 과일이 물로 씻겨지고 있다.
③ 내 제안은 나의 상사에 의해 거절당했다.
④ Chris는 그의 선생님에 의해 쓰레기를 치우게 되었다.
⑤ 그 아이는 그의 아버지에 의해 운동장에 혼자 남게 되었다.

④ 사역동사의 수동태는 목적격 보어가 to부정사로 바뀐다. (was made → was made to)

Words proposal 제안 turn down 거절하다 trash 쓰레기 playground 운동장

03
내 남동생이 다음 주 월요일까지 네 사물함을 고칠 것이다.

미래시제 수동태는 「will be+과거분사」의 형태로 쓴다.

04
그들은 여기에 새로운 학교를 건설했다.

완료형 수동태는 「have/has/had+been+과거분사」로 쓴다.

05
진행형 수동태는 「be동사+being+과거분사」로 쓴다.

06
조동사의 수동태는 「조동사+be+과거분사」로 쓴다.

07
A: 누가 네 지갑을 발견했니?
B: 그것은 나의 할아버지에 의해 발견되었다.

지갑을 찾은 것은 과거이므로 과거시제 수동태를 쓴다.

08
그는 올해 새로운 세계 기록을 세울 것으로 예상되었다.

expect는 목적격 보어로 to부정사를 취하는 동사이므로 수동태로 전환되었을 때도 그대로 to부정사를 쓴다.

Words set (모범 · 수준 등을) 만들다[세우다]

09
• 그 차의 윗부분은 많은 나뭇잎들로 덮여 있다.
• 나의 부모님은 나의 여동생에 대해 걱정하신다.

be covered with: ~로 덮여 있다
be worried about: ~에 대해 걱정하다

10
• 무엇인가가 내 어깨에 닿는 것이 느껴졌다.
• 나는 나의 부모님에 의해 그들의 사랑 이야기를 들었다.

지각동사(feel)의 목적격 보어로 쓰인 동사원형은 수동태에서 to부정사나 현재분사가 된다. 4형식 문장의 수동태에서 간접목적어를 수동태의 주어로 하는 경우 동사 다음에 바로 직접목적어가 온다.

Words shoulder 어깨

11
① 그녀는 내게 이 치마를 사주었다.
② John은 학생들에게 수학을 가르친다.
③ Helen은 그에게 크리스마스 카드를 보냈다.
④ 우리는 Joe를 작년에 시장으로 선출했다.
⑤ 그 선생님은 우리에게 약간의 조언을 주셨다.

buy, write, get, cook 등의 동사는 간접목적어를 수동태의 주어로 취하지 않는다.

Words elect 선출하다 mayor 시장

12
① 그녀는 가방에 몇 개의 연필을 가지고 있다.
② 사고가 모퉁이에서 발생했다.
③ 그 경찰관은 많은 사람들을 구했다.
④ 그는 갑자기 나무 뒤에서 나타났다.
⑤ 사진 속의 아이는 나의 엄마와 닮았다.

happen, have(가지다), resemble, appear 등의 동사는 수동태로 쓸 수 없다.

13
사람들은 그녀의 설명들이 항상 간단하다고 여긴다.

that절을 목적어로 하는 문장의 수동태에서 가주어 it이나 that절의 주어를 수동태의 주어로 쓸 수 있다. that절의 주어를 쓸 때는 「that절의 주어+be동사+과거분사+to부정사」의 형태로 쓴다.

Words explanation 설명

14
현재완료 수동태는 「have/has been+과거분사」로 쓴다.

15
아기는 그녀에 의해 돌봐지고 있다.

문장에 동사구가 있는 경우 수동태로 바뀔 때 하나의 단어로 취급하여 수동태로 바꾼다.

16
Sam은 지난밤 어려운 질문을 그의 아버지에게 물어 보았다.

4형식 동사의 직접목적어가 주어로 쓰일 경우 ask는 간접목적어 앞에 of를 쓴다.

Lesson 04 | to부정사

Point 029 명사적 용법 (주어, 목적어, 보어)

본문 60쪽

STEP 1
1 주어 2 목적어 3 보어 4 주어 5 목적어

STEP 2
1 to stay 2 to drive 3 to hold 4 To follow

STEP 3 ③

• 숲 속에서 야영하는 것은 멋진 경험이다.
• 내 목표는 사막을 도보로 횡단하는 것이다.
• 제가 당신에게 그곳에 가는 법을 알려드릴게요.

STEP 1
1 해외로 가는 것이 내 계획이다.
2 우리는 파티에 누구를 초대해야 할지 모르겠다.
3 그녀의 꿈은 유명한 건축가가 되는 것이다.
4 그는 높은 점수를 얻는 것이 쉽지 않다고 말한다.
5 그녀는 저녁에 미술 강좌를 수강하기로 결심했다.

STEP 3
① 액션 영화를 보는 것은 재미있다.
② 그녀의 생각은 일을 분담하자는 것이다.
③ 그는 이것을 왜 해야 하는지 이해하지 못했다. (×)
④ 그들은 요리 강좌를 수강하기를 원한다.
⑤ 나는 어떤 셔츠를 입어야 할지 결정할 수가 없다.
③ why는 to부정사와 함께 쓸 수 없다.

Point 030 명사적 용법 (가주어, 가목적어)

본문 61쪽

STEP 1
1 it 2 to play 3 to ask 4 it 5 it difficult

STEP 2
1 It is not simple to use
2 makes it easy to find
3 It is impossible to finish
4 It is important to listen to
5 makes it possible to lower

STEP 3 ②

• 블로그에 사진을 게시하는 것은 쉬운 일이다.
• 그는 저녁 식사 후에 산책하는 것을 규칙으로 삼는다.

STEP 1
1 운동은 체중을 유지하는 것을 더 쉽게 해 준다.
2 온라인 게임을 하는 것은 재미있다.
3 나는 다른 사람들에게 부탁을 하는 것이 힘들다고 생각한다.
4 누군가의 비밀번호를 알아내는 것은 가능한가?
5 그녀는 다이어트를 계속하는 것이 어렵다는 것을 알았다.

STEP 3
나는 이 낡은 프라이팬을 사용하는 것이 위험하다는 것을 알았다.
목적어 자리에 가목적어 it이 오고 문장 뒤에 진목적어인 to부정사구가 위치한 문장이다.

Point 031 형용사적 용법 (명사 수식)

본문 62쪽

STEP 1
1 play with 2 to write on 3 to go
4 to visit 5 something special

STEP 2
1 to sell 2 to live in
3 to dance with 4 to recycle
5 something interesting to talk about

STEP 3 ④

• 그에게는 새 차를 살 충분한 돈이 없었다.
• 나는 그 파티에 입고 갈 특별한 무언가가 필요하다.
• 내게 가지고 쓸 펜을 빌려줄 수 있니? (← 펜을 가지고 쓰다)

STEP 1
1 그녀는 갖고 놀 장난감을 잃어버렸다.
2 나에게는 필기할 종이가 한 장도 없다.
3 나는 콘서트에 같이 갈 사람이 필요하다.
4 라스베이거스는 방문할 만한 인기 있는 장소로 알려져 있다.
5 나는 크리스마스를 기념하기 위한 뭔가 특별한 것을 원한다.

STEP 2
1 나는 책을 많이 갖고 있다. 나는 그것들을 벼룩시장에서 팔 것이다.
→ 나는 벼룩시장에서 팔 책을 많이 갖고 있다.
2 나는 집을 찾고 있다. 나는 거기에서 살기를 원한다.
→ 나는 살 집을 찾고 있다.
3 James에게는 여자 친구가 있다. 그는 파티에서 그녀와 함

께 춤을 출 것이다.

→ James에게는 파티에서 함께 춤을 출 여자 친구가 있다.

4 그는 상자 몇 개를 갖고 있다. 그는 그것들을 더 사용하기 위해 재활용할 것이다.

→ 그는 더 사용하기 위해 재활용할 상자 몇 개를 갖고 있다.

5 나는 방금 흥미로운 말을 들었다. 나는 그것에 대해 이야기할 것이다.

→ 나는 이야기할 만한 흥미로운 말을 방금 들었다.

STEP 3

그녀에게 앉을 의자를 갖다 주세요.

a chair를 수식할 수 있는 to부정사가 와야 하며, 동사 sit 뒤에 a chair가 오려면 전치사가 선행해야 하므로 빈칸에 들어갈 말로 to sit on이 알맞다.

Point 032 형용사적 용법 (be to 용법)

본문 63쪽

STEP 1

1 만약 그녀가 살아남고자 한다면 먹을 것을 찾아야 한다.
2 학생들은 선생님의 말씀을 들어야 한다.
3 Harry는 Sally와 사랑에 빠질 운명이었다.
4 그 방에서는 어떤 것도 들리지 않았다.
5 나는 오늘 저녁에 가족과 외식할 예정이다.

STEP 2

1 is to take
2 was to lose
3 isn't to be bought
4 aren't to break

STEP 3 ⑤

• 너는 오후 7시까지 집에 와야 한다.
• 우리는 오늘 오후에 회의를 할 예정이다.
• 이곳에서는 어떤 것도 찾을 수 없었다.
• 만약 네가 선생님이 되고자 한다면 더 열심히 공부해야 한다.
• 그녀는 최고 무용수가 될 운명이었다.

STEP 2

1 그녀는 내년에 여행을 갈 계획이다.
2 그 남자는 자신의 모든 재산을 잃을 운명이었다.
3 행복은 돈으로 살 수 없다.
4 당신은 자녀와의 약속을 깨지 말아야 한다.

STEP 3

운전자들은 모든 교통 법규를 지켜야 한다.

「be+to부정사」가 사용되었고, 의미상 이 부분을 '~해야 한다'라고 해석하는 것이 가장 자연스럽다. 따라서 밑줄 친 부분을 have to로 바꿔 쓸 수 있다.

Point 033 부사적 용법

본문 64쪽

STEP 1

1 너를 귀찮게 해서 미안해.
2 그의 할아버지는 90세까지 사셨다.
3 화재에서 아이를 구하다니 그는 용감했다.
4 그녀는 내 책을 빌리기 위해 우리 집에 왔다.
5 일부 야생 버섯은 먹기에 안전하지 않다.

STEP 2

1 to pass the driving test
2 to miss the last bus
3 to apologize for her mistake
4 to speak three languages

STEP 3 ④

• 나는 식료품을 사기 위해 시장에 갔다.
• 그녀는 잠에서 깨어 자신이 유명해진 것을 알았다.
• 우리는 대회에서 우승해서 매우 기뻤다.
• 이것은 이해하기 어렵다.

STEP 2

1 그는 운전면허 시험에 합격했다. 그는 매우 행복했다.

→ 그는 운전면허 시험에 합격해서 매우 행복했다.

2 그들은 서둘렀다. 하지만 그들은 마지막 버스를 놓쳤다.

→ 그들은 서둘렀지만, 결국 마지막 버스를 놓치고 말았다.

3 그녀는 내게 전화했다. 그녀는 자신의 실수에 대해 사과했다.

→ 그녀는 자신의 실수에 대해 사과하기 위해서 내게 전화했다.

4 내 딸은 3개 국어를 구사할 수 있다. 그녀는 똑똑하다.

→ 3개 국어를 구사하는 것을 보니 내 딸은 똑똑하다.

STEP 3

보기 그 아이디어를 생각해 내다니 너는 참 똑똑하다.

① 나는 자원봉사를 하기 위해 도서관에 갔다.
② 그는 자라서 수의사가 되었다.
③ 이 기기는 사용하기 쉽다.
④ 그 기계를 발명하다니 그녀는 천재임에 틀림없다.

⑤ 만약 그가 이야기하는 것을 듣는다면 너는 그를 외국인으로 여길 것이다.

보기 와 ④의 to부정사는 판단의 근거를 나타낸다. ①은 목적을, ②는 결과를, ③은 정도를, ⑤는 조건을 나타내는 to부정사를 사용하였다.

Point 034 to부정사의 의미상의 주어

본문 65쪽

STEP 1

1 for 2 of 3 for 4 of 5 for

STEP 2

1 is necessary for you
2 was careless of him
3 is hard for me
4 unbelievable for her
5 is friendly of you

STEP 3 ⑤

• 네가 명확한 목표를 갖는 것이 중요하다.
• 선생님께 말대답을 하다니 그녀는 무례했다.

STEP 1

1 그녀가 그 상자를 운반하는 것은 불가능하다
2 그렇게 말하다니 너는 어리석었다.
3 내가 차를 운전하는 것은 쉽지 않다.
4 나를 태워주다니 너는 참 친절하구나!
5 그 강의는 그녀가 이해하기에는 너무 어렵다.

STEP 3

그가 노벨상을 탄 것은 놀랍다.

him은 to win의 의미상의 주어이므로 앞에 전치사 for를 써야 한다.

Point 035 to부정사의 부정, 진행

본문 66쪽

STEP 1

1 never to tell 2 to be taking
3 not to be 4 to be looking

STEP 2

1 not to build the bridge
2 to be hiding something
3 not to gain weight
4 to be enjoying the game
5 not to catch a cold

STEP 3 ④

• 그는 내게 문을 열지 말라고 말했다.
• 이 사진 속에서 너는 떠 있는 것처럼 보여.

STEP 3

우리가 공기, 땅, 그리고 물을 오염시키지 않는 것이 필요하다.

④ to부정사의 부정형은 「not/never+to부정사」의 형태로 쓴다. (to not pollute → not to pollute)

Point 036 to부정사의 시제, 태

본문 67쪽

STEP 1

1 have finished 2 be repaired 3 have been
4 be given 5 pay

STEP 2

1 be tired 2 have enjoyed
3 have been given 4 was attacked

STEP 3 ④

• 그는 부유했던 것처럼 보인다.
• 대기가 그들의 노랫소리로 채워진 것 같았다.

STEP 1

1 그녀는 한 시간 전에 프로젝트를 마쳤던 것 같다.
2 이 건물은 가능한 한 빨리 수리될 필요가 있다.
3 그 왕은 독살 당했던 것처럼 보인다.
4 나는 장학금을 받을 것이라고 기대하지 않았다.
5 나는 일 년 안에 빚을 갚기를 희망한다.

STEP 2

1 그는 피곤한 것 같다.
2 그녀는 파티를 즐겼던 것 같다.
3 그는 그 편지를 받아서 기뻐한다.
4 그녀는 숲에서 야생 동물에 의해 공격을 받은 것 같다.

STEP 3

보기 Kate는 그것을 잊어버린 것 같다.

보기 의 문장에서 주절의 시제는 현재, that이 이끄는 종속절의 시제는 과거이다. to부정사를 이용해 같은 의미의 문장을 만들려면 완료부정사를 써야 한다.

Point 037 목적보어로 쓰이는 to부정사

본문 68쪽

STEP 1

1 to resign 2 to take 3 to show
4 not to waste 5 to have

STEP 2

1 me to come to their house[home]
2 her to exercise every day
3 pets to stay at our hotel
4 me to go to a good school
5 the children to be quiet

STEP 3 ①

• 나는 그들에게 Jake를 그만 괴롭히라고 부탁했다.
• 나는 그에게 내 자전거를 수리하도록 시켰다.

STEP 1

1 그는 내게 직책에서 물러나라고 강요했다.
2 우리 엄마는 내가 남동생을 돌봐 주기를 원하셨다.
3 낯선 사람이 내게 길을 알려 달라고 요청했다.
4 Jason은 그녀에게 시간을 낭비하지 말라고 말했다.
5 의사는 그에게 쉬라고 충고했다.

STEP 3

① 제가 그와 결혼하도록 허락해 주세요.
② 우리 부모님께서는 내가 치과의사가 되길 원하신다.
③ 나는 그가 좋은 지도자가 될 것이라고 예상한다.
④ 그녀는 내게 수업에 집중하라고 충고했다.
⑤ 그들은 그에게 저항하는 것을 멈추라고 지시했다.

① allow는 목적보어로 to부정사를 취한다. (marry → to marry)

Point 038 목적보어로 쓰이는 원형부정사 (사역동사)

본문 69쪽

STEP 1

1 carry 2 have 3 to read 4 paint 5 donate

STEP 2

1 me borrow her shoes
2 me drop the brush
3 him to drive my car
4 me do[to do] the dishes
5 Ben check my schedule

STEP 3 ⑤

• 그녀는 내가 나가는 것을 허락하지 않았다.
• 그는 내가 세차하는 것을 도와주었다.

STEP 1

1 그녀는 내가 임무를 수행하도록 도와주었다.
2 그에게 더 많은 자유 시간을 갖게 해 주세요.
3 선생님은 우리에게 많은 책을 읽게 하셨다.
4 Henry는 그 남자아이에게 벽을 칠하게 했다.
5 엄마는 내게 용돈의 일부를 기부하도록 하셨다.

STEP 3

나는 그녀에게 그 버튼을 누르게 ________.

① 허락했다 ② 했다
③ 했다 ④ 도와주었다
⑤ 예상했다

목적보어로 원형부정사를 취하는 동사는 사역동사 let, have, make와 help이다. expect는 목적보어로 to부정사를 취하는 동사이다.

Point 039 목적보어로 쓰이는 원형부정사 (지각동사)

본문 70쪽

STEP 1

1 to come → come[coming]
2 reads → read
3 turning → turn
4 made → make[making]
5 crossing → (to) cross

STEP 2

1 the airplane take[taking] off
2 you shout[shouting]
3 someone[somebody] stepping
4 me playing soccer
5 my son to eat vegetables

STEP 3 ④

• 나는 그녀가 운동장에서 달리는 것을 보았다.
• 우리는 그가 계단을 내려오고 있음을 알아차렸다.

STEP 1

1 그들은 내가 들어온[들어오고 있는] 것을 알아차렸다.
2 나는 그가 책을 읽는 모습을 본 적이 없다.
3 그는 그녀에게 라디오를 끄게 했다.
4 우리들은 당신이 발표하는 것을 들었어요.
5 그녀는 그 노부인이 길을 안전하게 건너도록 도와주었다.

STEP 3

① 나는 누군가가 창문을 두드리는 것을 들었다.
② 우리는 배가 강을 떠내려가는 것을 보았다.
③ 너는 누군가가 널 따라오는 것을 알아차렸니?
④ 그는 내가 경주로를 뛰고 있는 것을 보았다.
⑤ 나는 탁자가 떨리고 있는 것을 느꼈다.

①, ②, ③, ⑤ hear, see, notice, feel은 지각동사이므로, 목적보어로 원형부정사나 v-ing가 와야 한다.

Point 040 독립부정사

본문 71쪽

STEP 1
1 Needless to say
2 To tell the truth
3 To make matters worse
4 To be frank with you
5 not to mention

STEP 2
1 so to speak
2 To be honest (with you)
3 To begin with
4 Strange to say
5 To be sure

STEP 3 ④

STEP 1

1 말할 필요도 없이, 그 영화는 놀라웠다.
2 사실대로 말하면, 나는 그를 좋아하지 않는다.
3 설상가상으로, 나는 회의에 늦었다.
4 솔직히 말해서, 나는 가끔 네 옷을 입었어.
5 그는 영어는 말할 것도 없고 프랑스어도 구사할 수 있다.

STEP 3

나는 회사에 늦게 도착했다. 설상가상으로, 나는 지갑을 잃어버렸다. 끔찍한 하루였다.
① 확실히 ② 말하자면 ③ ~는 말할 것도 없고 ⑤ 우선

안 좋은 일이 계속 일어나서 끔찍한 날이었다는 내용이므로, 빈칸에는 '설상가상으로'라는 표현이 들어가야 알맞다.

01회 내신 적중 실전 문제

본문 72쪽

01 ①	02 ③	03 ④	04 ①	05 ⑤	06 ②
07 ④	08 ④	09 ⑤	10 ①	11 ②	12 ③

13 have annoyed you
14 She appears to be controlling her emotions.
15 I told my students not to worry.
16 brought, to bring

01

보기 그는 내게 반지를 주기로 약속했다.
① 우리 아빠는 금연하기로 결심하셨다.
② 그녀는 변화에 적응하기 위해 최선을 다했다.
③ 내 사촌은 자라서 상담가가 되었다.
④ 그들의 요청을 받아들이다니 너는 현명하구나.
⑤ 나는 곤경에 처했을 때 의지할 사람이 필요하다.

보기 와 ①의 to부정사는 명사적 용법으로 쓰인 반면, ②~④는 부사적 용법으로, ⑤는 형용사적 용법으로 쓰였다.

Words adapt 적응하다 counselor 상담가 request 요청 depend on ~에게 의지하다

02

① 그녀는 자라서 간호사가 되었다.
② 그러한 일을 하다니 그는 용감하다.
③ 나는 심리학을 공부할 계획을 가지고 있다.
④ Lucy는 날씬한 몸매를 유지하기 위해 항상 운동을 한다.
⑤ 이 문제는 답하기에 매우 어렵다.

③의 to부정사는 형용사적 용법으로 쓰인 반면, 나머지는 모두 부사적 용법으로 쓰였다.

Words brave 용감한 psychology 심리학 slim 날씬한

03

① 그녀는 내가 상자를 옮기는 것을 도와주었다.
② 그는 내게 자신의 숙제를 하게 했다.
③ 우리 엄마는 내게 방을 청소하도록 시키셨다.
④ 그들은 그녀가 그 나라를 떠나는 것을 허락하지 않았다.
⑤ 나는 그가 자신의 불운에 대해 불평하고 있는 것을 들었다.

④ 사역동사 let은 목적보어로 원형부정사를 취한다. 따라서 leaving을 leave로 고쳐야 한다.

Words country 나라, 국가 complain 불평하다 luck 운

04

① 나를 위로해 주다니 그녀는 착하다.
② 실패를 받아들이는 것이 내게는 쉽지 않다.

③ 아이들이 칼을 사용하는 것은 위험하다.
④ 그는 새로운 기술을 배우는 것이 필요하다.
⑤ 내가 그 암벽을 오르는 것은 불가능했다.

①의 nice는 성품을 나타내는 형용사이므로, to부정사의 의미상의 주어를 표현할 때 of를 쓰고, 나머지 문장에서는 모두 for를 쓴다.

Words comfort 위로하다 accept 받아들이다, 인정하다 failure 실패 knife 칼 necessary 필요한 rock 암벽

05
① 나에게는 갖고 쓸 펜이 없다.
② 그는 함께 이야기할 사람을 만났다.
③ 이것은 갖고 놀 수 있는 가벼운 공이다.
④ 그녀는 같이 살 애완동물을 찾고 있다.
⑤ 그것은 앉을 만한 매우 편안한 의자이다.

①~⑤번 모두 「명사(구)+to+동사원형+전치사」의 형태이지만, ⑤는 빈칸에 전치사 on이 알맞고 나머지는 모두 전치사 with가 알맞다.

Words light 가벼운 pet 애완동물 comfortable 편안한

06
자원봉사를 하는 것은 좋은 일이다.

주어로 쓰인 to부정사구를 문장 뒤로 옮기고 그 자리에 가주어 it을 쓴다.

Words volunteer work 자원봉사

07
너는 방과 후에 바로 집에 와야 한다.

「be+to부정사」는 가능, 의무, 예정 등의 다양한 의미를 갖는데, 이 문장에서는 해당 부분이 의무(~해야 한다)를 뜻한다.

08
• 제게 스파게티를 만드는 방법을 알려 주세요.
• 그녀는 내게 그 단어의 철자를 어떻게 쓰는지를 가르쳐 주었다.

「how+to부정사」는 '~하는 방법', '어떻게 ~할지'라는 뜻이다.

Words spell 철자를 쓰다

09
• 솔직히 말해서, 나는 네가 하는 말을 이해할 수 없다.
• 너는 말하자면 물 밖에 나온 물고기이다.

각각의 빈칸에 to부정사를 넣어 독립부정사를 포함한 문장으로 만드는 것이 의미상 자연스럽다.

10
• 나는 그녀가 자전거에서 떨어지는 것을 보았다.
• 나는 Peter가 내 이름을 부르고 있는 것을 들었다.

지각동사 see와 hear는 목적보어로 원형부정사나 v-ing를 취한다.

Words fall off 떨어지다

11
① 나는 필기할 종이 몇 장을 원한다.
② 나는 묵을 만한 아름다운 호텔을 발견했다.
③ 그녀에게는 같이 놀 친구들이 많이 있다.
④ 그에게는 모든 것을 암기할 수 있는 능력이 있다.
⑤ 너는 따뜻한 마실 거리를 살 필요가 있다.

② 동사 stay 뒤에 a beautiful hotel이 오려면 전치사가 선행해야 하므로, stay 뒤에 at[in]을 덧붙여야 한다.

Words ability 능력 memorize 암기하다

12
① 그는 내가 나무를 심는 것을 도와주었다.
② 선생님은 우리에게 조용히 하라고 시키셨다.
③ 그녀는 내가 수학 시험에서 부정행위를 하는 것을 알아차렸다.
④ 우리는 당신이 세계 평화를 증진시키기를 기대합니다.
⑤ 그는 약간의 돈을 자신의 가족에게 보내는 것이 의무라고 여긴다.

③ 지각동사 notice는 목적보어로 원형부정사나 v-ing만 취한다.

Words cheat 부정행위를 하다 promote 증진시키다 consider 여기다, 간주하다 duty 의무

13
내가 너를 짜증나게 해서 미안하다.

to부정사가 나타내는 일이 주절이 나타내는 일보다 시간상 앞설 때 완료부정사(「to have+p.p.」)를 사용한다.

Words annoy 짜증나게 하다

14
to부정사의 진행형은 「to be+v-ing」로 쓴다.

15
동사 tell은 목적보어로 to부정사를 취한다. to부정사의 부정형은 「not/never+to부정사」로 쓴다.

16
그녀는 내게 우산을 갖다 달라고 부탁했다.

ask는 목적보어로 to부정사를 취하는 동사이다.

02회 내신 적중 실전 문제

본문 74쪽

01 ②	02 ⑤	03 ⑤	04 ④	05 ⑤	06 ③
07 ③	08 ③	09 ①	10 ①	11 ①	12 ④

13 which pair to buy
14 He got me to sign the paper.
15 (1) of, for (2) pressing, to press
16 not to spill a drop

01

보기 내게 읽을 잡지를 몇 권 줘.
① 그는 자라서 변호사가 되었다.
② 앉을 벤치가 없다.
③ 영어를 완전히 익히는 것은 어렵다.
④ 아이들을 즐겁게 하기란 쉬운 일이다.
⑤ 나는 다른 사람들에게 예의 바르게 행동하기로 약속했다.

보기 와 ②의 to부정사는 형용사적 용법으로 쓰인 반면, ①, ④는 부사적 용법으로, ③, ⑤는 명사적 용법으로 쓰였다.

Words several 몇 개의 master 완전히 익히다, 숙달하다 please 즐겁게 하다 polite 예의 바른

02

① 만약 그녀와 함께 간다면 나는 기쁠 것이다.
② 그와 같이 생각하다니 너는 똑똑함에 틀림없다.
③ 그는 야구를 하기 위해 공원에 갔다.
④ 나는 네가 패배했다는 소식을 듣고 충격을 받았다.
⑤ 그녀는 휴가 전에 다이어트를 하기로 계획했다.

⑤의 to부정사는 명사적 용법으로 쓰인 반면, 나머지는 모두 부사적 용법으로 쓰였다.

Words shocked 충격을 받은 defeat 패배

03

① 그는 교사가 되지 못했다.
② 우리를 갈라놓을 수 있는 것은 아무것도 없다.
③ 나는 그 사실을 알고는 놀랐다.
④ 그는 내게 은행에 가는 법을 알려 주었다.
⑤ 그녀는 건물이 심하게 떨리는 것을 느꼈다.

⑤ 지각동사 feel은 목적보어로 원형부정사나 v-ing를 취한다. (to shake → shake[shaking])

Words tear apart ~을 갈라놓다, 찢어버리다

04

동사 love를 이용해 '사랑받는 것'을 영어로 표현하려면 수동형을 만들어야 한다. to부정사의 수동형은 「to be+p.p.」로 쓴다.

05

① 그는 배고픈 것 같다.
② 그녀는 부상을 당했던 것 같다.
③ 그 영화는 지루한 것 같았다.
④ 그는 목걸이를 사고 있는 것 같다.
⑤ 그 소년은 만화를 좋아하는 것 같다.
≠ 그 소년은 만화를 좋아했던 것 같다.

⑤ 첫 번째 문장의 to부정사로 보아, to부정사와 주절이 나타내는 일의 시점은 서로 같다. 따라서 주절이 현재이고 종속절이 과거인 두 번째 문장은 첫 번째 문장과는 의미가 다르다.

Words wound 부상을 입히다

06

나는 내 친구와 같이 록 축제에 갈 예정이었지만, 그녀는 고열을 앓았다. 그래서 나는 거기에 혼자 갔다.

이 문장에서 「be+to부정사」는 예정을 나타내므로, 이를 be going to로 바꿀 수 있다.

Words suffer from ~를 앓다 fever 고열 alone 혼자서

07

빈칸에 to부정사를 넣어 '확실히'라는 뜻의 독립부정사를 만들어야 의미상 자연스럽다.

Words lecture 강연

08

• 나는 Tom을 봤다.
• 그는 힙합 음악에 맞춰 춤을 추고 있었다.

지각동사 see는 목적보어로 원형부정사나 v-ing를 쓴다. 두 번째 문장은 과거진행형이므로 v-ing를 써서 진행의 의미를 강조한다.

09

• 바다에 서핑을 하러 가는 것은 신나는 일이다.
• 그가 빵을 혼자 먹은 것은 이기적인 일이었다.

진주어인 to부정사구가 뒤에 왔으므로 주어 자리에는 가주어 It이 와야 한다. selfish는 사람의 품성을 나타내는 형용사이므로 of를 사용해 의미상의 주어를 나타낸다.

Words selfish 이기적인

10
Smith 씨는 내게 자신의 일정을 확인하라고 ________.

① 보았다　② 시켰다
③ 말했다　④ 요청했다
⑤ 지시했다

지각동사 see는 목적보어로 to부정사를 취할 수 없다. 대신 원형부정사나 v-ing를 취한다.

11
① 그는 내게 우울함을 느끼게 했다.
② 나는 그녀가 내 제안을 받아들이게 할 수 있다.
③ 그녀는 내가 음량을 줄이도록 시켰다.
④ 우리는 그 원숭이가 나무에 오르는 것을 보았다.
⑤ 그는 내게 빈속에 술을 마시지 말라고 말했다.

② 동사 get은 사역의 의미를 갖고 있지만 목적보어로 to부정사를 취한다. (accept → to accept)
③ 사역동사 have는 목적보어로 원형부정사를 취한다. (turning → turn)
④ 지각동사 watch는 목적보어로 원형부정사나 v-ing를 취한다. (to climb → climb[climbing])
⑤ to부정사의 부정형은 「not/never+to부정사」로 쓴다. (to not drink → not to drink)

Words depressed 우울한　empty 빈　stomach 속, 위

12
① 그는 내게 도시락을 가져오지 말라고 말했다.
② 화장실을 청소하는 것은 쉽지 않다.
③ 그는 내게 그림 그리는 법을 가르쳐 주었다.
④ 그녀는 누군가가 자신의 어깨를 건드리는 것을 느꼈다.
⑤ 내 계획은 이번 주말에 소풍을 가는 것이다.

④는 목적보어 자리에 원형부정사가 와야 하므로 빈칸에 to가 들어갈 수 없다.

Words lunchbox 도시락　bathroom 화장실　shoulder 어깨

13
나는 이 신발 중에서 어느 것을 사야 할지 결정할 수 없다.

「의문사+주어+should+동사원형」은 「의문사+to부정사」로 바꿔 쓸 수 있다.

Words among ~ 중에서

14
get은 목적보어로 to부정사를 취하는 동사임에 유의해야 한다.

Words sign 서명하다

15
네가 그 버튼을 누르는 것은 불가능하다. 그 버튼은 누르기 매우 어렵다.

첫 번째 문장에서 to부정사의 의미상의 주어는 「for+목적격」으로 고쳐 쓰고, 두 번째 문장에서 pressing을 정도를 나타내는 to부정사로 고쳐 쓴다.

Words press 누르다

16
A: 너는 한 방울도 흘리지 않도록 조심해야 해.
B: 알겠어.

to부정사의 부정형은 「not/never+to+동사원형~」의 어순으로 써야 한다.

Words spill 흘리다　drop 방울

Lesson 05 | 동명사

Point 041 동명사의 역할(주어, 목적어, 보어)

본문 78쪽

STEP 1

1 cooking 2 learning 3 collecting
4 Traveling 5 helps

STEP 2

1 Watching television
2 playing the piano
3 started crying
4 afraid of losing
5 Making new friends is

STEP 3 ②, ③

• 컴퓨터 게임을 하는 것은 재미있다.
• 나는 여가 시간에 만화책을 읽는 것을 즐긴다.
• 나는 바다에서 낚시하는 데 관심이 있다.
• 내 취미는 음악을 듣는 것이다.

STEP 1

1 그녀는 요리하는 것을 잘한다.
2 그녀의 계획은 새로운 기술을 배우는 것이다.
3 내 남동생은 엽서를 모으는 것을 즐긴다.
4 세계를 여행하는 것은 나를 행복하게 만든다.
5 다양한 종류의 책을 읽는 것은 당신에게 여러 면에서 도움이 된다.

STEP 3

내 꿈은 세계적으로 유명한 최고의 모델이 되는 것이다.

문장에서 동사가 보어로 쓰이려면 동명사나 to부정사 형태가 되어야 한다.

Point 042 동명사의 의미상의 주어

본문 79쪽

STEP 1

1 his 2 her 3 me 4 Jake 5 their

STEP 2

1 Kate[Kate's] singing a song
2 her cheating on the test
3 my[me] smoking here
4 winning first prize
5 his[him] attending the meeting

STEP 3 ⑤

• 나는 그가 모래밭에서 놀고 있는 사진을 찍었다.

STEP 1

1 그녀는 그가 회계사가 되는 것을 상상할 수 없다.
2 나는 그녀가 파티에 와줘서 감사하다.
3 그들은 내가 공항에 늦게 도착할까 봐 걱정하고 있다.
4 나는 Jake가 게으른 것을 이해할 수 없다.
5 너는 그들이 결혼하는 것에 대해 어떻게 생각하니?

STEP 2

1 나는 Kate가 노래 부르는 것을 좋아한다.
2 나는 그녀가 시험에서 부정행위를 한 것이 유감스럽다.
3 제가 여기서 담배를 피워도 될까요?
4 나는 내가 1등을 할 것을 확신한다.
5 Helen은 그가 회의에 참석해야 한다고 주장했다.

STEP 3

나는 그가/네가/그녀가/James가 과학자가 된 것이 자랑스럽다.

동명사의 주어가 문장의 주어와 일치할 경우 의미상의 주어를 쓰지 않는다.

Point 043 동명사의 부정, 수동태

본문 80쪽

STEP 1

1 being ignored 2 not keeping
3 by not drinking 4 being 5 praised

STEP 2

1 being treated 2 not going
3 being caught 4 being arranged
5 Not wearing

STEP 3 ③

• 그는 제시간에 도착하지 않는 것을 좋아하지 않는다.
• 그는 자신의 친구들 앞에서 꾸중을 들은 것이 부끄러웠다.

STEP 1

1 그녀는 사람들에게 무시당하는 것이 화가 났다.
2 나는 네가 그 약속을 지키지 않은 것을 용서할 것이다.

3 많은 질병들은 충분한 물을 먹지 않음으로써 생겨난다.
4 그는 소음에 의해 방해받는 것을 싫어한다.
5 그녀는 자신의 부모님에게 칭찬을 받아서 행복했다.

STEP 3

그는 그 파티에 초대받지 못한 것에 화가 났다.

동명사를 부정할 경우에는 not을 동명사 바로 앞에 둔다.

Point 044 동명사 목적어 vs. to부정사 목적어

본문 81쪽

STEP 1

1 arguing 2 to meet 3 planting
4 turning 5 to take

STEP 2

1 expected to be 2 enjoy mowing
3 practiced dancing 4 considering donating
5 hopes to have

STEP 3 ④

• 나는 포스터를 만드는 것을 끝냈다.
• 나는 매일 산책하기로 결심했다.

STEP 1

1 그들은 서로 논쟁하는 것을 그만두었다.
2 그는 내 여동생을 만나는 것을 거절했다.
3 그들은 많은 꽃을 심는 것을 끝냈다.
4 제가 라디오를 켜도 될까요?
5 나는 휴식을 취하는 데 동의했다.

STEP 3

나의 아버지는 지난 주말 어떤 약속도 하는 것을 피하셨다.

avoid는 동명사를 목적어로 취하는 동사이다.

Point 045 동명사와 to부정사를 목적어로 취하는 동사

본문 82쪽

STEP 1

1 sending 2 eating 3 to take
4 playing 5 going

STEP 2

1 to take 2 running 3 to talk 4 to dance

STEP 3 ③

• 나는 내 언니의 옷을 입는 것을 좋아한다.
• 나는 문을 닫았던 것을 잊었다.
• 나는 문을 닫아야 하는 것을 잊었다.

STEP 1

1 나는 어제 이메일을 보낸 것을 기억한다.
2 그녀는 프랑스 음식을 시험 삼아 먹어 보았다. 그것은 맛있었다.
3 나는 약을 집에 두고 왔다. 나는 그것을 가져오는 것을 잊었다.
4 나의 남동생은 피아노를 치는 것을 그만두었다.
5 나는 지난 일요일에 파티에 갔던 것을 후회한다.

STEP 2

1 나는 2시간 동안 휴식을 취하는 것을 계속했다.
2 경기장에 있는 선수들은 열심히 달리기 시작했다.
3 우리 선생님은 다른 나라들에서의 그의 경험들에 대해 이야기하기 시작했다.
4 그 소년은 많은 사람들 앞에서 춤추는 것을 아주 좋아한다.

STEP 3

너는 내일 시험이 있다. 네 책을 가져오는 것을 잊지 마라.

이미 일어난 일이 아닌 앞으로의 할 일을 나타내고 있으므로 to부정사가 와야 한다.

Point 046 동명사의 관용 표현

본문 83쪽

STEP 1

1 laughing 2 to getting 3 making
4 refusing 5 shopping

STEP 2

1 feel like swimming 2 On[Upon] arriving
3 Keep, from burning 4 is used to working
5 spends, buying

STEP 3 ④

STEP 1

1 그녀는 크게 웃지 않을 수 없었다.
2 나는 언젠가 직업을 갖기를 기대한다.
3 내 어머니는 아버지를 위해 저녁을 만드느라 바쁘다.
4 지금 그 제안을 거절하는 것은 불가능하다.
5 나는 항상 너와 쇼핑하러 가기를 원한다.

STEP 3

「be worth -ing」는 '~할 가치가 있다'라는 의미이다.

01회 내신 적중 실전 문제

본문 84쪽

01 ⑤	02 ③	03 ②	04 ⑤	05 ③	06 ②
07 ②	08 ④	09 ④	10 ③	11 ②	12 ③

13 me[my] sitting here
14 admit being defeated
15 to, from
16 Play, Playing[To play]

01

'~하기를 기대하다'라는 의미는 「look forward to -ing」로 표현한다.

02

① 그의 직업은 과일을 파는 것이다.
② 그녀는 계속해서 요가를 한다.
③ 많은 노래하는 새들이 있다.
④ 그림을 그리는 것은 내 취미이다.
⑤ 나는 누군가를 방해하는 것 없이 그를 돕기를 원한다.

③은 명사를 수식하는 현재분사이고, 나머지는 동명사로 쓰였다.

Words disturb 방해하다

03

① 그는 그 제안을 받아들이는 것을 동의했다.
② 나는 내년에 아기를 갖기를 희망한다.
③ 그 박물관은 다시 방문할 가치가 있다.
④ 내 목소리를 듣자마자, 그는 놀랐다.
⑤ 그녀는 여행 정보를 검색하는 것을 끝냈다.

② hope는 to부정사를 목적어로 취하는 동사이다.

04

내 남동생은 그의 일에 집중하는 것을 ________.
① 계속 ~ 했다 ② 포기했다 ③ 시작했다 ④ 즐겼다 ⑤ 원했다

⑤ want는 to부정사를 목적어로 취하는 동사이다.

05

나는 어제 일기를 쓴 것을 기억한다.

「remember+동명사」는 '과거에 했던 것을 기억하다'라는 의미이다.

Words keep a diary 일기를 쓰다

06

① 그는 나와 함께 ________ 하는 것을 원한다.
② 그는 밤에 ________ 하는 데 익숙하다.
③ 나는 새로운 가게를 위해 ________ 할 것을 결심했다.
④ 그녀는 일요일에 ________ 하지 않기로 약속했다.
⑤ 그들은 내 대신 ________ 할 것을 계획 중이다.

②는 「be used to -ing」 형태로 빈칸에 동명사가 들어가고 나머지는 동사원형이 온다.

Words instead of ~대신

07

나는 최고의 리더가 되기 위해 노력하는 것을 포기했다.

give up은 동명사를 목적어로 취하는 동사이다.

08

그 커피가 너무 뜨거워서, 나는 (시험 삼아) 한번 그것 안에 얼음을 좀 넣어 보았다.

「try+동명사」는 '시험 삼아 ~해보다'라는 의미이다.

09

• 나는 그가 여기를 떠나는 것을 상상할 수 없다.
• 그는 그녀가 사업에서 성공한 것을 자랑스럽게 여긴다.

동명사의 의미상의 주어는 소유격이나 목적격으로 쓴다.

10

• 우리는 결국 떠나지 않기로 결정했다.
• 경찰은 그 사건을 조사하는 것을 회피하는 것 같았다.

decide는 to부정사를 목적어로 취하는 동사이고, avoid는 동명사를 목적어로 취하는 동사이다.

Words after all 결국 look into ~을 조사하다

11

'~하던 것을 그만두다'는 「stop+동명사」를 쓴다.

12

'앞으로 해야 할 것을 잊다'라는 의미는 「forget+to부정사」로 쓴다.

13

여기 앉아도 될까요?

mind는 동명사를 목적어로 취하고, 동명사의 주어가 문장의 주어와 다를 때 동명사의 의미상 주어로 소유격이나 목

적격을 쓴다.

14

admit은 목적어로 동명사를 쓰고, 동명사의 수동태는 「being+p.p.」 형태를 취한다.

15

폭우 때문에 우리는 그 도시를 떠날 수 없었다.

「prevent ~ from -ing」는 '~가 …하지 못하게 하다'라는 의미이다.

16

골프를 치는 것은 사람들에게 쉬운 취미는 아니다.

동사가 문장의 주어로 쓰이려면 동명사나 to부정사 형태가 되어야 한다.

02회 내신 적중 실전 문제

본문 86쪽

01 ②	02 ④	03 ⑤	04 ⑤	05 ③	06 ④
07 ⑤	08 ⑤	09 ④	10 ⑤	11 ④	12 ③

13 speaking
14 spent much money repairing
15 enter, entering
16 to climb, climbing

01

동명사의 부정은 동명사 바로 앞에 not을 쓴다.

02

'과거에 ~했던 것을 잊다'는 「forget+동명사」를 쓴다. 「forget+to부정사」는 '미래에 ~할 것을 잊다'라는 의미이다.

Words pay 지불하다 bill 계산서

03

① 그는 자신의 차를 세차하느라 바쁘다.
② 일찍 자는 것은 불가능하다.
③ 엎질러진 우유에 울어도 소용없다. (이미 엎질러진 물이다.)
④ 그녀는 일식을 먹고 싶다.
⑤ 나는 새로운 사람들을 만나는 것이 두렵다.

① be busy -ing: ~하느라 바쁘다
② There is no -ing: ~하는 것은 불가능하다
③ It is no use -ing: ~해도 소용없다
④ feel like -ing: ~하고 싶어 하다

04

내 아들은 그의 직업을 바꾸는 것을 ______________.
① 희망했다 ② 계획했다 ③ 결정했다
④ 거절했다 ⑤ 고려했다

⑤ consider는 동명사를 목적어로 취하는 동사이다.

05

나는 그 차를 사지 않은 것을 후회한다.

이미 한 일에 대한 후회를 나타낼 때 regret 다음에 동명사를 쓴다. 동명사의 부정은 동명사 앞에 not을 쓴다.

06

Jason은 다른 사람들을 놀리는 것을 싫어했다.

hate는 목적어로 동명사와 to부정사를 둘 다 취하는 동사이다.

Words make fun of ~을 놀리다

07

많은 외국인들은 마루에 앉는 데 익숙하지 않다.

be used to -ing: ~하는 데 익숙하다

08

그녀가 노래하는 것을 마쳤을 때, 많은 사람들이 그녀에게 큰 박수를 보냈다.

finish는 동명사를 목적어로 취하는 동사이다.

09

• 내 자리를 지키는 것은 쉽지 않다.
• 그녀는 그 방을 청소하기 시작했다.

문장의 주어로 동명사나 to부정사 형태를 쓸 수 있으며 begin은 목적어로 동명사와 to부정사를 둘 다 취한다.

10

• 나는 네가 약속을 어기는 것에 개의치 않는다.
• 그것은 종이를 자르는 데 사용된다.

mind는 목적어로 동명사를 취하는 동사이고, 전치사의 목적어는 동명사를 쓴다.

11

① 나는 음식을 살 것을 잊었다.
나는 음식을 산 것을 잊었다.
② 나는 금고를 열려고 노력했다.

나는 시험 삼아 금고를 열어 보았다.
③ 나는 TV를 보는 것을 멈추었다.
나는 TV를 보기 위해 멈추었다.
④ 나는 몇 장의 신문을 접기 시작했다.
⑤ 나는 그 책을 읽은 것을 기억했다.
나는 그 책을 읽어야 할 것을 기억했다.

④ start는 목적어로 동명사나 to부정사를 둘 다 취하지만 그 뜻이 거의 변하지 않는다.

Words safe 금고 fold 접다

12

• 나는 공원에서 자전거를 타는 것을 ________.
• 그들은 주말마다 야구하는 것을 ________.

① 매우 좋아했다 ② 좋아했다 ③ 즐겼다
④ 시작했다 ⑤ 계속했다

나머지는 목적어로 동명사와 to부정사를 모두 취하지만 enjoy는 동명사만을 목적어로 취한다.

13

당신은 사람들 앞에서 말하는 것에 대해 걱정하나요?

동사가 전치사의 목적어로 쓰이려면 동명사의 형태를 취해야 한다.

Words anxious 염려하는

14

spend+시간[돈]+-ing: ~하느라 시간[돈]을 쓰다

15

그 방에 들어가자마자, 나는 무엇인가 뜨거운 것을 느꼈다.

on -ing: ~하자마자

16

너는 산을 오르는 것을 포기하면 안 된다.

give up은 동명사를 목적어로 취하는 동사이다.

Lesson 06 | 분사구문

Point 047 분사구문 만드는 법

본문 90쪽

STEP 1
1 Being 2 Finishing 3 watching
4 Drinking 5 Reading

STEP 2
1 Being very hungry 2 Being sick
3 Going upstairs 4 Hearing about the accident

STEP 3 ⑤

• 그는 그의 숙제를 끝냈으므로 그의 엄마를 도와줄 수 있었다.

TIP 시험을 준비할 때 너는 최선을 다해야 한다.

STEP 1
1 피곤했기 때문에 나는 일찍 잤다.
2 그녀는 일을 끝냈으므로 쇼핑하러 갔다.
3 나는 영화를 보면서 많이 울었다.
4 차를 마시면서 우리는 우리의 미래에 대해 이야기했다.
5 책을 읽으면서 그는 그의 엄마에게 전화하고 있었다.

STEP 2
1 나는 매우 배가 고팠기 때문에 많은 음식을 주문했다.
2 그는 아팠음에도 불구하고 그의 프로젝트를 마쳤어야 했다.
3 네가 위층에 가면 너는 그를 찾을 수 있다.
4 나는 그 사고에 대해 들었을 때 충격을 받았다.

STEP 3
• 나는 직업을 가졌기 때문에 매우 행복했다.

부사절을 분사구문으로 만든 문장으로, 접속사와 주어를 생략하고, 동사를 -ing형으로 바꿔준다.

Point 048 분사구문의 의미(때, 이유)

본문 91쪽

STEP 1
1 Hearing 2 Being 3 Seeing
4 Losing 5 finding

STEP 2
1 Having 2 Getting 3 Saving

4 Being 5 Thinking

STEP 3 ⑤

• 집에 도착했을 때 나는 그녀가 요리하고 있는 것을 보았다.
• 감기에 걸렸기 때문에 나는 학교에 가지 않았다.

STEP 1

1 이상한 소리를 들었기 때문에 나는 도망갔다.
2 학생이었을 때 나는 좋은 성적을 받지 못했다.
3 그의 아이들을 볼 때 그는 항상 미소 짓는다.
4 그녀의 지갑을 잃어버렸기 때문에 그녀는 경찰서에 갔다.
5 그는 약간의 보물을 찾았기 때문에 운이 좋았다.

STEP 2

1 두통이 있었기 때문에 그는 약을 먹었다.
2 아침에 일어나면 나는 물 한 병을 마신다.
3 내 파일을 저장한 후에 나는 그것을 이메일로 보냈다.
4 유명한 배우이기 때문에 그는 자유롭게 돌아다닐 수 없다.
5 어머니가 주무신다고 생각해서 나는 TV를 껐다.

STEP 3

부사절을 분사구문으로 만든 문장으로, 부사절 접속사를 생략하고, 주어를 생략한 뒤 동사를 -ing형으로 바꿔준다.

Point 049 분사구문의 의미(조건, 양보)

본문 92쪽

STEP 1

1 그 상자를 연다면 너는 놀랄 것이다.
2 충분히 나이가 들었음에도 불구하고 그는 일하려고 하지 않는다.
3 그는 그녀의 실수를 알았음에도 불구하고 그녀를 용서했다.
4 산꼭대기에 올라가면 너는 멋진 풍경을 볼 수 있다.
5 이사로 승진되었음에도 불구하고 나는 행복하지 않았다.

STEP 2

1 Being 2 Turning 3 Wanting
4 Failing 5 Leaving

STEP 3 ④

• 책에 너의 이름을 쓴다면 너는 그것을 쉽게 찾을 수 있을 것이다.
• 매우 피곤했음에도 불구하고 나는 공부를 해야 했다.

STEP 2

1 가난했음에도 불구하고 그는 항상 자신만만했다.
2 왼쪽으로 돌면 너는 나를 찾을 수 있다.
3 의사가 되기를 원한다면 너는 열심히 공부해야 한다.
4 그 시험에 떨어졌음에도 불구하고 그는 실망하지 않았다.
5 지금 떠난다면 너는 거기에 제 시간에 도착할 것이다.

STEP 3

나는 그녀의 이름을 알고 있음에도 불구하고, 그녀에게 아무 말도 하지 않았다.

부사절을 분사구문으로 만든 문장으로, 접속사와 주어를 생략하고, 동사를 -ing형으로 바꿔준다.

Point 050 분사구문의 의미(동시동작, 연속동작)

본문 93쪽

STEP 1

1 라디오를 켜고 나는 내 방을 청소했다.
2 영화를 보면서 그는 팝콘을 먹었다.
3 아침을 먹으면서 그녀는 신문을 읽었다.
4 밝게 미소 지으면서 그는 우리에게 인사를 했다.
5 6시에 출발해서 그 기차는 거기에 9시에 도착했다.

STEP 2

1 Taking a walk 2 reading a book
3 Sleeping at night 4 Waiting for her turn

STEP 3 ④

• 손을 잡은 채 우리는 산책을 했다.
• 그의 손을 들고 나서 그는 일어섰다.

STEP 3

부사절을 분사구문으로 만든 문장으로, 접속사와 주어를 생략 되었고, 동사를 -ing형으로 바꿔준다.

Point 051 분사구문의 부정, 수동

본문 94쪽

STEP 1

1 Not being old enough
2 Being interested in English
3 Being filled with happiness
4 Not having enough money
5 Being injured

STEP 2
1 Not getting a ticket
2 Being located at an elevation
3 Not sleeping well
4 Not knowing she could speak Korean

STEP 3 ④

• 피곤하지 않았기 때문에 나는 밤에 늦게까지 깨어 있을 수 있었다.
• 홀로 남겨졌기 때문에 그녀는 어떤 것도 할 수 없었다.

STEP 1
1 충분히 나이가 들지 않았기 때문에 그는 차를 운전할 수 없었다.
2 영어에 관심이 있어서 그녀는 종종 영어로 된 TV 프로그램들을 본다.
3 행복감에 가득차서 그녀는 미소를 멈출 수가 없었다.
4 충분한 돈을 가지고 않았기 때문에 나는 아르바이트를 해야 했다.
5 다쳐서 나는 내 다리를 움직일 수 없었다.

STEP 3
어디로 가야할지 결정하지 못했기 때문에 나는 호텔에 머물렀다.
분사구문의 부정은 분사 앞에 not이나 never를 쓴다.

Point 052 완료 분사구문

본문 95쪽

STEP 1
1 Having eaten
2 Having taken
3 Having been written
4 Having finished
5 Having read

STEP 2
1 Having visited
2 Having studied
3 Having lost
4 Having been raised

STEP 3 ③

• 세차를 한 후에 나는 공원에 갔다.
• 사고로 다친 후에 그는 병원에 입원했다.

STEP 1
1 급하게 저녁을 먹은 후 나는 집을 나섰다.
2 휴가를 얻었었기 때문에 나는 상쾌해져서 돌아왔다.
3 한국어로 쓰였기 때문에 그 책은 잘 팔릴 것으로 기대된다.
4 나의 숙제를 다 끝낸 후에 나는 나갔다.
5 그 책을 다 읽었었기 때문에 그는 그것을 도서관에 돌려주었다.

STEP 2
1 전에 그 궁전을 방문한 적이 있었기 때문에 그녀는 그 위치를 알았다.
2 대학에서 영어교육을 공부했기 때문에 나는 영어를 가르칠 수 있다.
3 내 필통을 잃어버렸기 때문에 나는 새것을 샀다.
4 중국에서 자라서 그녀는 중국어를 잘한다.

STEP 3
몇 번이나 세탁되었기 때문에, 그 수건은 깨끗해 보였다.
부사절의 시제가 주절의 시제보다 앞서면서 수동의 의미인 완료 수동형 분사구문은 「having been+과거분사」의 형태로 쓴다.

Point 053 Being 또는 Having been의 생략

본문 96쪽

STEP 1
1 Being 2 Having been 3 Being
4 Having been 5 Being

STEP 2
1 Asked 2 Bitten 3 Hit
4 she is interested 5 he was born

STEP 3 ③

• 장학금을 받았을 때, 그녀는 행복했다.
• 선생님께 칭찬을 받았기 때문에, 나는 기분이 좋았다.

STEP 1
1 매우 졸렸기 때문에 그녀는 자러 갔다.
2 쉽게 쓰였기 때문에 이 책은 학생들에게 좋다.
3 쉬라고 권고 받았기 때문에 그는 하루 휴가를 얻었다.
4 일본에서 태어났기 때문에 그녀는 그녀의 어린 시절을 그곳에서 보냈다.
5 공원에 홀로 남겨졌기 때문에 그는 외로움을 느꼈다.

STEP 2
1 리더가 될 것을 요청받았기 때문에 그는 행복했다.
2 뱀에 물렸었기 때문에 나는 그것이 두렵다.

3 차에 치였기 때문에 그녀는 병원에 있다.
4 음악에 관심이 있기 때문에 그녀는 뮤지션이 되고 싶어 한다.
5 부유한 가정에서 태어났기 때문에 그는 돈에 대해 걱정하지 않았다.

STEP 3
나에 대해 실망했기 때문에 그는 아무것도 먹지 않았다.
Being이 생략된 분사구문으로 Being disappointed에서 Being이 생략되었다.

Point 054 독립분사구문

본문 97쪽

STEP 1
1 yelling 2 being 3 flying
4 starting 5 being

STEP 2
1 The girl being so cute
2 It snowing heavily
3 The sky becoming darker
4 The sun setting
5 Everyone enjoying the game

STEP 3 ③

• 일요일이었기 때문에 나는 일하러가지 않았다.

STEP 1
1 우리 엄마가 내게 소리를 질렀기 때문에 나는 방으로 들어갔다.
2 콘서트가 끝났을 때 모두가 박수쳤다.
3 머리카락을 바람에 날리며 내 여동생은 내게 달려왔다.
4 방학이 일주일 후에 시작되기 때문에 우리는 우리의 계획을 만들었다.
5 휴일이기 때문에 그 우체국은 문을 닫았다.

STEP 2
1 그 소녀는 매우 귀여웠기 때문에 나는 그녀와 데이트하기를 원했다.
2 눈이 심하게 내렸기 때문에 우리는 우리의 여행을 취소했다.
3 하늘이 더 어두워지자 그는 불을 켰다.
4 해가 진 후에 우리는 집으로 출발했다.
5 모두가 그 게임을 즐기더라도 나는 그것에 합류하는 것을 원하지 않는다.

STEP 3
분사구문의 주어와 주절의 주어가 일치하지 않아 분사구문에 주어를 표시한 독립분사구문으로 빈칸에는 accepting이 알맞다.

Point 055 관용적으로 쓰이는 분사구문

본문 98쪽

STEP 1
1 Considering 2 Briefly speaking 3 Compared
4 Frankly speaking 5 Speaking of

STEP 2
1 Strictly speaking 2 Judging from
3 Generally speaking 4 Considering
5 Speaking of

STEP 3 ⑤

• 일반적으로 말해서, 한국인은 부지런하다.

STEP 1
1 가격을 고려하면, 그 서비스는 좋았다.
2 간단히 말해서, 나는 다른 도시로 이사가야 한다.
3 다른 제품들과 비교하면, 이것은 사용하기 쉽다.
4 솔직히 말해서, 나는 어제 방과 후 수업을 빼먹었다.
5 그 영화에 대해 말하자면, 그것은 정말 지루했다.

STEP 3
'~으로 판단하건데'의 의미는 Judging from의 형태로 쓴다.

Point 056 with+(대)명사+분사

본문 99쪽

STEP 1
1 turned 2 pouring 3 closed
4 blowing 5 folded

STEP 2
1 with his mouth open
2 with her baby sitting on the floor
3 with the light turned on
4 with her wife washing the dishes
5 with tears running down my face

STEP 3 ④

• 나는 개가 따라오게 한 채로 달리고 있었다.
• 나는 눈을 감은 채로 음악을 듣고 있었다.
• 너는 입이 꽉 찬 채로 말하면 안 된다.

STEP 1

1 나는 라디오를 켠 채로 샤워를 한다.
2 그녀는 수도꼭지에서 물을 흐르게 한 채로 설거지를 하고 있다.
3 나는 문이 닫긴 채로 공부할 수 없다.
4 바람이 부는 봄이다.
5 그는 그의 팔짱을 낀 채로 나를 기다리고 있다.

STEP 2

1 그는 자고 있었고, 그의 입은 벌려져있었다.
→ 그는 입을 벌린 채 자고 있었다.
2 그녀는 특별한 요리를 만들었고, 그녀의 아기는 바닥에 앉아 있다.
→ 그녀는 그녀의 아기를 바닥에 앉힌 채 특별한 요리를 만들었다.
3 우리는 저녁을 먹으로 나갔고, 불은 켜져 있었다.
→ 우리는 불을 켠 채 저녁을 먹으러 나갔다.
4 Randy는 책을 읽고 있었고, 그의 아내는 설거지를 하고 있었다.
→ 그의 아내가 설거지를 하고 있는 채로 Randy는 책을 읽고 있었다.
5 나는 상을 받았고, 눈물이 얼굴에 흘렀다.
→ 나는 눈물이 내 얼굴에 흐른 채 상을 받았다.

STEP 3

햇살이 밝게 빛나는 화창한 날이었다.

「with+명사+분사」 구문으로 명사와 분사의 관계가 능동이므로 현재분사를 쓴다.

01회 내신 적중 실전 문제

○ 본문 100쪽

01 ④	02 ⑤	03 ④	04 ①	05 ②	06 ⑤
07 ④	08 ⑤	09 ②	10 ②	11 ③	12 ⑤

13 Not having slept well
14 with his hand holding
15 Spoken, Speaking
16 Receiving not, Not receiving

01

④ 그녀의 직업으로 판단하건데, 그녀는 사람들에게 친절할 것이다.

'~으로 판단하건데'는 분사구문의 관용 표현인 Judging from을 쓴다.

Words kind 친절한

02

① 날이 더워서 나는 선풍기를 틀었다.
② 나는 내 아들을 기다리면서 거기에 서 있었다.
③ 그녀는 그녀의 손을 흔들면서 아래층으로 내려갔다.
④ 정보가 없기 때문에 나는 그 정답을 찾을 수 없다.
⑤ 수년 전에 지어졌기 때문에 그 다리는 꽤 위험했다.

분사구문에서 being이나 having been으로 시작하는 경우 생략할 수 있다.

Words quite 꽤 information 정보

03

① 왼쪽으로 돌면 너는 내 집을 볼 수 있다.
② 요리가 잘 되어서 그 요리는 맛있었다.
③ 날씨가 추워서 나는 히터를 틀었다.
④ 그의 일을 마쳤기 때문에 그는 샤워를 했다.
⑤ 졸린 느낌이 들어서 난 커피 한 잔을 마셨다.

주어가 he이고 능동인 경우이므로 분사구문으로 쓸 때, 접속사와 주어를 생략하고 Finishing으로 쓴다. 원래 구문은 As[Because, Since] he finished ~. 이다.

Words dish 요리 sleepy 졸린

04

① 산책을 할 때, 나는 운동화를 신는다.
② 비가 왔음에도 불구하고, 우리는 축구를 했다.
③ 곧장 가면, 너는 은행을 찾을 것이다.
④ 불안함을 느껴서, 나는 심호흡을 했다.
⑤ 치통이 있었기 때문에, 나는 치과의사를 보러 갔다.

①의 밑줄 친 부분은 When I take a walk,에서 주어가 I이고 능동이므로 분사구문으로 고칠 때, 접속사와 주어를 생략하고 Taking으로 쓰는 게 알맞다.

Words toothache 치통 straight 곧은 breath 숨, 호흡

05

나는 매우 부유함에도 불구하고, 친구가 없다.

접속사와 주어를 생략하고 동사에 -ing를 붙여 분사구문으로 만든다.

06

① 그는 소파에 앉아 있으면서 그의 머리를 끄덕이고 있었다.

② 그는 차가 없기 때문에, 버스를 타야 한다.
③ 그는 학교에 늦었음에도 불구하고 보통걸음으로 걸었다.
④ 물을 마셨음에도 불구하고 나는 여전히 목마르다.
⑤ 잠을 충분히 자지 못해서 나는 커피를 한 잔 마셨다.

분사구문의 부정은 분사 앞에 not이나 never를 써야하므로 ⑤의 Getting not은 Not getting이 되어야 한다.

Words nod 끄덕이다

07

그녀는 그녀의 뺨에 눈물이 흐르는 채 버스 정류장에 서 있었다.

「with+(대)명사+분사」의 구문으로, 명사와 분사와의 관계가 능동이므로 현재분사를 쓴다.

Words stop 정류장 roll 흐르다

08

전에 장소에 대해 이야기를 했기 때문에, 우리는 어디로 갈지 결정했다.

결정하기 전에 이야기한 것이 먼저 일어났으므로 완료 분사구문인 「having+과거분사」 형태로 쓴다.

Words discuss 이야기하다, 논의하다

09

많은 자유 시간이 있었기 때문에, 나는 약간의 활동들을 즐겼다.

접속사와 주어를 생략한 분사구문으로 Having이 들어간다.

10

매우 아팠음에도 불구하고, 나는 내 일을 했다.

양보의 의미를 나타내는 분사구문으로 접속사와 주어를 생략하고 동사를 -ing형으로 바꾼 것이다.

11

① 솔직히 말해서, 나는 너를 좋아하지 않는다.
② 그녀의 나이를 고려하면, 그녀는 매우 능숙하다.
③ 다른 차들과 비교하면, 내 것은 깨끗하다.
④ 일반적으로 말해서, 영어는 배우기 쉽지 않다.
⑤ 그의 외모로 판단하건데, 그는 착하겠다.

'~와 비교하면'의 의미로 관용적으로 쓰이는 분사구문은 compared with[to] 이므로 Comparing with는 Compared with가 되어야 한다.

Words skillful 능숙한, 숙련된 appearance 외모

12

요컨대, 그것은 돈 낭비이다.

Shortly는 Briefly speaking(간단히 말해서)으로 바꿔 쓸 수 있다.

① 엄격히 말해서 ② 일반적으로 말해서
③ 솔직히 말해서 ④ ~을 고려하면
⑤ 간단히 말해서

Words waste 낭비

13

그녀는 잠을 잘 못 잤기 때문에, 휴식을 취하고 싶었다.

분사구문의 부정은 분사 앞에 not이나 never를 쓴다.

14

「with+(대)명사+분사」는 '~가 …한 채'의 의미로 명사와 분사의 관계가 능동이므로 현재분사를 쓴다.

Words hold 잡다

15

James에 관해 말하면, 그는 작문대회에서 일등을 했다.

'~에 대해 말해서'는 분사구문의 관용 표현인 speaking of를 쓴다.

16

그녀의 대답을 받지 못했기 때문에, 나는 그녀에게 다시 전화를 했다.

분사구문의 부정은 분사 앞에 not이나 never를 쓴다.

02회 내신 적중 실전 문제

본문 102쪽

01 ②	02 ③	03 ②	04 ⑤	05 ④	06 ④
07 ③	08 ④	09 ⑤	10 ③	11 ③	12 ③

13 It being windy
14 Not doing my best
15 Speaking frankly, Frankly speaking
16 covering, covered

01

직장에서 돌아왔을 때, 나는 냉장고가 비어있는 것을 발견했다.

빈칸에는 시간, 때를 나타내는 분사구문이 의미상 가장 적절하므로 접속사 when이 생략된 구문이라고 볼 수 있다.

Words refrigerator 냉장고 empty 텅 빈

02

① 학교에 걸어갔기 때문에, 나는 피곤함을 느꼈다.
② 아팠음에도 불구하고, 그는 열심히 일해야 했다.

③ 내 가족과 살고 있지 않기 때문에, 나는 그들이 그리웠다.
④ 설거지를 마쳤기 때문에, 나는 나갈 수 있다.
⑤ 초보자에 의해 쓰여 졌기 때문에, 그것은 수정될 필요가 있다.

분사구문의 부정은 분사구문 앞에 not이나 never를 쓰므로 ③은 Not living with my family가 되어야 한다.

Words talented 재능 있는 beginner 초보자
revise 수정하다

03

① 나에게 화가 났기 때문에, 그는 가버렸다.
② 그림을 그린 후에, 나는 그것을 내 선생님께 가져갔다.
④ 충분한 돈을 갖고 있지 않아서, 나는 그 셔츠를 살 수 없었다.
③ 채식주의자이기 때문에, 그녀는 절대 고기를 먹지 않는다.
⑤ 부유한 가정에서 태어났더라면, 그녀는 지금 행복할 지도 모른다.

주어는 I이고 능동이므로 수동형을 쓰지 않아야 한다. 따라서 ②의 Drawn은 Drawing으로 고쳐야 한다.

Words vegetarian 채식주의자

04

분사구문의 주어와 주절의 주어가 같지 않으면 분사구문에 주어를 따로 표시한다.

05

남은 돈이 없었기 때문에, 그녀는 그녀의 부모님을 위한 선물을 살 수 없었다.

분사구문의 주어와 주절의 주어가 같지 않으면 분사구문에 주어를 따로 표시한다.

06

그는 영국에서 태어났기 때문에, 한국어를 할 수 없다.

As he was born in English, ~. 문장을 분사구문으로 바꾼 것으로 부사절의 시제가 주절의 시제보다 앞서고, 수동의 의미이므로 완료 수동형 분사구문 「Having been+과거분사」를 쓴다.

Words be born in ~에서 태어나다

07

나는 어제 불을 켠 채로 잠이 들었다.

「with+(대)명사+분사」는 '~가 …한 채로'의 의미이다.

08

전에 나를 만난 적이 없었기 때문에, 그녀는 내 이름을 알지 못한다.

분사구문의 부정은 분사구문 앞에 위치하며, 여기서 만난 시점이 이름을 모르는 시점보다 앞서기 때문에 완료 분사구문 「having+과거분사」를 쓴다.

09

나는 외동이기 때문에 종종 외로움을 느낀다.

원래 문장은 As[because] I am an only child, ~.이므로 부사절이나 분사구문이 들어갈 수 있다. 또한 분사구문의 뜻을 분명히 하기 위해 접속사를 남겨두기도 한다. 완료형 분사구문인 경우라면 「Having+과거분사」가 와야 하므로 ⑤는 알맞지 않다.

10

집에 홀로 남겨졌기 때문에, 나는 내 고양이를 돌봐야 했다.

원래 문장은 Since I was left home alone, ~.이므로 수동의 의미를 갖는 분사구문은 「being+과거분사」를 쓰고, 이때 being은 생략할 수 있다. 또한 분사구문의 뜻을 분명히 하기 위해 접속사를 남겨두기도 한다. 완료 수동형 분사구문이라면 「Having been+과거분사」를 써야 하므로 ③은 알맞지 않다.

11

① 배가 불렀음에도 불구하고, 그는 더 먹었다.
② 그 소식에 놀라서 그는 쓰러졌다.
③ 그는 그의 다리를 꼰 채 내 말을 들었다.
④ 나는 얼굴에 눈물이 흐른 채 돌아섰다.
⑤ 그리는 것에 능숙해서 그는 만화 그리는 것을 배웠다.

③ 「with+(대)명사+분사」 구문으로 명사와 분사의 관계가 수동이므로 과거분사 crossed로 쓴다.

12

① 눈이 많이 왔기 때문에, 그는 스키를 타러 갔다.
② 그가 아팠음에도 불구하고, 그는 그의 사무실을 청소했다.
③ 그녀가 식사 준비를 한 후에, 우리는 저녁을 먹었다.
④ 나는 다른 집에 이사한 후에, 내 친구들을 초대했다.
⑤ 그 노래를 20년 전에 쓰였음에도 불구하고, 여전히 인기가 있다.

주절의 주어와 다르면 주어를 생략하지 않고 그대로 사용한다.

Words invite 초대하다 popular 인기 있는

13

날씨가 바람이 불더라도 그들은 낚시하러 갈 것이다.

분사구문으로 만들 때 접속사는 생략하고 주절의 주어와 다르면 주어를 생략하지 않고 그대로 쓴다.

Words windy 바람이 부는

14

총 4단어로 써야 하므로 As[Because, Since] I didn't do my best, ~.인 문장을 접속사와 주어를 생략한 분사구문으로 만든다. 분사구문의 부정은 분사 앞에 not이나 never를 쓴다.

Words do one's best 최선을 다하다

15

솔직히 말해서, 그는 내 남동생이 아니다.

'솔직히 말해서'는 frankly speaking이라는 관용표현을 쓴다.

16

Kevin은 그의 신발을 흙으로 뒤덮은 채 집으로 돌아왔다.

「with+(대)명사+분사」 구문으로 명사와 분사의 관계가 수동이므로 과거분사를 쓴다.

Lesson 07 | 관계사

Point 057 주격 관계대명사

본문 106쪽

STEP 1

1 who 2 that 3 which 4 which 5 that

STEP 2

1 I have a dog which[that] is a Chihuahua.
2 Do you know the tall man who[that] is famous in this town?
3 I have a girlfriend who[that] lives in Dallas.
4 This is an expensive restaurant which[that] serves many kinds of rare dishes.

STEP 3 ②, ⑤

• 나는 옆집에 사는 그 여자를 안다.

TIP 벤치에 앉아 있는 소년을 보아라.

STEP 1

1 나는 빨간 드레스를 입는 여자를 보았다.
2 그는 원예에 관한 많은 책들을 읽는다.
3 이것은 맛있는 케이크이다.
4 연주되고 있는 그 음악은 아름답다.
5 노래하고 있는 그 남자는 나의 아빠이다.

STEP 2

1 나는 개를 가졌다. 그것은 치와와이다.
→ 내가 가진 개는 치와와이다.
2 너는 저 키 큰 남자를 아니? 그는 이 마을에서 유명하다.
→ 너는 이 마을에서 유명한 저 키 큰 남자를 아니?
3 나는 여자 친구가 있다. 그녀는 댈러스에 산다.
→ 나는 댈러스에 사는 여자 친구가 있다.
4 이곳은 비싼 식당이다. 그곳은 많은 종류의 진귀한 요리들이 나온다.
→ 이곳은 많은 종류의 진귀한 요리들이 나오는 비싼 식당이다.

STEP 3

• 나는 많은 토핑들이 있는 피자를 좋아한다.
• 그는 일본에서 만들어진 조립식 장난감들을 많이 갖고 있다.

선행사가 사물이면서 주어 역할을 하는 것은 주격 관계대명사 which나 that을 쓸 수 있다.

Point 058 소유격 관계대명사

본문 107쪽

STEP 1
1 나는 그의 여동생이 유명한 가수인 소년을 만났다.
2 그녀는 아빠가 서점에서 일하는 친구가 있다.
3 이것은 주인이 내 친구인 개다.
4 나는 취미가 우표 수집인 그를 좋아한다.
5 그녀는 색깔이 흰색인 가방을 팔고 있다.

STEP 2
1 I met my friend whose arm was broken last night.
2 She bought a doll whose hair was bright blond.
3 Look at that gleaming tower whose top is rotating.
4 We are looking for a bird whose body is very colorful.

STEP 3 ⑤

• 그는 표지가 검은 색인 책을 샀다.

STEP 2
1 나는 어젯밤에 팔이 부러진 나의 친구를 만났다.
2 그녀는 머리가 밝은 금발 인형을 샀다.
3 꼭대기가 회전하는 저 빛나는 타워를 보아라.
4 우리는 몸이 매우 화려한 새를 찾고 있다.

STEP 3
표면이 매우 미끄러운 바닥 위에서 조심해라.
선행사가 사물이고 빈칸의 뒤에는 명사가 나오고 있으므로, 소유격 관계대명사 whose가 알맞다.

Point 059 목적격 관계대명사

본문 108쪽

STEP 1
1 which 2 that 3 which 4 whom 5 that

STEP 2
1 This is the family picture which[that] I like the most.
2 This is the man who(m) I met at the airport.
3 I like the people whom[that] I work with.
4 I forgot the clothes which[that] you told me to bring.

STEP 3 ①

• 나는 나의 아버지가 사주신 스마트폰을 잃어버렸다.

TIP Jane은 내가 그녀에게 준 인형을 좋아한다.

STEP 1
1 내가 찾던 이어폰이 여기 있다.
2 나의 할머니가 만들어주신 그 피자는 맛있었다.
3 그녀는 내가 갖고 싶어 하는 토끼를 가졌다.
4 나는 네가 항상 칭찬하던 네 어머니를 만났다.
5 그는 내가 너에게 말했던 남자이다.

STEP 2
1 이것은 내가 가장 좋아하는 가족사진이다.
2 이 남자가 내가 공항에서 만난 남자이다.
3 나는 같이 일하는 사람들을 좋아한다.
4 나는 네가 가져오라고 말한 옷들을 잊었다.

STEP 3
① 나는 엄마의 선물인 가방을 갖고 있다.
② 이 남자는 내가 공원에서 봤던 남자이다.
③ 그는 어제 잊어버린 그의 열쇠를 찾았다.
④ 그것은 네가 3일 전에 주문한 소포이다.
⑤ 이것은 내가 준비하고 있는 발표이다.
①은 주격 관계대명사이므로 생략할 수 없고 나머지는 모두 관계사절 내에서 목적어 역할을 하는 목적격 관계대명사로 생략할 수 있다.

Point 060 주로 관계대명사를 that을 쓰는 경우

본문 109쪽

STEP 1
1 that 2 that 3 that 4 that 5 that

STEP 2
1 You are the only person that I want to employ.
2 The book has a lot of information that is really useful for children.
3 I want to buy something that I can wear at the office.
4 This is the same hat that my sister wants to buy.

STEP 3 ③

• 네가 이해하지 못한 것이 있니?
• 운동장에서 뛰고 있는 소녀와 개를 봐.
• 그는 내게 있는 유일한 아이였다.

STEP 1

1 나를 화나게 한 첫 번째 문제는 그 시험이다.
2 그것은 내가 산 가장 비싼 반지이다.
3 호수에 빠진 그 소년과 그 개는 구조되었다.
4 내가 너를 위해 할 수 있는 것이 있니?
5 내가 할 수 있었던 모든 것은 그들을 지켜보는 것이었다.

STEP 2

1 너는 내가 고용하고 싶은 유일한 사람이다.
2 그 책은 아이들에게 정말로 유용한 많은 정보를 갖고 있다.
3 사무실 안에서 입을 수 있는 것을 사고 싶다.
4 이것은 나의 언니가 사고 싶은 것과 같은 모자이다.

STEP 3

그는 이제껏 내가 본 가장 잘생긴 소년이다.

「the+최상급」 형태가 선행사로 왔으므로 관계대명사 that이 적절하다.

Point 061 관계대명사 what

본문 110쪽

STEP 1

1 What 2 what 3 that 4 what 5 What

STEP 2

1 What made her happy 2 what is yours
3 what matters 4 What I am saying
5 What surprised me

STEP 3 ②

• 나는 요리 강좌에 필요한 것을 샀다.

STEP 1

1 그가 시도했던 것은 수영이 아니고 스케이트이다.
2 가장 최선의 방법은 그가 제안했던 것이다.
3 나는 그들이 이야기한 주제에 대해 기억나지 않는다.
4 너는 네가 말한 것을 내게 보내주어야 한다.
5 나를 슬프게 하는 것은 나를 둘러싼 상황이다.

STEP 3

① 그는 내가 심은 나무를 베었다.
② 네가 필요한 것은 내게 말할 수 있니?
③ 나는 이 편지를 쓴 소녀를 안다.
④ 우리 선생님은 내게 내가 떨어뜨린 연필은 가져다주셨다.
⑤ 에디슨은 우리의 삶을 편리하게 해주는 많은 것들을 발명했다.

②의 문장의 빈칸 앞에는 선행사가 없고, '~것'이라고 해석되어야 하므로 관계대명사 what이 들어가기에 알맞다.

Point 062 관계부사 when, where

본문 111쪽

STEP 1

1 when 2 where 3 when 4 where 5 where

STEP 2

1 This is the town where Jane lives.
2 I visited the place where the writer stayed.
3 May is the month when many festivals are held.
4 I don't know the time when the meeting will start.

STEP 3 ③

• 이곳은 그녀가 일하는 은행이다.

STEP 1

1 나는 그녀가 돌아올 날을 모른다.
2 네가 지난달에 머물렀던 그 리조트는 매우 호화스럽다.
3 나는 첫 번째 올림픽이 열렸던 해를 기억한다.
4 이곳은 내가 중국어 수업을 듣는 교실이다.
5 여기는 내가 야구를 했던 운동장이다.

STEP 3

① 나는 우리가 사랑에 빠진 그 순간을 결코 잊지 않을 것이다.
② 뉴욕은 많은 사람들이 살기 원하는 도시이다.
③ 캐나다는 내가 대학 가기를 원하는 나라이다.
④ 오늘은 사람들이 그들의 고향을 방문하는 휴일이다.
⑤ 나는 우리가 맛있는 해산물 음식을 먹을 수 있는 레스토랑을 찾고 있다.

전치사가 뒤에 남아 있으면 관계부사가 아닌 관계대명사를 쓰거나, 관계부사가 있으므로 뒤에 있는 전치사를 삭제한다. ③은 where을 which로 바꾸거나, where은 그대로 두고 뒤에 있는 in을 삭제한다.

Point 063 관계부사 why, how

본문 112쪽

STEP 1

1 why 2 the way나 how 둘 중 하나 삭제
3 why 4 in which 5 why

STEP 2
1 the reasons why we should save electricity
2 how she solved the problem
3 how we can escape from a fire
4 the reason why she was nervous

STEP 3 ⑤

• 나는 그에게 내가 마음을 바꾼 이유를 말했다.
• 이것은 내가 그룹을 만드는 방식이다.

STEP 1
1 나는 그가 너에게 거짓말했던 이유를 말할 것이다.
2 나는 그들이 어떻게 집으로 들어왔는지 모른다.
3 그는 선생님에게 그가 숙제를 할 수 없었던 이유를 설명했다.
4 내가 이 새로운 스마트폰을 사용할 수 있는 방법을 알려줘.
5 그녀는 그가 빨리 가버린 이유를 추측할 수 없다.

STEP 3
• 그 책은 너에게 네가 좋은 요리사가 될 수 있는 방법을 가르쳐줄 것이다.
• 그는 내가 내 직업을 그만 둔 이유를 모른다.

첫 번째 문장은 빈칸 뒤가 완전한 문장이므로 부사가 들어가야 하는데, 방법을 나타내는 관계부사 how가 들어가야 알맞다. 두 번째 문장은 선행사가 이유를 나타내는 reason이므로 관계부사 why가 들어가야 알맞다.

Point 064 관계부사와 선행사의 생략

본문 113쪽

STEP 1
1 ○ 2 × 3 ○ 4 ○ 5 ×

STEP 2
1 the reason I got a good grade
2 where you can enjoy some bread
3 the time you will leave here
4 how you solved this question
5 why you failed the audition

STEP 3 ⑤

• 너는 영화가 시작하는 시간을 아니?
• 여기가 내가 그를 처음 만났던 식당이다.

STEP 1
1 그는 내게 내 일정을 변경한 이유를 물었다.
2 그들은 그들이 차를 만드는 방식을 배웠다.
3 나는 내가 그를 처음 만났던 날을 절대 잊지 않을 것이다.
4 네가 케이크를 산 장소로 가자.
5 나는 그가 나를 그녀와 어떻게 화해시켰는지 이해할 수 없다.

STEP 3
① 내가 자란 마을은 매우 작다.
② 이곳은 우리 엄마가 그녀의 보석류를 보관하는 곳이다.
③ 나는 그녀가 그렇게 빨리 떠난 이유를 모른다.
④ 7월은 날씨가 가장 더운 달이다.
⑤ 네가 많은 어휘를 암기할 수 있는 방법을 내게 알려줘.

선행사 the way와 관계부사 how는 같이 쓰지 않으며 둘 중 하나는 생략해야 한다.

Point 065 관계사의 계속적 용법

본문 114쪽

STEP 1
1 who 2 where 3 which 4 when 5 which

STEP 2
1 which 2 where 3 who 4 when

STEP 3 ③

• 나는 딸 둘이 있는데, 그들은 중학생이다.
• 그는 나의 집에 왔고, 여기에서 그는 점심을 먹었다.

TIP 그는 경기를 이겼고, 그 사실이 그를 매우 행복하게 만들었다.

STEP 1
1 Amy는 딸이 하나 있는데, 그녀는 교사가 되었다.
2 나는 도서관을 방문했고, 거기에서 나는 나의 주말을 보냈다.
3 나는 그녀에게 거짓말을 했고, 그것이 나를 기분 좋지 않게 했다.
4 그는 밤에 운전을 했었고, 그 때 누군가가 그를 따라갔다.
5 그녀는 내게 약간의 사탕을 주었고, 나는 그것들을 바로 다 먹었다.

STEP 2
1 그녀는 백화점에 갔지만, 그곳은 문 닫았다.
2 그는 콘서트홀에 갔고, 거기에서 그는 즐거운 시간을 가졌다.
3 나는 친구 한 명을 만났는데, 그녀는 유명한 여배우가 되었다.

4 나는 그에게 5시에 전화를 했지만, 그 때 그는 사무실에 있지 않았다.

STEP 3

① Henry는 매우 아팠고, 그것이 나를 걱정하게 했다.
② 나는 극장에 갔고, 거기에서 나는 유명한 배우를 보았다.
③ 나는 새 카메라를 샀는데, 그것은 많은 기능들을 가지고 있다.
④ 그는 나를 9시에 만나기를 원했지만, 그때 나는 가게에 있었다.
⑤ 그녀는 외국인을 만났고, 그는 그녀에게 역의 위치를 물어보았다.

콤마가 있는 계속적 용법에서는 that은 쓸 수 없다. ③의 문장에서 선행사가 camera인 사물이므로 관계대명사 which를 쓴다.

Point 066 전치사+관계대명사

본문 115쪽

STEP 1

1 which 2 whom 3 that 4 whom 5 which

STEP 2

1 On which 2 whom[who, that], for
3 whom[who, that], with 4 on which
5 of which

STEP 3 ②

• 그녀가 내가 말했던 소녀이다.

STEP 1

1 이것은 내 여동생이 숨은 방이다.
2 나의 아빠는 내가 항상 의지하는 남자이다.
3 나는 네가 이야기하고 있는 아이를 안다.
4 Peter가 네가 기다리고 있는 누군가이다.
5 그들이 가지고 놀고 있는 장난감들은 내 것이다.

STEP 2

1 여기 유용한 웹사이트가 있다. 나는 거기에서 많은 정보를 찾는다.
2 그는 좋은 지도자이다. 많은 사람들이 그를 위해 일한다.
3 내게 네 친구에 대해 말해줘. 너는 그와 함께 여행에 갔다.
4 이것은 섬이다. 많은 동물들이 그 섬에 산다.
5 나는 흥미로운 기사를 발견했다. 너는 그것들을 좋아할 것이다.

STEP 3

네가 찾고 있는 그 전화기는 의자 아래에 있다.

전치사 뒤에 목적격 관계대명사는 생략할 수 없다.

Point 067 관계대명사의 생략

본문 116쪽

STEP 1

1 that are 2 that 3 which
4 whom 5 which is

STEP 2

1 I couldn't go to the wedding which[that] I was invited to.
2 This is the umbrella which[that] you are looking for.
3 I love the waffles which are served with syrup.
4 The person whom[that] I wanted to see was your daughter.

STEP 3 ①

• Nancy는 내가 기다리고 있는 친구이다.
• 나는 영어로 쓰인 책을 읽는다.

STEP 1

1 운동장에서 놀고 있는 저 아이들을 보아라.
2 그는 내가 사용할 수 있는 몇 가지 유용한 조언을 내게 해주었다.
3 내 여동생은 네가 나에게 준 그 자전거를 타기 원한다.
4 우리가 본 그 남자는 유명한 배우가 아니다.
5 나무의 과일을 먹고 있는 곰이 있다.

STEP 2

1 나는 초대받은 결혼식에 갈 수 없었다.
2 이것은 네가 찾고 있는 그 우산이다.
3 나는 시럽과 함께 제공되는 와플을 좋아한다.
4 내가 보기를 원했던 사람은 네 딸이었다.

STEP 3

① 나는 그녀가 내게 말한 것을 믿었다.
② 여기 네가 찾고 있었던 앨범이 있다.
③ 안경을 쓰고 있는 그 아기는 매우 귀엽다.
④ 우리 아빠는 내가 항상 의지하는 남자이다.
⑤ 'Starry Night'은 Vincent가 그린 그림이다.

관계대명사 what은 생략할 수 없다.

Point 068 복합관계대명사 whoever, whomever

본문 117쪽

STEP 1

1 그 경주에서 이기는 사람은 누구든지 상을 받을 것이다.
2 그는 나에게 내가 아는 누구에게나 친절하라고 말했다.
3 나는 처음 도착한 누구에게나 표를 줄 것이다.
4 나는 그것을 원하는 누구에게든지 줄 것이다.
5 네가 누구를 좋아하거나 난 상관없다.

STEP 2

1 Anyone who 2 Whomever
3 Anyone who 4 whoever

STEP 3 ⑤

• 나는 이 일을 하는 사람은 누구든지 칭찬할 것이다.

STEP 2

1 방에서 마지막으로 나가는 사람은 누구든지 창문을 닫아야 한다.
2 네가 누구에게 물어봐도 그들은 같은 답을 할 것이다.
3 음악에 관심 있는 사람은 누구든지 동아리에 가입할 수 있다.
4 그 회사는 가장 자격이 있는 사람은 누구든지 고용할 것이다.

STEP 3

'~하는 사람은 누구든지'라는 의미로 사람인 선행사를 포함하는 복합관계대명사는 whoever 또는 whomever이다.

Point 069 복합관계대명사 whichever, whatever

본문 118쪽

STEP 1

1 what 2 whatever 3 whatever
4 whichever 5 which

STEP 2

1 anything that 2 No matter which
3 No matter what 4 anything that

STEP 3 ②

• 네가 무엇을 할지라도, 내가 너를 도와줄 것이다.

TIP 네가 원하는 어느 책이든지 읽어도 된다.

STEP 1

1 무슨 일이 일어나더라도, 나는 학교에 갈 것이다.
2 나는 내가 배운 것은 무엇이든지 기억한다.
3 그녀가 무슨 말을 하더라도 나는 믿지 못하겠다. 그녀는 항상 내게 거짓말을 한다.
4 너는 네가 좋아하는 어떤 세트라도 주문 할 수 있다.
5 그녀가 어떤 드레스를 입더라도, 그녀는 완벽해 보인다.

STEP 2

1 네 부모님은 네가 필요한 것은 무엇이든지 네게 주실 것이다.
2 그녀가 어떤 것을 사더라도, 그녀는 그것에 만족하지 않을 것이다.
3 그가 무엇을 묻더라도, 나는 어떤 것도 말하지 않았다.
4 나는 네가 제안한 것은 무엇이든지 동의할 것이다.

STEP 3

• 콘서트에 오는 사람은 누구든지 흥분할 것이다.
• 네가 선택한 것은 어떤 것이라도 무료로 가져올 수 있다.

'~하는 누구든지'는 whoever를 쓰므로 첫 번째 문장에는 Whoever가 알맞고, 두 번째 문장에는 '~한 것은 무엇이나'의 뜻으로 whatever이 들어가는 것이 알맞다.

Point 070 복합관계부사

본문 119쪽

STEP 1

1 Whenever 2 However 3 whenever
4 Wherever 5 However

STEP 2

1 Whenever 2 wherever
3 However 4 Whenever

STEP 3 ①

• 네가 어디를 가더라도, 나는 너를 따라갈 것이다.
• 네가 나를 필요로 할 때는 언제든지 내게 연락할 수 있다.

TIP 그녀가 아무리 똑똑할지라도, 그녀는 그것을 풀 수 없다.

STEP 1

1 나에게 문제가 있을 때마다, 나는 엄마나 아빠께 이야기한다.
2 네가 아무리 부자라 할지라도, 너는 모든 것을 살 수 없다.
3 당신이 질문이 있을 때마다, 우리에게 연락하세요.
4 그녀가 가는 곳은 어디든지, 그녀는 그녀의 베개를 가져간다.
5 아무리 그 일이 힘들지라도, 너는 그것을 시도해야 한다.

STEP 3

① 그는 아무리 노력해도 그는 살이 찌지 않았다.
② 나는 네게 네가 갖고 싶어 하는 것은 무엇이든지 줄 수 있다.
③ 내가 어디를 가더라도 내 팬들은 나를 기다릴 것이다.
④ 내 딸은 내가 집에 올 때마다 나를 반긴다.
⑤ 네가 아무리 열심히 공부했더라도 너는 좋은 점수를 받지 못했다.

복합관계부사 however는 부사절에만 쓰이며, 「however+형용사/부사+주어+동사」의 어순으로 쓴다. 따라서 ①의 Whatever는 However로 고쳐야 한다.

01회 내신 적중 실전 문제

본문 120쪽

01 ② 02 ① 03 ④ 04 ⑤ 05 ④ 06 ③
07 ⑤ 08 ① 09 ① 10 ④ 11 ② 12 ②, ④
13 whose daughter is a famous professor
14 No matter how early you start
15 that, which
16 whichever method you choose

01

보기 그가 지금 필요한 것은 휴일을 갖는 것이다.

The thing that은 '~하는 것'으로 관계대명사 What으로 바꿔 쓸 수 있다.

Words holiday 휴일, 휴가

02

보기 나는 나를 편안하게 만드는 사람들을 좋아한다.

선행사가 사람이고 주격인 관계대명사는 who를 쓴다.

Words comfortable 편안한

03

① 내가 관심이 있는 소녀는 Kate이다.
② 그들이 머물렀던 호텔은 바가 있다.
③ 그 게임이 시작하는 시간을 알려줘.
④ 그들이 선택한 활동은 야구였다.
⑤ 우리가 학교를 시작했던 날은 3월 2일이다.

④의 문장에서 선행사가 The activity이므로 목적격 관계대명사는 what이 아니라 that이나 which를 쓴다.

Words stay 머무르다 activity 활동

04

① 나는 나무라는 이름의 애완동물이 있다.
② 문이 열린 그 차를 보아라.
③ 그녀는 셔츠가 찢어진 남자를 만났다.
④ 벽이 더러운 그 집은 나의 것이 아니다.
⑤ 네가 만든 이 햄버거는 맛있다.

⑤는 선행사가 This hamburger이므로 목적격 관계대명사 which나 that이 들어가고 나머지 문장은 모두 소유격 관계대명사 whose가 들어간다.

Words tear 찢다 dirty 더러운 delicious 맛있는

05

나는 Helen을 초대했지만, 그녀는 오지 않았다.

관계대명사의 계속적 용법은 「접속사+대명사」로 바꿔 쓸 수 있다. 선행사가 사람이므로 who를 쓴다.

Words invite 초대하다

06

① 여름은 내가 좋아하는 계절이다.
② 네가 지금 가지고 있는 어떤 것이라도 내게 보여줘.
③ 그녀는 그녀가 도움을 받는 많은 친구들이 있다.
④ 내가 가장 존경하는 사람은 나의 어머니이다.
⑤ 나는 막대기를 잡고 있는 남자를 모른다.

③의 문장처럼 전치사 뒤에 오는 관계대명사는 생략할 수 없다.

Words respect 존경하다 hold 잡다 stick 막대기

07

이것은 내가 가게에서 산 병이다.

선행사가 사물이고 목적격 관계대명사는 that이나 which를 쓴다.

08

꽃을 들고 있는 소년은 내 남동생이다.

선행사가 사람이고 who is holding으로 써야 하는데 「주격 관계대명사+be동사」는 생략할 수 있으므로 holding이 들어가야 알맞다.

09

• 내게 창문이 깨진 시간을 말해줘.
• 나는 경제학에 대해 많이 배운 대학을 졸업했다.

관계부사가 이끄는 절은 완전한 문장이고, 시간을 나타내는 선행사 뒤에는 when을, 장소를 나타내는 선행사 뒤에는 where을 쓴다.

Words graduate 졸업하다 economics 경제학

10

• 네가 준비될 때 언제든지 나에게 알려만 주렴.
• 나는 자유시간이 있을 때마다 음악을 듣는다.

'~때는 언제든지'의 의미로 시간의 부사절을 이끄는 것은 복합관계부사 whenever이다.

11

① 그가 선택한 게임은 지루했다.
② Rachel은 Randy가 사랑에 빠진 소녀이다.
③ 그는 네가 놀 수 있는 몇 개의 공을 갖고 있다.
④ 두 골을 득점한 소년은 내 친구이다.
⑤ 우리는 네가 추천해준 장소에서 좋은 시간을 보냈다.

① 선행사가 사물이고 목적격이므로 what이 아니라 which나 that을 써야한다.
③ 전치사 뒤 that을 쓸 수 없으므로 with that은 with which 또는 that you can play with로 써야한다.
④ 콤마 뒤에는 that을 쓸 수 없고, 주격이므로 who를 쓰는 것이 알맞다.
⑤ 목적격 관계대명사로 연결했으므로 문장 끝에 it은 삭제해야 한다.

Words score 득점하다 recommend 추천하다

12

'아무리 ~해도'라는 뜻의 however는 부사절에만 쓰이며, 「however+형용사/부사+주어+동사」의 어순으로 쓴다. 이때 however 뒤에는 형용사나 부사가 이어지며 「no matter how+형용사/부사」로 바꿔 쓸 수 있다.

13

너는 그 여자를 아니? 그녀의 딸은 유명한 교수이다.
→ 너는 그녀의 딸이 유명한 교수인 그 여자를 아니?

소유격을 대신하는 관계대명사 whose를 사용한다.

14

'아무리 ~할지라도'의 의미를 가진 복합관계부사는 however인데, 복합관계부사를 사용하지 말라고 했으므로 no matter how를 사용한다.

15

그 학생은 누군가에게 비밀을 말했고, 그것이 그의 친구를 매우 화나게 했다.

계속적 용법으로 쓰인 관계사는 that으로 쓸 수 없고, 앞 문장 전체를 선행사로 취할 때는 which를 쓴다.

Words secret 비밀

16

whichever는 명사 앞에서 명사를 수식하는 형용사의 역할을 하기도 한다.

02회 내신 적중 실전 문제

본문 122쪽

01 ④ 02 ② 03 ④ 04 ③ 05 ④ 06 ①
07 ③ 08 ③ 09 ④ 10 ④ 11 ⑤ 12 ④
13 check the time when the musical we booked starts
14 However difficult it was
15 what, that
16 which we had our first date

01

'어디에서 ~할지라도'의 의미를 갖는 것은 Wherever를 쓴다.

Words forget 잊다 stand by 곁에 있다

02

① 한국에서 만들어진 자동차들은 매우 인기가 있다.
② 그는 내가 만났던 가장 키가 큰 남자이다.
③ 나는 Shakespeare가 살았던 그 집을 방문했다.
④ 그녀는 취미가 피아노 치기인 그 남자를 좋아했다.
⑤ 우리는 허리케인이 우리 마을을 강타할 때를 추측할 수 없다.

선행사에 최상급이 있으면 관계대명사 that을 쓰므로 ②에는 what을 that으로 고쳐야 한다.

Words popular 인기 있는 hobby 취미

03

① 그는 내가 이야기했던 남자이다.
② 이것은 그녀가 그린 그림이다.
③ 그녀는 모두가 좋아하는 여배우이다.
④ 너는 그들이 사는 있는 집을 아니?
⑤ 벤치 위에서 놀고 있는 두 마리의 고양이가 있다.

④ 전치사 뒤에 나오는 목적격 관계대명사는 생략할 수 없다.

04

보기 나는 내가 그 상황에 대해 알고 있는 것을 선생님께 말씀 드렸다.
① 그녀가 되고 싶어 하는 것은 의사이다.
② 네가 찾고 있는 것을 발견할 수 있니?
③ 네가 소개했던 남자에 대해 어떻게 생각하니?

④ 내가 이해하지 못한 것은 그가 내게 그 선물을 줬던 이유이다.
⑤ 네가 오늘 할 수 있는 것을 내일까지 미루지 마라.

보기 의 what은 '~하는 것'이라는 의미의 관계대명사이고, ③의 what은 '무엇, 어떤'이라는 의미의 의문사이다.

Words look for ~를 찾다 introduce 소개하다
put off 미루다

05

① 나는 내가 전에 살았던 서울이 그립다.
② 이것은 그 축제가 열렸던 정원이다.
③ 우리가 방문했던 그 궁궐은 아름다웠다.
④ 한국이 평창 동계 올림픽을 개최한 연도를 아나요?
⑤ 이 센터는 네가 원하는 정보를 찾을 수 있는 장소이다.

④의 빈칸 앞에는 the year가 있으므로 관계부사 when이 들어가는 것이 알맞고, 나머지는 관계부사 where가 들어간다.

Words garden 정원 festival 축제 palace 궁궐

06

이 기계를 원하는 사람은 누구나 그것을 사용할 수 있다.

'~하는 누구나'라는 의미로 사람인 선행사를 포함하는 복합관계대명사는 whoever이다.

Words machine 기계

07

그곳은 맛있는 피자를 내놓는 가장 훌륭한 레스토랑이다.

선행사에 최상급이 나오면 관계대명사 that을 쓴다.

08

나는 네가 그것을 한 방법을 알기 원한다.

방법을 나타낼 때는 the way 또는 관계부사 how를 쓴다. the way how로 같이 쓸 수 없고 반드시 둘 중 하나는 삭제해야 한다.

09

• 오렌지는 노화를 방지하는 과일이고, 그것은 비타민이 풍부하다.
• 나는 내 옷들을 원하는 누구에게나 그것을 줄 것이다.

선행사가 fruit이므로 계속적 용법의 관계대명사 which가 알맞고, '~하는 누구나'는 whoever를 쓴다.

Words anti-aging 노화 방지의

10

• 나는 하노이에 왔고, Rachel을 만났다.
• 우리는 토요일에 파티를 열었고, 그 날은 수업이 없었다.

계속적 용법의 관계부사는 where, when만 쓰며, 장소 뒤에는 where, 시간 뒤에는 when을 쓴다.

11

① 나는 필요한 것은 무엇이든지 할 것이다.
② 네가 어떤 것을 선택하든지, 그것은 네 것이다.
③ 네가 원하는 곳 어디든지 앉아라.
④ 무슨 일이 일어나더라도, 그는 놀라지 않을 것이다.
⑤ 너는 이 식당에서 네가 원하는 무엇이든지 먹을 수 있다.

⑤는 문맥상 '원하는 무엇이든지'가 자연스러우므로, whoever가 아니라 '~하는 무엇이나'의 뜻인 whatever로 고쳐야 한다.

Words necessary 필요한

12

• 그녀가 왜 화났는지 이유를 아니?
• 내 컴퓨터가 왜 정지됐는지 이유를 알 수가 없다.

첫 번째 문장은 선행사가 이유를 나타내는 the reason이고, 두 번째 문장은 문맥으로 보아 빈칸에 공통으로 알맞은 말은 why이다.

13

너는 시간을 확인했니? 우리가 예약한 뮤지컬은 그 때 시작한다.

시간(the time)을 나타내는 선행사가 오면 관계부사 when을 쓴다.

14

'아무리 ~해도'는 복합관계부사 however로 나타내고 뒤에는 「형용사+주어+동사」의 어순으로 쓴다.

Words give up 포기하다

15

내 여동생은 그녀가 좋아하는 어떤 것을 볼 때마다, 그녀는 그것을 항상 산다.

선행사가 -thing으로 끝나는 경우에는 관계대명사 that을 쓴다.

16

「전치사+관계대명사」의 경우 전치사는 관계대명사 앞에 써도 되고 문장의 뒤에 올 수 있지만, 이 경우 이미 in의 자리가 정해져 있으므로 「전치사+관계대명사」 어순을 따른다.

Words amusement park 놀이공원

Lesson 08 | 접속사

Point 071 이유의 접속사

본문 126쪽

STEP 1

1 because 2 As 3 Since
4 because of 5 Since

STEP 2

1 because he missed the subway train
2 As she looks common
3 Since I didn't have enough money
4 because of the broken alarm clock
5 Since Jane lives near the sea

STEP 3 ②

• 폭염이 한국을 강타해서 에어컨이 매우 잘 팔렸다.

STEP 1

1 수심이 깊어서 우리는 수영을 할 수 없었다.
2 Kate는 체중을 줄이기를 원해서 저지방 우유를 마시기 시작했다.
3 Mark는 출장을 떠나서 회의에 참석하지 못했다.
4 나는 좋지 않은 기억력 때문에 때때로 실수를 한다.
5 그녀는 어렸을 때부터 외국에서 공부하기를 바랐다.

STEP 3

• 그들은 돈을 더 많이 벌기 때문에 세금을 더 많이 내야 한다.
• 우리가 베를린으로 이사 온 이후로 5년이 흘렀다.

'~이기 때문에', '~한 이후로'라는 뜻을 가진 접속사는 since이다.

Point 072 시간의 접속사

본문 127쪽

STEP 1

1 while 2 until 3 since 4 As 5 Every time

STEP 2

1 As soon as 2 before 3 While 4 after

STEP 3 ④

• 그는 어머니를 뵈러 올 때마다 아름다운 꽃 몇 송이를 가져왔다.

STEP 1

1 Kate는 내가 수학 공부를 하는 동안에 노래를 불렀다.
2 나는 그가 내 가방을 가져올 때까지 그를 기다릴 것이다.
3 그는 도착한 이후부터 잠을 잤다.
4 시간이 흘러감에 따라 공기는 더 더러워진다.
5 내가 널 만나려 할 때마다 넌 바쁘구나.

STEP 3

한국 아이들은 태어난다. 그들은 태어난 후에 바로 한 살이 된다.
→ 한국 아이들은 태어나자마자 한 살이 된다.

'~하자마자'라는 뜻을 가진 접속사는 as soon as이다.

Point 073 양보의 접속사

본문 128쪽

STEP 1

1 Though 2 although 3 when
4 Even if 5 Because

STEP 2

1 Though 2 Because 3 When
4 though 5 because

STEP 3 ④

• 만약 내일 비가 올지라도 우리는 하이킹을 갈 것이다.

TIP 그는 젊지만 새치가 많다.

STEP 1

1 비록 우리가 실패할 수도 있지만, 그것은 도전해 볼 가치가 있다.
2 비록 길이 아주 진창이었지만, 그들은 언덕을 올라가기 시작했다.
3 공기 중에 황사가 있을 때는 아이들이 밖에서 놀지 않는 것이 낫다.
4 만약 당신이 메달을 획득하지 못한다고 할지라도 당신은 패배자가 아니다.
5 나는 사용법을 여러 번 읽어서 그 기계를 잘 사용했다.

STEP 2

1 그는 키가 작았지만 매우 높이 점프할 수 있었다.
= 비록 그는 키가 작았지만 매우 높이 점프할 수 있었다.
2 비가 그쳐서 Ben은 고무장화를 벗기를 원했다.
= 비가 그쳤기 때문에 Ben은 고무장화를 벗기를 원했다.

3 그녀는 차고에서 쥐 한 마리를 보았다. 그때 그녀는 비명을 질렀다.
= 차고에서 쥐 한 마리를 보았을 때 그녀는 비명을 질렀다.
4 Tom과 Tony는 서로 다르게 생겼지만 그들은 쌍둥이이다.
= 비록 Tom과 Tony가 서로 다르게 생겼지만 그들은 쌍둥이이다.
5 홀은 매우 더워서 나는 밖으로 나왔다.
= 홀이 매우 더웠기 때문에 나는 밖으로 나왔다.

STEP 3
비록 그는 수줍음이 많았지만, Sarah에게 먼저 말을 건네려고 용기를 내었다.
빈칸에 양보의 접속사 Though(비록 ~이지만)가 오는 것이 의미상 가장 자연스럽다.

Point 074 조건의 접속사

본문 129쪽

STEP 1
1 If 2 if 3 unless 4 If 5 Unless

STEP 2
1 unless you have more questions
2 If you eat healthy food
3 If you press this button
4 unless I get home by midnight
5 if you don't know how to smile

STEP 3 ②

• 만일 네가 그 일을 제시간에 끝내지 못하면 큰 곤란을 겪을 것이다.

STEP 1
1 만일 그가 규칙적으로 운동을 한다면 더 건강해질 것이다.
2 네가 원한다면 둘러봐도 돼.
3 만일 네가 더 빨리 걷지 않는다면 기차를 놓칠 거야.
4 나를 보고 싶다면 내게 언제든지 전화 줘.
5 만일 내가 그 책을 빌리지 않는다면 일을 끝낼 수 없다.

STEP 3
음식을 냉장고에 넣어라, 그렇지 않으면 그것은 상할 것이다.
= 만일 네가 음식을 냉장고에 넣지 않는다면 그것은 상할 것이다.
「명령문, or~」 구문은 접속사 unless를 사용해 바꿔 쓸 수 있다.

Point 075 both A and B / not only A but (also) B

본문 130쪽

STEP 1
1 was → were 2 is → are 3 and → but
4 were → was 5 quiet → quietly

STEP 2
1 Celebrities as well as fashion designers participated in the fashion show.
2 Both my husband and I do household chores after work.
3 Mr. Farrel is not only smart but also good-looking.
4 Nick wants not a bike but a smartphone for his birthday.

STEP 3 ④

• 나뿐만 아니라 Maria도 시합 준비가 되어 있다.
TIP 그녀가 가장 좋아하는 꽃은 장미가 아니라 백합이다.

STEP 1
1 Mike와 Julia는 둘 다 영어 수업에 지각했다.
2 그뿐만 아니라 너도 그 실수에 대해 책임이 있다.
3 우리는 입뿐만 아니라 눈으로도 웃는다.
4 경기뿐만 아니라 응원도 재미있었다.
5 그들은 느리면서도 조용하게 걷고 있었다.

STEP 3
① 그의 아이디어는 참신하고 독창적이다.
② 그의 아이디어는 참신하면서도 독창적이다.
③ 그의 아이디어는 참신할 뿐만 아니라 독창적이다.
④ 그의 아이디어는 참신하다기보다는 독창적이다.
⑤ 그의 아이디어는 참신할 뿐만 아니라 독창적이다.
not A but B는 'A가 아니라 B'라는 뜻으로, A와 B를 둘 다 긍정하는 의미가 아니다.

Point 076 either A or B / neither A nor B

본문 131쪽

STEP 1
1 has 2 were 3 enjoys 4 was 5 am

STEP 2
1 Either, or 2 both, and 3 neither, nor
4 not, but 5 Not, but

STEP 3 ③

• Kevin이나 너 둘 중 한 명은 우리 학급의 반장이 될 것이다.
• 내 남자친구와 나는 둘 다 탄산음료를 좋아하지 않는다.

STEP 1

1 Sue나 Jane 둘 중 한 명이 내게 세 번이나 전화했다.
2 Sam과 Tim 둘 다 지난주에 파티에 있었다.
3 Alice와 그녀의 여동생 둘 다 운동을 즐기지 않는다.
4 내가 아니라 Jennifer가 어렸을 때 골프를 잘했다.
5 David와 나 둘 중 한 명이 화장실을 청소할 것이다.

STEP 2

1 Laura는 축제에 갈 것이다. 또는 내가 축제에 갈 것이다.
= Laura와 나 둘 중 한 명은 축제에 갈 것이다.
2 그 영화는 재미있었다. 그리고 그것은 환상적이었다.
= 그 영화는 재미있고 환상적이었다.
3 그 크래커는 맛이 없다. 그것은 영양가가 높지도 않다.
= 그 크래커는 맛이 없고 영양가가 높지도 않다.
4 Albert는 게을렀다. 그는 게다가 둔했다.
= Albert는 게으를 뿐만 아니라 둔했다.
5 Julia는 매일 아침에 조깅하지 않는다. 내가 매일 아침에 조깅한다.
= Julia가 아니라 내가 매일 아침에 조깅한다.

STEP 3

• 나와 Green 씨 둘 중 한 명이 회의에 참석할 것이다.
• Jack과 당신 둘 다 그 질문에 대답할 필요가 없다.

either A or B와 neither A nor B가 각각 주어로 쓰일 경우 동사의 수는 B에 일치시킨다.

Point 077 such ~ that

본문 132쪽

STEP 1

1 그 숲은 너무 울창해서 걸어 나갈 수가 없다.
2 그 구운 칠면조는 4인 가족이 먹기에 충분히 크다.
3 그것은 매우 스릴 넘치는 영화여서, 나는 그 영화에서 눈을 뗄 수가 없다.
4 그것은 아주 인상적인 그림이어서, 그녀는 복제품을 한 점 샀다.
5 그녀는 매우 아름다운 목소리를 지녀서, 모든 사람들이 그녀의 노래를 듣는 것을 좋아한다.

STEP 2

1 such an expensive car
2 so quiet a room
3 generous enough to help
4 too crowded to skate
5 such a snowy day

STEP 3 ③

• 그는 매우 위대한 예술가라서 그의 작품은 비싼 가격에 팔린다.

STEP 3

• 이것은 너무 어려운 책이어서 아이들은 그것을 읽을 수 없다.
• 날이 너무 추워서 나는 옷을 여러 겹 껴입었다.

두 문장 모두 '너무 ~해서 …하다'라는 뜻으로, 빈칸에는 접속사 that이 들어가야 한다.

Point 078 so ~ that / so that ~

본문 133쪽

STEP 1

1 so 2 that 3 so 4 that 5 so

STEP 2

1 that I couldn't study
2 that she could pass by
3 that I can help people in danger
4 enough to hold many clothes
5 too sick[ill] to attend the party

STEP 3 ②

• 그녀는 건강을 유지하기 위해서 매일 수영을 한다.

STEP 1

1 날씨가 너무 더워서 사람들은 찬물을 많이 마셨다.
2 나는 딸기 잼을 만들기 위해 딸기를 약간 샀다.
3 Jake는 내가 제시간에 일을 끝낼 수 있도록 나를 도와주었다.
4 Clara는 너무 무서워서 말을 한 마디도 할 수 없었다.
5 그 모든 일이 너무 빠르게 일어나서 그 누구도 반응을 보일 시간이 없었다.

STEP 3

Eric은 자신의 여자 친구인 Amy에게 새 운동화를 사 주기 위해 용돈을 모았다.

첫 번째 문장의 to부정사는 목적('~하기 위해서')을 나타낸다. 이를 「so that+주어+조동사+동사원형~」 구문으로 바꿔 쓸 수 있다.

Point 079 명사절을 이끄는 that

본문 134쪽

STEP 1

1 That → It 2 what → that 3 if → that
4 what → that 5 while → that

STEP 2

1 The truth is that there is no evidence to support your claim.
2 The rumor that he stole the red pearl was false.
3 It is amazing that they built such a huge stone structure.
4 Many people say inner beauty is more important than outer beauty.

STEP 3 ④

• 그가 천재라는 것은 놀라운 일이다.

STEP 1

1 그 어린 소년이 검을 뽑았다는 것은 사실이었다.
2 나의 의견은 우리가 거리에 더 많은 쓰레기통을 놓아야 한다는 것이다.
3 우리 부모님은 내가 Ted보다 더 좋은 성적을 받았다고 믿으셨다.
4 나는 그가 시험 통과에 성공했다는 소식을 들었다.
5 대부분의 사람들은 암이 치료되기를 소망한다.

STEP 3

① 나는 그가 내 목숨을 구해 줄 것이라고 믿는다.
② Scarlet이 경주에서 금메달을 따는 것은 불가능하다.
③ 그의 생각은 우리가 (이미) 사용한 병을 재활용해야 한다는 것이다.
④ 너는 내가 말하는 것을 이해할 수 있니?
⑤ 비행기가 추락했다는 뉴스는 끔찍했다.

①~③, ⑤의 빈칸에는 접속사 that이 들어가야 하는 반면, ④의 빈칸에는 '~하는 것'이라는 뜻의 선행사를 포함하는 관계대명사 what이 들어가야 한다.

Point 080 명사절을 이끄는 whether

본문 135쪽

STEP 1

1 whether 2 Whether 3 that 4 whether 5 if

STEP 2

1 whether you are going to keep working on the project
2 if she is going to attend the housewarming party
3 whether they are going to go on a field trip
4 whether the weather is going to be fine tomorrow
5 if you are going to run away from this difficult situation

STEP 3 ③

• 그것이 사실인지 아닌지는 중요하지 않다.
• 문제는 내가 해외에 가야 하는지, 아니면 이곳에 남아 있어야 하는지이다.

TIP 나는 Mike가 나를 사랑하는지 그렇지 않은지를 알고 싶다.

STEP 1

1 나는 Jenny가 대회에 참가할지 궁금하다.
2 그가 그 계획에 찬성하는지 아닌지는 중요하다.
3 나의 문제는 내게 충분한 시간이 없다는 것이다.
4 많은 사람들은 Jean이 그 그림을 훔친 건 아닌지 의심했다.
5 한 젊은 숙녀는 그들이 진짜 경찰관인지 물어보았다.

STEP 2

보기 그가 우리들의 제의를 받아들일까?
→ 나는 그가 우리들의 제의를 받아들일지 확신하지 못한다.

1 너는 그 프로젝트에 계속 공을 들일 거니?
→ 너는 그 프로젝트에 계속 공을 들일 것인지 말 것인지를 결정했니?
2 그녀가 오늘밤 집들이에 참석할까?
→ 너는 그녀가 오늘밤 집들이에 참석할지 아니?
3 그들은 박물관으로 현장 학습을 갈 예정이니?
→ 나는 그들이 박물관으로 현장 학습을 갈지 안 갈지 궁금하다.
4 내일 날씨가 좋을까?
→ 우리들은 내일 날씨가 좋을지 안 좋을지를 예측할 수 없다.
5 너는 이 어려운 상황으로부터 도망칠 거니?
→ 나는 네가 이 어려운 상황으로부터 도망칠 것인지를 알고 싶다.

STEP 3

• 너는 Kate가 일을 구했는지 아니?

• 만일 네가 외투를 입지 않으면 감기에 걸릴 것이다.

첫 번째 빈칸에는 '~인지 아닌지'라는 뜻의 접속사가, 두 번째 빈칸에는 '만일 ~라면'이라는 뜻의 접속사가 필요하다. 따라서 빈칸에 공통으로 들어갈 접속사는 if이다.

01회 내신 적중 실전 문제

본문 136쪽

01 ②	02 ④	03 ⑤	04 ④	05 ③	06 ⑤
07 ④	08 ①	09 ④	10 ③	11 ④	12 ①

13 (1) because he caught a bad cold
(2) because of a bad cold
14 Both Linda and Tony like cheese. [Both Tony and Linda like cheese.]
15 that we can't predict the result
16 so that, could

01

Alex와 나 둘 중 한 명이 일등상을 탈 것이다.

「either A or B」가 주어 역할을 할 때 동사의 수는 B에 일치시킨다.

02

비록 도로에 차량이 매우 많았지만, 나는 차로 출근하는 것을 택했다.

앞뒤 문장의 의미 관계로 보아, 빈칸에는 '비록 ~이지만'이라는 뜻의 양보의 접속사 Though가 알맞다.

Words traffic 차량, 교통량 choose 택하다

03

• 메시지를 남겨 주시면, 나중에 제가 당신에게 다시 전화 드릴게요.
• Brian과 Paul 둘 다 어제 학교에 결석했다.

「명령문, and …」는 '~해라, 그러면 …일 것이다'라는 뜻이고, 「both A and B」는 'A와 B 둘 다'라는 뜻이다.

Words absent 결석한

04

• 그는 5살 때 이후로 수영을 배워 왔다.
• 그녀는 65세가 넘었기 때문에 은퇴할 것이다.

빈칸에는 '~이후로', '~이기 때문에'라는 뜻의 접속사 since가 들어가는 것이 의미상 가장 자연스럽다.

Words retire 은퇴[퇴직]하다

05

'너무 ~해서 …하다'라는 뜻으로 원인과 결과를 나타내는 문장은 「such+부정관사(a/an)+형용사+명사+that…」의 형태이다.

06

①~④ 경치가 매우 아름다워서, 나는 그것을 묘사할 만한 말을 찾아낼 수가 없었다.
⑤ 내가 묘사할 만한 말을 찾아낼 수 있을 만큼 충분히 경치가 아름다웠다.

⑤의 「형용사+enough+to부정사」는 '~할 만큼 충분히 …한'이라는 뜻이므로, '매우 ~해서 …하다'라는 뜻의 나머지 문장과는 의미가 다르다.

Words scenery 경치, 풍경 describe 묘사하다

07

① 만일 비가 온다면 나는 새로 산 빨간색 우비를 입을 것이다.
② 그가 이 약을 먹으면 기분이 더 나아질 것이다.
③ 만일 네가 다이어트 중이라면 음식 일지를 한번 써 보아라.
④ 나는 오늘밤 하늘에 별이 뜰지가 궁금하다.
⑤ 만일 그녀가 나의 도움을 필요로 한다면 나는 기꺼이 그녀를 돕겠다.

④의 if는 '~인지 아닌지'라는 뜻의 접속사로 쓰였고, 나머지는 모두 if가 '만일 ~라면'이라는 뜻의 접속사로 쓰였다.

Words raincoat 우비 medicine 약 appear 나타나다

08

① Mary가 사랑하는 사람은 Andy이다.
② 나는 규칙을 따라야 한다는 것을 기억한다.
③ 그들은 그가 지난주에 강아지를 잃어버렸다고 말했다.
④ 많은 사람들이 그의 말을 믿는다는 것은 확실하다.
⑤ 사실은 인간의 행위가 환경을 파괴한다는 것이다.

①의 that은 선행사 the man을 수식하는 절을 이끄는 관계대명사이고, 나머지는 모두 that이 접속사로 쓰였다.

Words follow 따르다 certain 확실한 trust 믿다
destroy 파괴하다 activity 행위 environment 환경

09

나는 설명서를 여러 차례 읽었다. 그러나 나는 그 기계를 켜는 법을 이해할 수 없었다.
→ 비록 내가 설명서를 여러 차례 읽었지만, 나는 그 기계를 켜는 법을 이해할 수 없었다.

「A. But B」는 「Though A, B」로 바꿔 쓸 수 있다. Though는 '비록 ~이지만'이라는 뜻의 양보를 나타내는 접속사이다.

Words instructions 설명서, 지시 several times 여러 차례 understand 이해하다 turn on ~을 켜다 machine 기계

10

자동차를 좋은 상태로 유지하려면 돈이 필요하다. 그리고 그렇게 하려면 관심도 필요하다.

→ 자동차를 좋은 상태로 유지하려면 돈과 관심 둘 다 필요하다.

① 돈이나 관심이
② 돈이 아니라 관심이
④ 돈이나 관심 둘 중 하나가
⑤ 돈과 관심 둘 다 ~아니다

자동차의 상태를 유지하는 데 돈과 관심이 모두 필요하다는 내용이므로, 「both A and B」(A와 B 둘 다)로 표현한다.

Words condition 상태 require 필요로 하다 attention 관심

11

Tom은 매우 사랑스러운 고양이어서, 모든 고양이들이 그를 좋아했다.

'매우 ~해서 …하다'라는 의미는 「such+부정관사(a/an)+형용사+명사+that…」으로 표현할 수 있다.

12

① 그 소문이 사실인지 아닌지가 중요하다.
② 그가 이길지 아닌지는 중요하지 않다.
③ 나는 그녀가 저 드레스를 살 것인지 물어보고 싶다.
④ 내 문제는 그가 나를 선택할지 아닐지이다.
⑤ 그들은 그 뮤지컬이 성공할지 알지 못한다.

접속사 if와 whether 모두 명사절을 이끌 수 있으나, if가 이끄는 명사절은 타동사의 목적어로만 쓰인다.

Words matter 중요하다 pick 선택하다 succeed 성공하다

13

Michael은 독감에 걸렸다. 그래서 그는 지난번 경기를 잘하지 못했다.

(1) Michael는 독감에 걸렸기 때문에 지난번 경기를 잘하지 못했다.
(2) Michael는 독감 때문에 지난번 경기를 잘하지 못했다.

「because+주어+동사~」, 「because of+명사(구)」로 문장을 표현한다.

Words last 지난, 최근의

14

Tony : 너는 치즈를 좋아하니?
Linda : 물론 좋아하지! 너는 어떠니, Tony?
Tony : 나도 마찬가지야.
→ Linda와 Tony 둘 다 치즈를 좋아한다.

「both A and B」 구문을 사용하여 'A와 B 둘 다'라는 의미의 문장을 표현한다.

15

'~라는 것'이라는 뜻의 접속사 that을 사용하여, '우리들이 결과를 예측할 수 없다는 것'을 표현한다.

Words predict 예측하다 result 결과

16

Robin은 첫 버스를 타려고 일찍 일어났다.

목적(~하기 위해서)을 나타내는 to부정사는 「so that+주어+조동사+동사원형~」으로 바꿔 쓸 수 있다.

Words catch 타다, 잡다

02회 내신 적중 실전 문제

본문 138쪽

01 ③	02 ③	03 ③	04 ①	05 ③	06 ⑤
07 ③	08 ①	09 ④	10 ②	11 ④	12 ⑤

13 such an attractive woman[lady] that
14 The question is whether he stole money or not. [The question is whether or not he stole money.]
15 was so boring that I walked out in the middle of the performance
16 can speak neither Spanish nor Chinese

01

• 나는 머리가 아팠기 때문에 집에 일찍 왔다.
• Maggie는 태어난 이후로 하와이에서 살아 왔다.

빈칸에는 '~이기 때문에', '~한 이후로'라는 뜻의 접속사 since가 들어가는 것이 의미상 가장 자연스럽다.

02

비록 Jake는 지금 배가 아주 고프지만, 엄마가 도착할 때까지 먹지 않을 것이다.

앞뒤 문장의 의미 관계로 보아, 빈칸에는 '비록 ~이지만' 이라는 뜻의 양보의 접속사 Although가 알맞다.

03

만일 네가 휴대폰을 끄지 않는다면, 그것은 다른 청중들에게 방해가 될 것이다.

빈칸에는 '만일 ~하지 않는다면'이라는 뜻의 조건의 접속사 Unless가 들어가야 한다.

Words bother 신경 쓰이게 하다 audience 청중

04

① Mark뿐만 아니라 나도 하이킹을 갈 것이다.
≠ Mark가 아니라 내가 하이킹을 갈 것이다.

② 나는 믹서기를 사길 원하고 그녀도 사길 원한다.
= 나와 그녀 둘 다 믹서기를 사길 원한다.

③ 만일 네가 지금 당장 출발하지 않는다면 비행기를 놓칠 거야.
= 만일 네가 지금 당장 출발하지 않는다면 비행기를 놓칠 거야.

④ Luke에게는 스마트폰이 없었고 Jerry에게도 없었다.
= Luke와 Jerry 둘 다 스마트폰이 없었다.

⑤ 만일 네가 회의에 참석한다면 결과를 알게 될 거야.
= 회의에 참석해, 그러면 너는 결과를 알게 될 거야.

「not only A but (also) B」는 'A뿐만 아니라 B도'라는 뜻인 반면, 「not A but B」는 'A가 아니라 B'라는 뜻이다.

Words blender 믹서기 attend 참석하다

05

Sam: 너 Jack의 신곡을 들어 봤니?
Lucy: 응, 들어 봤어. 그런데 난 그 곡이 마음에 들지 않아.
Sam: 나도 그래. 내가 듣기에는 익숙하지 않더라.

① Sam과 Lucy 둘 다 Jack의 신곡을 마음에 들어 한다.
② Lucy뿐만 아니라 Sam도 Jack의 신곡을 마음에 들어 한다.
③ Sam과 Lucy 둘 다 Jack의 신곡을 마음에 들어 하지 않는다.
④ Sam이나 Lucy 둘 중 한 명은 Jack의 신곡을 마음에 들어 하지 않는다.
⑤ Lucy뿐만 아니라 Sam도 Jack의 신곡을 마음에 들어 한다.

'Sam과 Lucy 둘 다 Jack의 신곡을 마음에 들어 하지 않는다'라는 내용이므로, 「neither A nor B」로 문장을 표현해야 한다.

Words unfamiliar 익숙하지 않은, 낯선

06

그 이론은 매우 복잡하다. 나는 학생들에게 그것을 설명할 수가 없다.
→ 그 이론은 매우 복잡해서 나는 학생들에게 그것을 설명할 수가 없다.

'너무 ~해서 …하다'라는 뜻의 문장은 「so+형용사/부사+that…」 구문을 사용해 표현할 수 있다.

Words theory 이론 complex 복잡한 explain 설명하다

07

우리 선생님뿐만 아니라 내 친구들도 그 프로젝트를 끝내서 기뻐 보인다.

'A뿐만 아니라 B도'라는 뜻의 「not only A but (also) B」 구문이 주어로 쓰일 경우 동사의 수는 B에 일치시킨다.

08

날씨가 아주 좋아서 그들은 함께 산책하러 나갔다.

'너무 ~해서 …하다'라는 뜻의 문장은 「so+형용사+부정관사(a/an)+명사+that…」 구문을 사용해 표현할 수 있다.

09

오늘은 휴일이다. 나는 그 사실로 인해 기분이 좋다.
→ 나는 오늘이 휴일이라는 사실로 인해 기분이 좋다.

'the fact'와 'Today is a holiday.'는 의미상 동격 관계에 있으므로, 접속사 that을 사용하여 두 부분을 연결한다.

Words holiday 휴일

10

① 그 표지판이 중국어로 쓰여 있어서, 나는 그것을 읽을 수가 없다.
② 비록 그 아이들이 사랑스러울지라도, 나는 그들의 소음을 견딜 수가 없다.
③ 그녀는 첫 열차를 놓쳐서 회의에 늦었다.
④ 그들은 표를 구할 수 없어서 콘서트에 가지 못했다.
⑤ 나는 지난밤에 잠을 충분히 자지 못해서 수업에 집중할 수가 없었다.

②의 빈칸에는 양보의 접속사가 들어가야 하는 반면, 나머지는 모두 빈칸에 이유의 접속사가 들어가야 한다.

Words sign 표지판 Chinese 중국어 stand 견디다, 참다 concentrate 집중하다

11

어두워졌을 ________, 우리는 호텔로 돌아가기로 결정했다.

① ~이기 때문에 ② ~할 때
③ ~이기 때문에 ④ 만일 ~하지 않는다면
⑤ ~이기 때문에

빈칸에 이유 · 시간의 접속사가 들어가는 것이 적절하다. 조건의 접속사 Unless는 의미상 빈칸에 들어갈 말로 적절하지 않다.

12

① 그가 그녀를 위해 구급차를 불렀던 것은 사실이다.
② Janet은 자신의 오빠가 곧 돌아오리라고 믿었다.
③ 나의 문제는 내가 스스로 결정을 내리는 데 어려움을 겪는다는 것이다.
④ 많은 사람들은 인류가 언젠가는 위험에 처할 것이라고 생각한다.
⑤ 제가 귀사에서 구입한 탁자의 다리가 흔들립니다.

⑤의 that은 선행사 the table을 수식하는 절을 이끄는 관계대명사이고, 나머지는 모두 that이 접속사로 쓰였다.

Words ambulance 구급차 for oneself 스스로
human beings 인류 in danger 위험에 처한
shaky 흔들리는, 불안정한

13

'너무 ~해서 …하다'라는 뜻의 문장은 「such+부정관사(a/an)+형용사+명사+that…」의 어순으로 써야 한다.

Words attractive 매력적인 receive 받다

14

is의 보어 자리에 「whether+주어+동사 ~ or not」 또는 「whether or not+주어+동사 ~」의 순서로 단어를 배열해야 한다.

Words steal 훔치다

15

A: 너는 그 뮤지컬을 즐겼니?
B: 아니, 그것은 너무 지루했어. 그래서 나는 공연 도중에 걸어 나왔어.
→ B: 그 뮤지컬은 너무 지루해서 나는 공연 도중에 걸어 나왔어.

'너무 ~해서 …하다'라는 뜻의 문장은 「so+형용사/부사+that…」 구문을 사용해 표현할 수 있다.

Words boring 지루한 in the middle of ~의 도중에
performance 공연

16

Jake: 너는 스페인어를 할 수 있니, Sally?
Sally: 아니, 못해. 너는 어떠니, Jake?
Jake: 나는 할 수 있어. 그러면 중국어는 어떠니?
Sally: 음, 나는 그것도 못해.
→ Sally는 스페인어와 중국어 둘 다 못한다.

'A와 B 둘 다 아닌'이라는 의미는 「neither A nor B」 구문을 사용해 표현할 수 있다.

Words Spanish 스페인어

Lesson 09 | 비교 구문

Point 081 as+원급+as

본문 142쪽

STEP 1
1 as 2 well 3 as 4 so 5 as

STEP 2
1 as cheap as 2 as many books as
3 not as[so] tall as 4 not as[so] young as
5 as early as

STEP 3 ②

• Andy는 달팽이가 움직이는 것만큼 느리게 걷는다.
• 내 스마트폰은 네 것만큼 최신이 아니다.

STEP 1

1 Mike는 그의 형, Eddie만큼 총명하다.
2 Bob은 Mr. Curry만큼 농구를 잘한다.
3 Julie는 Laura만큼 자주 아침을 먹지 않았다.
4 이 가방은 저것만큼 무겁지 않다.
5 Kate는 그녀의 친구들만큼 많은 모형 장난감 인형들을 가진다.

STEP 2

1 분홍 드레스는 20달러이다. 노란 것도 20달러이다.
→ 분홍 드레스는 노란 드레스만큼 값이 싸다.
2 나는 100권의 책이 있다. Mark는 300권의 책이 있다.
→ 나는 Mark만큼 많은 책이 있지 않다.
3 Jason은 170센티미터이다. Jake는 165센티미터이다.
→ Jake는 Jason만큼 키가 크지 않다.
4 내 개는 7살이다. Nick의 개는 3살이다.
→ 내 개는 Nick의 개만큼 어리지 않다.
5 나는 10시 30분에 잠자리에 든다. Jenny도 10시 30분에 잠자리에 든다.
→ 나는 Jenny만큼 일찍 잠자리에 든다.

STEP 3

그가 집에 오자마자 그는 울음을 터뜨렸다.
Janet은 그녀의 언니만큼 운이 좋지 않다.

첫 번째 빈칸에는 「as soon as(~하자마자)」의 as, 두 번째 빈칸에는 「not+as[so]+형용사/부사의 원급+as」의 as가 와야 한다.

Point 082 비교급+than/비교급 강조

본문 143쪽

STEP 1
1 than 2 much 3 very
4 than 5 more popular

STEP 2
1 Dolphins are much cleverer than dogs.
2 Walking is healthier than taking a car.
3 James can speak English more fluently than Rachel.
4 Science is less difficult than math.

STEP 3 ③

• Janet은 그녀의 남동생보다 훨씬 더 일찍 일어난다.

TIP 거인은 Jack보다 더 무겁다.
= Jack은 거인보다 덜 무겁다.
= Jack은 거인만큼 무겁지 않다.

STEP 1
1 Jessie는 Tom보다 더 빨리 운전한다.
2 화성은 수성보다 훨씬 더 크다.
3 나는 우리 마을에 아주 사려 깊은 소녀를 알고 있다.
4 그의 아버지는 그의 할아버지보다 더 부유하다.
5 축구는 브라질에서 야구보다 더 인기 있다.

STEP 3
회색은 파란색보다 더 멋지다.
= 파란색은 회색만큼 멋지지 않다.
「비교급+than」은 「not as+원급+as」로 바꿔 쓸 수 있다.

Point 083 the+최상급

본문 144쪽

STEP 1
1 the newest 2 cutest 3 most famous
4 most impressive 5 the smartest

STEP 2
1 the oldest 2 the most expensive
3 the bravest 4 the fattest
5 the most attractive

STEP 3 ④

• Jenny는 우리 반에서 키가 가장 큰 소녀이다.

• 오늘은 이달 중 가장 추운 날이다.

STEP 1
1 그의 전기차는 우리 동네에서 가장 최신이다.
2 내 아기 돼지는 세 마리 돼지들 중 가장 귀엽다.
3 Stephen은 NBA에서 가장 유명한 선수였다.
4 에펠탑은 파리에서 가장 인상적이다.
5 Jake는 세 명의 소년 중에 가장 영리하다.

STEP 3
북극해는 세계에서 가장 작은 바다이다.
최상급 비교는 「the+최상급」의 형태로 쓰며, small의 최상급은 smallest이다.

Point 084 as+원급+as possible/배수사+as+원급+as

본문 145쪽

STEP 1
1 as 2 heavy 3 could 4 exactly 5 larger

STEP 2
1 can 2 more, than 3 could
4 as much, as 5 possible

STEP 3 ②

• 가능한 빨리 도망쳐라.

TIP 그는 내가 가지는 것보다 100배 더 많은 돈을 가진다.

STEP 1
1 나의 개는 항상 가능한 많은 음식을 먹는다.
2 나는 나의 여동생보다 몸무게가 두 배 더 나간다.
3 Paul은 가능한 많은 가면을 샀다.
4 그녀는 가능한 정확하게 설명하려고 노력했다.
5 그의 정원은 나의 것보다 1.5 배 더 크다.

STEP 2
1 가능한 빨리 학교에 가라.
2 아빠는 나보다 장난감 차가 네 배 더 많다.
3 그는 가능한 빨리 집으로 갔다.
4 나는 그녀보다 3배 더 돈을 벌었다.
5 Benjamin은 가능한 편안하게 소파에 앉았다.

STEP 3
'~배 만큼 …하다'는 「배수사+as+원급+as」나 「배수사+비교급+than」으로 표현한다.

Point 085 비교급+and+비교급/the+비교급, the+비교급
본문 146쪽

STEP 1
1 colder 2 The closer 3 higher
4 wiser 5 more and more famous

STEP 2
1 bigger and bigger 2 hotter, more
3 older, smarter 4 worse and worse

STEP 3 ③

• 그의 목소리는 점점 더 커졌다.
• 더 많이 공부하면 할수록 너는 더 많이 배운다.
TIP 그 영화는 점점 더 재밌어졌다.

STEP 1
1 어두워짐에 따라 점점 더 추워졌다.
2 내가 북극에 가까워질수록, 나는 더 많은 빙산을 볼 수 있다.
3 우리가 더 높이 올라갈수록 점점 더 시원해졌다.
4 네가 책을 더 많이 읽을수록 점점 더 너는 현명해진다.
5 이 드라마는 아시아 국가들에서 점점 더 유명해지고 있다.

STEP 3
수학을 더 공부하면 할수록 그것은 나에게 점점 더 어려워졌다.
「the+비교급, the+비교급」은 '~하면 할수록 더 …한[하게]'의 뜻이다.

Point 086 원급을 이용한 최상급 표현
본문 147쪽

STEP 1
1 as 2 popular 3 easy 4 no 5 Nothing

STEP 2
1 No other boy that I know is as handsome as Tom.
2 Nothing is as important as love.
3 No one in my family is as diligent as Jake.
4 No substance is as hard as a diamond.
5 No other Baduk player in Korea is as young as Ondol.

STEP 3 ③

• 어떤 다른 과목도 나에게 물리만큼 어렵지 않다.
= 물리는 나에게 가장 어려운 과목이다.

STEP 1
1 나의 뒤뜰의 어떤 다른 나무도 이것만큼 크지 않다.
2 그의 앨범에 있는 어떤 다른 노래도 이 노래만큼 인기가 있지 않다.
3 어떤 다른 스마트폰 앱도 이 게임만큼 쉽지 않다.
4 세상의 어떤 사람도 엄마만큼 친절하지 않다.
5 나의 공구 상자에서 어떤 것도 이 도구만큼 유용하지 않다.

STEP 3
Green 씨는 우리 마을에서 가장 용감한 사람이다.
「부정주어+as+원급+as」는 최상급의 의미를 갖는다.

Point 087 비교급을 이용한 최상급 표현
본문 148쪽

STEP 1
1 more 2 better 3 cleverer
4 students 5 more precious

STEP 2
1 than any other 2 the other languages
3 the cutest

STEP 3 ⑤

• 금성은 태양계에서 가장 밝은 행성이다.
= 태양계의 어떤 다른 행성도 금성보다 밝지 않다.
= 금성은 태양계의 다른 어떤 행성보다 더 밝다.
= 금성은 태양계의 모든 다른 행성들보다 더 밝다.

STEP 1
1 로마는 이탈리아에 있는 다른 어떤 도시보다 역사적 유적지가 더 많이 있다.
2 어떤 다른 계획도 그녀의 것보다 좋을 수 없다.
3 나는 나의 가족의 어떤 다른 소년보다도 더 영리했다.
4 유나는 반의 다른 모든 학생들보다도 더 빠르게 달린다.
5 어떤 것도 인간의 생명보다 귀한 것은 없다.

STEP 2
1 서울은 한국에서 가장 붐비는 도시이다.
2 세상의 어떤 다른 언어도 라틴어보다 더 어렵지 않다.
3 그 애완동물 가게의 어떤 다른 강아지도 이 갈색 푸들보다 더 귀엽지 않다.

STEP 3
① Lisa는 그 유치원에서 가장 사랑스러운 소녀이다.
② 유치원의 어떤 다른 소녀도 Lisa만큼 사랑스럽지 않다.

③ 유치원의 어떤 다른 소녀도 Lisa보다 더 사랑스럽지 않다.
④ Lisa는 그 유치원에서 다른 어떤 소녀보다 더 사랑스럽다.
⑤ Lisa는 그 유치원에서 다른 소녀들만큼 사랑스럽지 않다.

나머지는 최상급의 의미이며 ⑤는 'Lisa가 다른 소녀들만큼 사랑스럽지 않다'는 의미이다.

Point 088 최상급을 포함한 중요 구문

본문 149쪽

STEP 1
1 girls 2 that 3 least 4 most 5 most

STEP 2
1 one of the most popular movie stars
2 the most beautiful city that
3 has at most three
4 one of the oldest trees
5 the most impressive picture that I have ever seen

STEP 3 ④

• 곰은 세상에서 가장 위험한 동물들 중 하나이다.

STEP 1
1 Amy는 내 친구들 중 가장 웃긴 소녀들 중 한 명이다.
2 이것은 내가 본 가장 환상적인 영화이다.
3 그는 곤경에 처한 그를 도와 줄 친구가 적어도 5명은 있다.
4 이것은 내가 먹어 본 가장 맛있는 음식이다.
5 Clark은 세상에서 가장 힘 센 사람들 중 한 명이다.

STEP 3
이탈리아는 세계에서 가장 매력적인 나라들 중 하나이다.

「one of the+최상급+복수 명사」는 '가장 ~한 것들 중 하나'라는 의미로, 최상급 뒤의 명사는 반드시 복수형이 온다.

01회 내신 적중 실전 문제

본문 150쪽

01 ① 02 ③ 03 ② 04 ③ 05 ④ 06 ④
07 ③ 08 ③ 09 ④ 10 ② 11 ③ 12 ②
13 thicker than 14 as I could
15 less rainfall than 16 more, any other city

01
Jessica는 그녀의 어머니만큼 첼로를 잘 연주한다.

as와 as 사이에는 형용사, 부사의 원급이 온다.

02
Jake는 그의 축구 팀 선수들 중에서 가장 힘이 세다.

정관사 the와 빈칸 뒤에 비교 범위를 한정해 주는 of가 사용된 것으로 보아 최상급이 알맞다.

03
해수면이 지구 온난화 때문에 점점 더 더워지고 있다.

「비교급+and+비교급」은 '점점 더 ~한[하게]'의 뜻이다.

04
• 우리는 더 많이 가질수록 더 많이 원한다.
• 경제 문제는 어떤 다른 문제보다 더 중요하다.

첫 번째 빈칸은 「the+비교급, the+비교급」이 쓰인 것이므로 more가 알맞고, 두 번째 빈칸은 important의 비교급이 들어가야 한다. important의 비교급은 more important이다.

Words economic 경제의

05
이 다리는 저것보다 훨씬 더 길다.

비교급 앞에서 '훨씬'의 의미를 나타내는 것은 even, much, still, far, a lot 등이다. very는 원급을 강조하며 비교급 앞에는 쓸 수 없다.

06
• 이것은 내가 받아 본 가장 아름다운 꽃이다.
• Janet은 다른 모든 자매들보다 더 아름답다.

「the+최상급+(that)+주어+have ever p.p.」는 '지금까지 ~한 것 중 가장 …한'의 뜻이며, 「비교급+than+all the other+복수 명사」는 비교급을 이용한 최상급 표현이다.

Words receive 받다

07
• 나는 나의 아버지만큼 많은 돈을 벌었다.
• 그는 그 식당에서 가장 많은 음식을 먹었다.

as와 as 사이에 원급이 오므로 much가 알맞고, 정관사 the 뒤에는 최상급을 쓰므로 much의 최상급 most가 알맞다.

08

'~배 만큼 ~하다'는 의미를 나타낼 때는 「배수사+as+원급+as」나 「배수사+비교급+than」을 쓴다. twice의 경우는 「배수사+as+원급+as」의 형태로만 쓴다.

09

'~하면 할수록 더 ~하다'는 의미를 나타낼 때는 「the+비교급, the+비교급」을 쓴다.

Words humble 겸손한

10

① Jake는 학교 선거에서 가장 많은 표를 받았다.
② Jake는 학교 선거에서 다른 학생들만큼 표를 많이 받았다.
③ 학교 선거에서 어떤 다른 학생도 Jake만큼 많은 표를 받지 않았다.
④ Jake는 학교 선거에서 다른 어떤 학생보다 표를 더 받았다.
⑤ 학교 선거에서 어떤 다른 학생도 Jake보다 표를 더 받지 않았다.

나머지는 모두 최상급의 의미를 갖지만, ②는 원급 비교를 나타내는 문장일 뿐 최상급의 의미를 갖지는 않는다.

11

① 이 소식은 네 것만큼 충격적이다.
② 그의 장난감은 내 것보다 훨씬 더 싸다.
③ 나의 남동생은 나보다 덜 영리하다.
④ 트로이는 그리스 신화에서 가장 유명한 도시이다.
⑤ 이 콘서트는 TV쇼보다 더 생생하다.

열등 비교는 「less+원급+than」으로 표현한다. less에 이미 '덜'이라는 비교의 의미가 있으므로 뒤의 형용사는 원급이 된다. (cleverer → clever)

Words mythology 신화 lively 생생한

12

① 이것은 내가 본 가장 좋은 영화이다.
② 그는 한국에서 가장 위대한 작곡가들 중 한 명이다.
③ 이 소설은 어떤 다른 소설보다도 더 흥미롭다.
④ 그녀가 더 부유해질수록, 그녀는 더 불행해진다.
⑤ 야구 경기는 점점 더 흥미로워졌다.

'가장 ~한 것들 중 하나'는 「one of the+최상급+복수 명사」로 표현한다. (composer → composers)

13

이 파이프는 저것만큼 두껍지 않다.
= 저 파이프는 이것보다 더 두껍다.

원급 비교의 부정형은 주어를 바꾼 비교급 구문으로 전환이 가능하다.

Words thick 두꺼운

14

나는 가능한 따뜻하게 그 커피가 유지되길 원했다.

「as+원급+as possible」은 「as+원급+as+주어+can[could]」으로 전환이 가능하다. 제시된 문장의 시제가 과거이므로 could를 쓴다.

15

서울은 9월에 부산보다 강우량이 적다.

'더 적은'의 의미를 가지는 less rainfall이 오고 비교의 접속사 than을 쓴다.

Words rainfall 강우량

16

광주는 다른 어떤 도시보다 강우량이 많다.

「비교급+than+any other+단수 명사」로 최상급의 의미를 나타낸다.

02회 내신 적중 실전 문제

본문 152쪽

01 ⑤	02 ②	03 ④	04 ③	05 ③	06 ②
07 ③	08 ③	09 ③	10 ⑤	11 ④	12 ②

13 The more dangerous
14 three times more, than
15 the tallest, taller, other boy, taller than, as tall as
16 as heavy as, heavier

01

만일 네가 소모하는 것보다 칼로리를 덜 먹는다면, 너는 체중이 줄 것이다.

문맥으로 보아 '덜'이라는 의미의 fewer가 알맞다.

02

한국의 어떤 다른 가수도 K-Dragon보다 더 인기가 있지 않다.

「부정주어+비교급+than」은 최상급의 의미를 나타낸다.

03

우리 세상은 우리가 생각하는 것보다 훨씬 더 복잡하다.

much는 비교급 앞에서 '훨씬 더'라는 뜻으로 비교급을 강조하므로 빈칸에는 비교급의 형태가 알맞다.

Words complex 복잡한

04

Jerry는 Tom만큼 힘이 세지 않다.

= Tom은 Jerry보다 힘이 더 세다.

원급 비교의 부정형은 주어를 바꾼 비교급 구문으로 바꾸어 쓸 수 있다.

05

날씨가 더 시원해짐에 따라 사람들은 더 활기 차진다.

「the+비교급, the+비교급」은 '~하면 할수록, 더 …하다'의 의미를 나타낸다.

Words lively 활기 넘치는

06

① 김치는 한국에서 가장 유명한 음식이다.
② 김치는 한국의 모든 음식만큼 유명하다.
③ 김치는 한국에서 다른 어떤 음식보다 더 유명하다.
④ 한국의 어떤 다른 음식도 김치만큼 유명하지 않다.
⑤ 한국의 어떤 다른 음식도 김치보다 더 유명하지 않다.

②를 제외한 나머지는 전부 최상급의 의미를 갖는다.

07

① 나의 개는 그의 고양이보다 더 무겁다.
② 나의 개는 그의 고양이보다 덜 가볍다.
③ 나의 개는 그의 고양이만큼 무겁지 않다.
④ 그의 고양이는 나의 개만큼 무겁지 않다.
⑤ 그의 고양이는 나의 개보다 덜 무겁다.

원급 비교의 부정형 = 열등 비교 = 주어를 바꾼 비교급 비교

08

그는 가능한 주의 깊게 컴퓨터 그래픽을 만들었다.

「as+원급+as+주어+can[could]」 = 「as+원급+as possible」

09

'적어도'라는 뜻은 최상급을 포함한 관용 표현인 'at least'로 쓴다.

① 많아야, 고작 ② 마침내 ④ 최악의 경우에는 ⑤ 거의

10

① 철은 다이아몬드만큼 단단하지 않다.
② 나는 너의 작품이 내 것만큼 좋다고 생각한다.
③ 뉴욕은 미국에서 가장 바쁜 도시이다.
④ Justin은 그의 여동생, Jane보다 훨씬 더 총명하다.
⑤ 이 영화는 '스타워즈'보다 더 재미있다.

more interesting은 비교급으로 as가 아닌 than이 알맞다. 또는 more를 없애고 as를 사용해 원급 비교 구문으로 고쳐도 된다.

11

① 음악은 나의 인생에서 가장 흥미로운 것이다.
② 세상의 어떤 나라도 러시아보다 더 크지 않다.
③ 이것은 내가 풀어 본 가장 쉬운 문제이다.
④ 내가 매일 아침 조깅을 함에 따라 나는 점점 더 건강해진다.
⑤ 터키는 3백 년 전에 가장 위대한 나라들 중 하나였다.

「비교급+and+비교급」은 '점점 더 ~한[하게]'의 뜻으로 ④는 'healthier and healthier'로 고쳐야 한다.

12

A: Julia와 Jenny 중 누가 더 어리니?
B: Jenny가 Julia보다 3살 더 어려.

A는 선택을 묻는 의문문으로 비교급으로 선택을 묻고, B는 than으로 보아 비교급이 알맞다.

13

'~하면 할수록 더 ~하다'는 「the+비교급, the+비교급」으로 나타낸다. dangerous의 비교급은 more dangerous이다.

14

'~배 만큼 ~하다'는 「배수사+as+원급+as」나 「배수사+비교급+than」으로 나타낸다. 여기서는 than이 제시되므로 비교급을 이용해서 문장을 완성한다.

15

Jason은 네 명의 소년들 중 가장 키가 크다.

최상급 = 「부정주어+as+원급+as」 = 「부정주어+비교급+than」 = 「비교급+than+any other+단수 명사」

16

Alex는 Jason만큼 무겁지 않다.
= Jason은 Alex보다 더 무겁다.

원급 비교의 부정형은 주어를 바꾼 비교급 비교 구문과 의미가 같다.

Lesson 10 | 가정법

Point 089 가정법 과거

본문 156쪽

STEP 1

1 weren't 2 can't 3 will 4 were 5 could

STEP 2

1 If I had an extra battery, I could use my cell phone.
2 If I were not sick, I could go for a bike ride with you.
3 If she were not in the middle of a meeting, she could call me.
4 If Jason kept his word, I could trust him.
5 If Jina had enough time, she could cook dinner for us.

STEP 3 ②

• 만약 내가 부유한 사람이라면 넓은 뒤뜰이 있는 멋진 집을 지을 수 있을 텐데.
(= 나는 부유한 사람이 아니라서 넓은 뒤뜰이 있는 멋진 집을 지을 수 없다.)

STEP 1

1 만약 비가 오지 않는다면 우리는 밖에서 테니스를 칠 수 있을 텐데.
2 나는 비자가 없어서 프랑스에서 일할 수 없다.
3 만약 그녀가 매일 운동한다면 건강해질 것이다.
4 만약 네가 내 입장에 처한다면 무엇을 하겠니?
5 만약 그들에게 돈이 좀 있다면 충분히 먹을 수 있을 텐데.

STEP 2

1 나는 여분의 배터리가 없어서 휴대폰을 사용할 수 없다.
→ 만약 내게 여분의 배터리가 있다면 휴대폰을 사용할 수 있을 텐데.
2 나는 아파서 너와 함께 자전거를 타러 갈 수 없다.
→ 만약 내가 아프지 않다면 너와 함께 자전거를 타러 갈 수 있을 텐데.
3 그녀는 회의 중이라서 내게 전화할 수 없다.
→ 만약 그녀가 회의를 하고 있지 않다면 내게 전화할 수 있을 텐데.
4 Jason이 약속을 지키지 않아서 나는 그를 신뢰할 수 없다.
→ 만약 Jason이 약속을 지킨다면 나는 그를 신뢰할 수 있을 텐데.
5 지나에게 시간이 충분하지 않아서 그녀는 우리에게 저녁을 요리해 줄 수 없다.
→ 만약 지나에게 시간이 충분하다면 그녀는 우리에게 저녁을 요리해 줄 수 있을 텐데.

STEP 3

만약 내가 파리에 간다면 에펠탑에 올라갈 수 있을 텐데.
현재 이루지 못한 소망을 가정할 때 가정법 과거를 사용하므로, if절의 동사는 과거형이 되어야 한다
.

Point 090 가정법 과거완료

본문 157쪽

STEP 1

1 had had 2 could have won 3 had invited
4 have fitted[have fit] 5 had turned

STEP 2

1 had worn, would not have been
2 had joined, would have been
3 had read, could have answered
4 had known, would not have wasted

STEP 3 ⑤

• 만약 태블릿 PC가 비싸지 않았다면 나는 그것을 살 수 있었을 텐데.
(= 태블릿 PC가 비싸서 나는 그것을 살 수 없었다.)

STEP 1

1 만약 내게 시간이 더 있었다면 그 오래된 교회를 방문했을 텐데.
2 만약 어제 그가 바깥 차선을 탔다면 경주에서 이길 수 있었을 텐데.
3 만약 그들이 나를 초대했다면 나는 다른 파티에 가지 않았을 텐데.
4 만약 Rosa가 더 날씬했다면 그 빨간 드레스가 그녀에게 잘 맞았을 텐데.
5 만약 네가 불을 켰다면 의자에 걸려 넘어지지 않았을 텐데.

STEP 3

A: Smith 씨가 회의에 참석했나요?
B: 아뇨, 그는 참석하지 않았어요. 만약 그가 회의에 참석했다면 저는 제 아이디어에 관해 그와 이야기했을 거예요.

if절의 동사가 「had p.p.」 형태인 것으로 보아, 가정법 과거완료 문장임을 알 수 있으므로, 주절의 동사는 「조동사의 과거형+have p.p.」 형태가 되어야 한다.

Point 091 혼합 가정법

본문 158쪽

STEP 1

1 had gone 2 have met 3 be
4 had 5 would have

STEP 2

1 If Nick had not wasted his money, he could travel with me this month.
2 If she had obeyed the traffic light, she would not have been hurt in a car accident.
3 If my little son had not broken the vase, I would have it now.
4 If she had not missed the airplane, she would be in Rome now.

STEP 3 ①

• 만약 어젯밤에 눈이 많이 오지 않았다면 길이 그렇게 미끄럽지는 않을 텐데.
(= 어젯밤에 눈이 많이 와서 길이 매우 미끄럽다.)

STEP 1

1 만약 그녀가 어젯밤에 파티에 갔다면 오늘 피곤할 텐데.
2 만약 네가 그 카페에 들르지 않았다면 그때 그를 만나지 못했을 텐데.
3 만약 그가 의사의 충고를 들었다면 지금 여전히 살아 있을 텐데.
4 만약 당신이 하루 동안 초능력을 갖게 된다면 무엇을 할 건가요?
5 만약 내가 지난주에 그 반지를 샀다면 지금 돈이 한 푼도 없을 텐데.

STEP 2

1 Nick이 돈을 낭비해서 이번 달에 나와 여행할 수 없다.
→ 만약 Nick이 돈을 낭비하지 않았다면 이번 달에 나와 여행할 수 있을 텐데.
2 그녀가 교통 신호를 지키지 않아서 교통사고로 다쳤다.
→ 만약 그녀가 교통 신호를 지켰다면 교통사고로 다치지 않았을 텐데.
3 나의 아들이 꽃병을 깨뜨려서 나는 지금 그것을 가지고 있지 않다.
→ 만약 나의 아들이 꽃병을 깨뜨리지 않았다면 나는 지금 그것을 가지고 있을 텐데.
4 그녀는 비행기를 놓쳐서 지금 로마에 있지 않다.
→ 만약 그녀가 비행기를 놓치지 않았다면 지금 로마에 있을 텐데.

STEP 3

만약 그녀가 어제 네 프린터를 빌려 가지 않았다면 나는 지금 그것을 사용할 수 있을 텐데.

if절의 동사 형태와 주절의 부사 now로 보아 혼합 가정법 문장임을 알 수 있으므로, 주절의 동사는 「조동사의 과거형+동사원형」 형태가 되어야 한다.

Point 092 if의 생략

본문 159쪽

STEP 1

1 만약 그가 여기에 있다면
2 만약 내가 더 조심성이 있다면
3 만약 Jessica가 매일 조깅을 하지 않았다면
4 만약 그녀가 그 영화를 봤다면
5 만약 그가 우리를 돕지 않았다면

STEP 2

1 Were I richer
2 Had my dad had more time
3 Had I slept less
4 Were Mary more diligent
5 Had I accepted his proposal

STEP 3 ④

• 내가 약을 먹었다면 심하게 아프지 않았을 텐데.

STEP 1

1 만약 그가 여기 있다면 나는 더 행복할 텐데.
2 만약 내가 더 조심성이 있다면 실수를 하지 않을 텐데.
3 만약 Jessica가 매일 조깅을 하지 않았다면 몸이 더 약했을 텐데.
4 만약 그녀가 그 영화를 봤다면 Mat를 알아봤을 텐데.
5 만약 그가 우리를 돕지 않았다면 우리는 힘든 시간을 보냈을 텐데.

STEP 2

1 만약 내가 더 부유하다면 아프리카의 가난한 아이들을 도울 수 있을 텐데.
2 만약 우리 아빠가 시간이 더 있었다면 나와 더 많이 놀아 주

셨을 텐데.
3 만약 내가 잠을 덜 잤다면 그 일을 끝낼 수 있었을 텐데.
4 만약 Mary가 더 부지런하다면 그녀의 방은 더 깨끗할 텐데.
5 만약 내가 그의 제안을 받아들였다면 지금 시드니에서 일할 텐데.

STEP 3

A: 이봐! 여기 와서 이것 좀 봐. 식물이 죽어버렸어.

B: 오, 이런! 내가 그 식물에 규칙적으로 물을 주었다면 그것은 잘 자랐을 텐데.

내용상 '만약 ~했다면 …했을 텐데'라는 뜻의 가정법 과거완료 문장인데 if가 생략되었으므로, 빈칸에 들어갈 말은 「Had+주어+p.p.」이다.

Point 093 I wish+가정법 과거

본문 160쪽

STEP 1

1 could 2 were 3 owned
4 had 5 would

STEP 2

1 apologized 2 considered
3 appreciated 4 were

STEP 3 ②

• 내가 영화 속의 미녀라면 좋을 텐데. (= 내가 영화 속의 미녀가 아니라서 아쉽다.)

STEP 2

1 나는 Amy가 자신의 행동에 대해 사과하지 않아서 아쉽다.
→ Amy가 자신의 행동에 대해 사과한다면 좋을 텐데.
2 나는 그가 다른 사람들의 기분을 배려하지 않아서 아쉽다.
→ 그가 다른 사람들의 기분을 배려한다면 좋을 텐데.
3 내가 다니는 회사가 나의 노력을 인정해 주지 않아서 아쉽다.
→ 내가 다니는 회사가 나의 노력을 인정해 준다면 좋을 텐데.
4 내가 그 일을 해낼 수 없어서 아쉽다.
→ 내가 그 일을 해낼 수 있다면 좋을 텐데.

STEP 3

아빠는 집에 안 계신다. 엄마도 집에 안 계신다. 나는 지금 외롭다. → 우리 부모님이 지금 나와 함께 집에 계신다면 좋을 텐데.

실현 가능성이 희박한 현재의 소망을 나타낼 때 「I wish+가정법 과거」를 사용하므로, 빈칸에는 동사의 과거형인 were가 들어가야 한다.

Point 094 I wish+가정법 과거완료

본문 161쪽

STEP 1

1 내가 지금 숲 속을 걷고 있다면 좋을 텐데.
2 내가 기타를 연주하는 법을 배웠다면 좋았을 텐데.
3 내가 지난주에 뉴욕에서 Butler 씨를 만났다면 좋았을 텐데.
4 그녀가 오늘 오후에 나를 공항에서 태워 줄 수 있다면 좋을 텐데.
5 내가 어제 회의에서 기발한 아이디어를 생각해 냈다면 좋았을 텐데.

STEP 2

1 had not lost my passport
2 could make good friends
3 had won the basketball game
4 could get the idol star's autograph
5 had got[gotten] good grades

STEP 3 ②

• 내가 젊었을 때 세계 일주를 했다면 좋았을 텐데.
(= 내가 젊었을 때 세계 일주를 하지 못해서 아쉽다.)

STEP 3

A: 나는 네가 대영박물관을 방문했다고 들었어. 너는 로제타스톤을 보았니?

B: 아니, 나는 그것을 (못 보고) 지나쳤어. 그것을 봤다면 좋았을 텐데.

과거의 일에 대한 아쉬움을 나타낼 때 「I wish+가정법 과거완료」를 사용하므로, 빈칸에는 「had p.p.」가 들어가야 한다.

Point 095 as if[though]+가정법 과거

본문 162쪽

STEP 1

1 그녀는 마치 피곤한 것처럼 걷는다.
2 그는 마치 나를 사랑하는 것처럼 말한다.
3 그녀는 마치 그 음식을 좋아하는 것처럼 행동했다.
4 너는 마치 내가 네 딸인 것처럼 나를 대하는구나.
5 그는 마치 걱정거리가 하나도 없는 것처럼 잤다.

STEP 2

1 is shy on the stage
2 knew the correct answer
3 were going well
4 couldn't understand his words

STEP 3 ②

• Tom은 마치 자신이 그곳의 주인인 양 행동한다. (= 사실 그는 그곳의 주인이 아니다.)
• Tom은 마치 자신이 그곳의 주인인 양 행동했다. (= 사실 그는 그곳의 주인이 아니었다.)

TIP 그는 마치 Alex를 아는 것처럼 말한다.

STEP 3

① 나는 마치 비밀을 알지 못하는 것처럼 행동했다.
② 그녀는 마치 세상을 지배할 수 있는 것처럼 느낀다.
③ Mike는 마치 내게 동의하는 것처럼 고개를 끄덕였다.
④ Jessie는 마치 살아 있지 않은 것처럼 가만히 있었다.
⑤ 엄마는 언제나 마치 내가 약한 것처럼 나를 대하신다.

② as if 뒤에 이어지는 내용은 실제로 실현 가능한 일이 아니므로 가정법으로 표현해야 한다. 따라서 조동사 can을 could로 고쳐야 한다.

Point 096 as if[though]+가정법 과거완료

본문 163쪽

STEP 1

1 그는 마치 젊었을 때 인기가 있었던 것처럼 말한다.
2 Ann은 마치 긴 여행에서 돌아온 것처럼 보였다.
3 Jake는 마치 내게 비싼 선물을 사 줬던 것처럼 말했다.
4 Stella는 마치 그리스를 여러 번 방문했던 것처럼 설명했다.
5 Judy는 마치 며칠 동안 어떤 음식도 먹지 않았던 것처럼 먹고 있다.

STEP 2

1 she had lived in New York
2 he had gone to the amusement park with me
3 he had found a hidden treasure
4 she had not slept enough last night

STEP 3 ④

• 그녀는 마치 금메달을 딴 것처럼 보인다. (= 사실 그녀는 금메달을 따지 못했다.)
• 그녀는 마치 금메달을 딴 것처럼 보였다. (= 사실 그녀는 금메달을 따지 못했다.)

STEP 2

보기 사실 그녀는 운전면허 시험에 떨어졌다.
→ 그녀는 마치 운전면허 시험에 떨어지지 않은 것처럼 보였다.

1 사실 Jane은 뉴욕에 살지 않았다.
→ Jane은 마치 뉴욕에 살았던 것처럼 행동했다.
2 사실 그는 나와 함께 놀이공원에 가지 않았다.
→ 그는 마치 나와 함께 놀이공원에 갔던 것처럼 말했다.
3 사실 Mike는 숨겨진 보물을 찾지 못했다.
→ Mike는 마치 숨겨진 보물을 찾은 것처럼 보인다.
4 사실 우리 엄마는 지난밤에 충분히 주무셨다.
→ 우리 엄마는 마치 지난밤에 잠을 충분히 자지 못한 것처럼 하품하고 계신다.

STEP 3

「as if[though]+주어+had p.p.~」를 사용하여 '마치 ~했던 것처럼'이라는 뜻의 문장을 만들 수 있다.

Point 097 Without[But for]~+가정법 과거

본문 164쪽

STEP 1

1 For → But for[Without]
2 With → Without[But for]
3 can → could
4 Were it for → Were it not for
5 is → were

STEP 2

1 Without airplanes, our journey would take
2 Were it not for the sun
3 But for this book, I would not know
4 If it were not for smartphones

STEP 3 ③

• 깨끗한 공기가 없다면 사람들은 건강한 삶을 살지 못할 것이다.

STEP 1

1 너의 도움이 없다면 나는 숙제를 끝낼 수 없을 것이다.
2 물이 없다면 지구상의 모든 생명체는 죽을 것이다.
3 폭우가 내리지 않는다면 우리는 늦지 않게 터미널에 도착할 수 있을 것이다.
4 규칙이 없다면 사람들은 무질서 상태에서 살아갈 것이다.

5 내비게이션이 없다면 나는 주행 방향을 알 수 없을 것이다.

STEP 3

중력이 없다면 우리들의 몸은 공중에 떠다닐 것이다.

'~이 없다면'이라는 뜻을 갖는 표현으로는 But for ~ / Without ~ / If it were not for ~ / Were it not for ~가 있다.

Point 098 Without[But for]~+가정법 과거완료

본문 165쪽

STEP 1

1 But for
2 Without
3 If it were not for
4 Had it not been for
5 If it had not been for

STEP 2

1 But for your help
2 If it were not for
3 If it had not been for
4 have taken

STEP 3 ④

• 우리 엄마의 보살핌이 없었다면 나는 회복되지 못했을 것이다.

STEP 1

1 휴대폰이 없다면 우리들의 삶은 불편할 것이다.
2 이 메모가 없었다면 나는 그의 생일을 기억할 수 없었을 것이다.
3 James가 없다면 나는 이 여행을 즐길 수 없을 것이다.
4 이 손전등이 없었다면 나는 길을 잃어버렸을 것이다.
5 불을 발견하지 못했다면 사람들은 살아남을 수 없었을 것이다.

STEP 3

알람시계가 ____________ 나는 어제 일찍 일어날 수 없었을 것이다.

①, ②, ③ ~이 없었다면
④ ~이 없다면
⑤ ~이 없었다면

'~이 없었다면'이라는 뜻을 갖는 표현으로는 But for ~ / Without ~ / If it had not been for ~ / Had it not been for ~가 있다.

01회 내신 적중 실전 문제

본문 166쪽

01 ② 02 ⑤ 03 ⑤ 04 ⑤ 05 ④ 06 ②
07 ④ 08 ① 09 ④ 10 ④ 11 ② 12 ③
13 had gone to Anna's party
14 had joined the basketball team
15 knew him
16 Had it not been for this camera, I could not have taken good pictures.

01

만약 그에게 스마트폰이 있다면, 그는 어디서든 온라인 쇼핑을 할 수 있을 텐데.

의미상 현재 사실과 반대되는 가정을 하는 가정법 과거 문장이므로, if절의 동사는 과거형이 되어야 한다.

02

그녀는 마치 젊었을 때 하나님을 믿었던 것처럼 말한다.

과거를 나타내는 부사절 when young으로 보아, as if절은 주절보다 시간상 앞선 내용이다. 따라서 as if절의 동사는 「had p.p.」의 형태가 되어야 한다.

Words believe in ~을 믿다

03

만약 Evan이 저번 주에 구직 면접을 잘 봤다면 취업할 수 있었을 텐데.

과거를 나타내는 부사구 last week으로 보아, 주어진 문장은 과거 사실과 반대되는 가정을 하는 가정법 과거완료 문장임을 알 수 있다.

Words interview 면접

04

등산화가 ____________ 당신은 거친 암반으로부터 발을 보호할 수 없다.

①, ②, ③, ④ ~이 없다면
⑤ ~이 없었다면

'~이 없다면'이라는 뜻을 갖는 표현으로는 But for ~ / Without ~ / If it were not for ~ / Were it not for ~가 있다.

Words hiking boots 등산화 protect 보호하다 rough 거친

05

'(과거에) 만약 ~했다면 (지금) …할 텐데'라는 뜻을 갖는

혼합 가정법 문장이므로, If절의 동사는 「had p.p.」 형태가 되어야 한다.

06

A: Luke는 키가 정말 커.

B: 맞아, 나도 그만큼 키가 크면 좋을 텐데.

B의 말은 실현 불가능한 현재의 소망을 나타내고 있으므로, 「I wish+가정법 과거」로 문장을 표현해야 한다.

07

A: Justin은 너와 같이 뮤지컬을 봤니?

B: 아니, 그는 보지 않았어. 그는 방금 마치 그것을 봤던 것처럼 이야기하더라.

Justin은 사실 뮤지컬을 보지 않았는데 마치 봤던 것처럼 이야기했다는 내용이므로, 「as though+가정법 과거완료」로 문장을 표현해야 한다.

08

'만약 ~하다면 …할 텐데'라는 뜻의 문장이므로, 「If+주어+동사의 과거형~, 주어+조동사의 과거형+동사원형…」의 형태로 나타내야 한다.

Words build 짓다

09

'~했다면 좋았을 텐데'라는 뜻의 문장이므로, 「I wish+(that)+주어+had p.p.~」의 형태로 나타내야 한다.

Words stadium 경기장

10

① 밖이 춥지 않다면 좋을 텐데.

② 그가 말 한 마디 없이 우리를 떠나지 않았다면 좋았을 텐데.

③ 그는 마치 누군가가 어둠 속에서 자신의 다리를 잡아당기고 있는 것처럼 느꼈다.

④ 이 배낭이 없다면 나는 책을 많이 갖고 다닐 수 없을 것이다.

⑤ 만약 그가 서둘렀다면 경기에 늦지 않았을 텐데.

④ 「Were it not for ~」는 '~가 없다면'이라는 뜻으로, 현재 있는 것이 없다고 가정하는 문장이므로 주절의 조동사는 과거형이 되어야 한다. (cannot → could not)

Words backpack 배낭 carry 갖고 다니다

11

① 만약 Lucy가 없다면 나는 춤을 배우지 못할 텐데.

② 페널티골이 없었다면 그들은 어제 경기에서 득점하지 못했을 것이다.

③ 만약 내가 공부를 더 열심히 했다면 지금 대학에 다니고 있을 텐데.

④ 만약 Mike가 집에서 더 일찍 출발했다면 늦지 않게 학교에 도착할 수 있었을 텐데.

⑤ 그녀에게 사전이 있었다면 그 책을 끝까지 읽을 수 있었을 텐데.

② 과거를 나타내는 전치사구 in yesterday's match로 보아 과거에 있었던 것이 없었다고 가정하는 내용이 되어야 하므로, score를 have scored로 고쳐야 한다.

Words penalty 페널티골 score 득점하다 match 경기 dictionary 사전 get to 도착하다 university 대학교

12

만약 내가 어젯밤에 잠을 깊이 잤다면 지금 기분이 좋을 텐데. 나는 마치 힘이 전부 사라진 것 같은 기분이 든다.

③ 첫 번째 문장은 '(과거에) 만약 ~했다면 (지금) …할 텐데'라는 뜻의 혼합 가정법 문장이므로, 주절의 동사 would have felt를 would feel로 고쳐야 한다.

Words soundly 깊이, 곤히 strength 힘

13

내가 지난 주말에 Anna의 파티에 갔다면 좋았을 텐데.

과거에 이루어지지 못했던 일에 대한 아쉬움이나 후회를 나타내는 문장은 「I wish+(that)+주어+had p.p.~」의 형태로 표현한다.

14

내가 농구 팀에 가입했다면 좋았을 텐데.

과거에 이루어지지 못했던 일에 대한 아쉬움이나 후회를 나타내는 문장은 「I wish+(that)+주어+had p.p.~」의 형태로 표현한다.

15

A: 너는 지호를 아니?

B: 아니.

A: 정말? 그는 마치 네가 그를 아는 것처럼 말하던데.

실제와 다른 상황을 가정하는 문장은 「as if+주어+동사의 과거형~」으로 표현한다. 이때 as if가 이끄는 절은 주절과 같은 시점의 내용을 나타낸다.

16

'~이 없었다면 …했을 것이다'라는 뜻의 문장은 「Had it not been for ~, 주어+조동사의 과거형+have p.p.…」로 표현할 수 있다.

02회 내신 적중 실전 문제

본문 168쪽

01 ⑤ 02 ② 03 ② 04 ② 05 ④ 06 ⑤
07 ⑤ 08 ⑤ 09 ③ 10 ② 11 ② 12 ⑤
13 If I did my homework right after school
14 If I fixed a time limit for games
15 But for art, human life would be meaningless.
16 I had been with you (at the market)

01

만약 시간이 더 많았다면 그는 그림을 정성 들여서 그렸을 텐데.

if절의 형태가 「If+주어+had p.p.~」인 것으로 보아, '만약 ~했다면 …했을 텐데'라는 뜻의 가정법 과거완료 문장이다.

Words carefully 정성 들여서, 주의 깊게

02

만약 지금 우리 엄마에게 자유 시간이 있다면 나와 함께 박물관에 가실 텐데.

현재 사실의 반대를 가정하는 가정법 과거 문장이므로, if절의 동사는 과거형이 되어야 한다.

03

매일이 오늘 같으면 좋을 텐데.

실현 불가능한 현재의 소망을 나타내는 「I wish+가정법 과거」 문장이므로, I wish 뒤에 이어지는 절의 동사는 과거형이 되어야 한다.

04

어젯밤에 비가 많이 와서, 지금 강물이 둑을 넘쳐흐르고 있다.

과거의 일(비가 많이 온 일)이 현재까지 영향을 미칠 때(강물이 넘쳐흐르는 일), 혼합 가정법 문장으로 표현할 수 있다.

Words overflow 넘쳐흐르다 bank 둑, 제방

05

• Janet은 프라이드치킨을 좋아하지만, 그녀는 마치 그것을 좋아하지 않는 것처럼 말한다.
• 만약 내가 공부를 더 많이 했다면 지난 시험에 합격했을 텐데.

첫 번째 문장은 「as if+가정법 과거」 문장이므로, as if가 이끄는 절의 조동사는 과거형이 되어야 한다. 두 번째 문장은 가정법 과거완료 문장이므로, 주절의 동사는 「조동사의 과거형+have p.p.」 형태가 되어야 한다.

06

A: 너 파티에 갈 거니?
B: 아니, 나는 숙제 하러 도서관에 가야 해. 내가 너와 같이 파티에 갈 수 있다면 좋을 텐데.

실현 불가능한 현재의 소망을 나타내는 「I wish+가정법 과거」 문장이므로, I wish 뒤에 이어지는 절의 동사는 과거형이 되어야 한다.

07

A: 그는 한 번도 프랑스에 가 본 적이 없어.
B: 맞아. 그런데 그는 마치 전에 프랑스를 여행해 본 적이 있는 것처럼 행동하더라.

as though가 이끄는 절은 주절보다 시간상 앞선 시점에서 실제와 다른 상황을 가정하는 내용이다. 따라서 빈칸에는 「주어+had p.p.~」가 들어가야 한다.

08

A: 어제 나를 공항까지 차로 데려다 줘서 고마워.
B: 천만에.
A: 네 도움이 없었다면 나는 비행기를 탈 수 없었을 거야.

빈칸 문장은 과거에 있었던 것이 없었다고 가정하는 내용이므로, 주절의 동사는 「조동사의 과거형+have p.p.」의 형태가 되어야 한다.

Words flight 비행편

09

'~했다면 좋았을 텐데'라는 뜻의 문장은 「I wish+(that)+주어+had p.p.~」 형태로 나타낸다.

10

만약 그가 한국 음식을 좋아하지 않았다면 그렇게 오랫동안 한국에서 살 수 없었을 텐데.

가정법 문장에서 if를 생략하면 주어와 조동사의 위치가 서로 바뀐다. 이에 따라 주어진 문장에서 If를 생략하면 주어 he와 조동사 had가 도치된다.

11

① 내가 그 영화배우를 볼 수 있다면 좋을 텐데.
② 내가 작년에 돈을 많이 벌었다면 좋았을 텐데.
③ 그는 마치 그것에 관해 한 마디 말도 듣지 못했던 것처럼 행동한다.
④ 그녀는 마치 자신이 한국에서 가장 아름다운 여자인 것처럼 말한다.
⑤ 만약 지난 주 토요일에 그렇게 덥지만 않았어도 우리는 하이킹을 갈 수 있었을 텐데.

② 과거 부사구 last year로 보아, 과거의 일에 대한 아쉬움을 나타내는 「I wish+가정법 과거완료」 문장이다. 따라서 earned를 had earned로 고쳐야 한다.

Words earn (돈을) 벌다

12

① 만약 내게 노트북이 필요하다면 그것을 가져올 텐데.
② 내가 스키를 배웠다면 너와 함께 스키를 탈 수 있었을 텐데.
③ 이 나사가 없었다면 우리는 프린터를 수리할 수 없었을 것이다.
④ 이 여행 가방이 없다면 나는 소지품을 많이 챙길 수 없을 것이다.
⑤ 그의 지원이 없었다면 나는 젊었을 때 현대 미술을 공부할 수 없었을 것이다.

⑤ 과거에 있었던 것이 없었다고 가정하는 문장이므로, 주절의 동사는 「조동사의 과거형+have p.p.」 형태가 되어야 한다. (study → have studied)

Words laptop computer 노트북 컴퓨터 screw 나사
repair 수리하다 suitcase 여행 가방 pack 챙기다
belongings 소지품 support 지원, 지지
modern art 현대 미술

13

만약 내가 방과 후에 바로 숙제를 한다면 숙제하기를 미루지 않을 텐데.

현재 사실과 반대되는 일을 가정할 때 가정법 과거를 사용한다. 이때 if절의 동사는 과거형이다.

Words put off ~를 미루다

14

만약 내가 게임 시간에 제한을 둔다면 컴퓨터 게임을 지나치게 많이 하지 않을 텐데.

현재 사실과 반대되는 일을 가정할 때 가정법 과거를 사용한다. 이때 if절의 동사는 과거형이다.

Words fix (시간 등을) 정하다 time limit 시간제한

15

'~이 없다면 …할 것이다'라는 뜻의 문장은 「But for~, 주어+조동사의 과거형+동사원형…」으로 표현할 수 있다.

Words meaningless 무의미한

16

A: 있잖아. 나 어제 설레는 밤을 보냈어.
B: 무슨 일이라도 있었어?
A: 시장에서 쇼핑하다가 TV 스타를 만났거든.
B: 정말? 어젯밤에 내가 너와 (그 시장에) 함께 있었다면 좋았을 텐데.

과거에 이루어지지 못했던 일에 대한 아쉬움이나 후회를 나타낼 때 「I wish+가정법 과거완료」를 사용한다.

Lesson 11 | 특수 구문

Point 099 강조의 do
본문 172쪽

STEP 1

1 smells → smell 2 do finished → did finish
3 do likes → does like 4 heard do → did hear
5 does → did

STEP 2

1 does hate 2 did spend 3 did believe
4 do want 5 did go

STEP 3 ④

• 나는 정말 Andy를 사랑한다.
• 그는 정말 그의 약속을 지켰다.
• 그는 정말 그가 성공하길 바란다.

STEP 1

1 이 음식은 정말 좋은 냄새가 난다.
2 그들은 어제 그 일을 정말로 완성했다.
3 Mike는 그 생각이 정말 마음에 든다.
4 나는 정말 며칠 전에 그 소식을 들었다.
4 나는 그녀가 지난 올림픽에 정말 금메달을 땄다고 생각한다.

STEP 3

주어가 3인칭 단수이므로 「does+동사원형」의 형태를 취해야 한다.

Point 100 It is[was] ~ that 강조 구문
본문 173쪽

STEP 1

1 where → when[that]
2 It was he that he taught → It was he that taught
3 who → which[that]
4 which → that
5 I invited her → I invited

STEP 2

1 basketball that[which] I want to play with my friends
2 at the party that[where] she first met Romeo
3 my uncle that[who] told me the tragic news
4 tomorrow that[when] they have to prepare the show

STEP 3 ③

• Ben은 작년에 이 유명한 영화를 만들었다.
→ 이 유명한 영화를 만든 사람은 Ben이었다.
→ Ben이 이 유명한 영화를 만든 것은 작년이었다.

TIP (1) 그녀가 사기를 원한 것은 바로 빨간색 치마이다.
(2) 내가 그 문제를 해결하는 것은 불가능했다.

STEP 1

1 내가 박물관에서 그를 만났던 것은 지난주였다.
2 나에게 모든 것을 알려준 사람은 바로 그였다.
3 그가 나에게 주었던 것은 꽃이었다.
4 우리가 규칙을 지키는 것은 중요하다.
5 내가 파티에 초대한 사람은 바로 그녀였다.

STEP 2

1 나는 내 친구들과 농구를 하기를 원한다.
→ 내가 나의 친구들과 하기를 원하는 것은 바로 농구이다.
2 그녀는 로미오를 파티에서 처음 만났다.
→ 그녀가 로미오를 처음 만난 것은 파티에서였다.
3 나의 삼촌은 그 비극적인 소식을 나에게 말해 주었다.
→ 나에게 그 비극적인 소식을 말해준 사람은 바로 나의 삼촌이었다.
4 그들은 내일 그 쇼를 준비해야 한다.
→ 그들이 그 쇼를 준비해야 하는 것은 바로 내일이다.

STEP 3

• 그들이 저녁 식사에 초대했던 사람은 바로 Cathy였다.
• 그녀가 배낭을 잃어버렸다는 것은 놀라웠다.

첫 번째 빈칸은 It ~ that 강조 용법의 that, 두 번째 빈칸은 가주어(It), 진주어(that) 구문의 that이 들어간다.

Point 101 부정의 의미를 가진 어구
본문 174쪽

STEP 1

1 seldom scolds 2 was 3 hardly ate
4 has 5 has never seen

STEP 2

1 Few 2 little 3 hardly 4 never 5 seldom

STEP 3 ③

• 나는 어떤 것도 거의 믿을 수 없다.

STEP 1

1 엄마는 좀처럼 나를 꾸짖지 않으신다.
2 그 사람들을 위해 남은 음식이 거의 없었다.
3 그는 저녁 식사를 거의 먹지 않아서 지금 배가 매우 고프다.
4 내 차는 여러 해 동안 거의 고장이 나지 않았다.
5 이집트에 사는 Jean은 눈을 전혀 본 적이 없다.

STEP 3

rarely는 '좀처럼 ~않는'이라는 부정의 뜻을 가진다.

Point 102 부분 부정

본문 175쪽

STEP 1

1 그들 둘 다 새끼 고양이를 원한 것은 아니다.
2 그들 모두 다 머리가 좋은 것은 아니다.
3 그의 반 친구들 모두가 그 클럽에 가입한 것은 아니다.
4 모든 남자들이 축구하는 것을 좋아하는 것은 아니다.
5 아빠가 항상 세차를 하는 것은 아니다.

STEP 2

1 Not all vegetables are good for your health.
2 She can't always win first place.
3 Not both of you will get the chance.
4 Not every child has a dream for the future.
5 Ann doesn't always eat breakfast.

STEP 3 ③

• 모든 새가 날 수 있는 것은 아니다.
• 모든 십 대가 댄스 음악을 좋아하는 것은 아니다.

STEP 3

그들 중 몇 명은 그 보드게임을 하고 싶어 했다.
= 그들 모두가 그 보드게임을 하고 싶어 했던 것은 아니었다.

some은 전체가 아닌 부분을 나타내므로 not과 all을 함께 써서 부분 부정을 만든다.

Point 103 전체 부정

본문 176쪽

STEP 1

1 Jake는 절대 버섯을 먹지 않는다.
2 부모님 두 분 다 내 생일 파티에 오지 않았다.
3 나는 저 가게에서 어떤 것도 사고 싶지 않다.
4 아무도 나에게 크리스마스에 선물을 주지 않았다.
5 나는 당신의 앨범에 있는 노래를 아무것도 들어 본 적이 없다.

STEP 2

1 Neither of us went 2 No one cares
3 None of them wear 4 don't know anything
5 He never wastes

STEP 3 ⑤

• 쌍둥이 둘 다 거기에 없었다.
• 그녀는 나에게 결코 거짓말을 하지 않았다.

STEP 3

나는 공이 있는 바구니를 찾았다. 6개의 빨간 공만 있다.
→ 바구니 안의 어떤 공도 초록색이 아니다.

문맥상 전체 부정의 의미를 가져야 하므로 none이 알맞다.

Point 104 부사구 도치

본문 177쪽

STEP 1

1 my little cat sat → sat my little cat
2 many birds were → were many birds
3 stood she → she stood
4 is → are 5 were → was

STEP 2

1 On the shelf was a brand-new shirt.
2 On the desk are some books.
3 On the river bank he is.
4 In front of the gate sat the old man.
5 Around the pond ran a dog again and again.

STEP 3 ③

• 현관에 내 여동생이 서 있었다.
• 파리에서 그녀가 왔다.

STEP 1

1 벤치 위에 나의 어린 고양이가 앉았다.
2 해바라기 들판에 많은 새들이 있었다.
3 길 건너에 그녀가 서 있었다.
4 과일 그릇에 오렌지들이 있다.
5 그의 집 옆에 큰 소나무가 있었다.

STEP 2

1 새로운 셔츠가 선반 위에 있었다.
2 몇 권의 책이 책상 위에 있다.
3 그는 강둑에 있다.
4 그 노인은 정문 앞에 앉았다.
5 개 한 마리가 계속해서 연못 주위를 달렸다.

STEP 3

① 길 아래로 그녀가 왔다.
② 방 밖으로 나의 여동생이 달려 나왔다.
③ 나무 꼭대기에 그녀가 있었다.
④ 저기 내 이웃집의 개가 간다.
⑤ 테이블 위에 생화 꽃다발이 있었다.

부사구가 문장 앞에 나와도 주어가 대명사일 때는 도치하지 않는다.

Point 105 부정어 도치

본문 178쪽

STEP 1

1 I will → will I 2 do I have → have I
3 they played → did they play
4 do I thought → did I think
5 she visited → did she visit

STEP 2

1 have I been 2 will they agree
3 is he 4 did I understand

STEP 3 ②

• 어둠 속에서 나는 거의 그녀를 알아볼 수 없었다.
• 이런 조건 하에서 나의 여동생은 결코 행복할 수 없었다.
• 주중에 나의 아들은 거의 공부를 하지 않았다.

STEP 1

1 결코 나는 너의 도움을 잊지 않을 것이다.
2 나는 지난 10년 동안 거의 그녀를 보지 못했다.
3 그들은 Tom이 이사를 간 후에 더 이상 같이 놀지 않았다.
4 그가 유명해질 거라고 전혀 생각지 못했다.
5 그녀는 병으로 인해 좀처럼 할머니 집을 방문하지 못했다.

STEP 2

1 결코 나는 전에 뉴욕에 가본 적이 없다.
2 그들은 절대 나의 다른 계획에 동의하지 않을 것이다.
3 그는 좋은 작가일 뿐만 아니라 좋은 연설가이다.
4 거의 나는 그의 말을 이해하지 못했다.

STEP 3

나는 백만장자가 되리라고 꿈에도 생각하지 못했다.

부정어 never가 문장 앞에 있고 동사(dream)가 일반동사이므로 「부정어+did+주어+동사」의 어순이 되어야 한다.

Point 106 so[neither/nor] 도치

본문 179쪽

STEP 1

1 neither → so 2 I did → did I 3 do → does
4 do → did 5 does → can

STEP 2

1 Neither is the teacher 2 Neither have I
3 So am I 4 So did I

STEP 3 ④

• A: 그녀는 밖에서 놀 거야. B: 나도 그럴 거야.
• A: Mark는 서울에 살지 않았어.
B: 그의 부모님들도 그랬어.

STEP 1

1 나는 개가 있고 내 여동생도 있어.
2 Tom은 지난 토요일에 하이킹을 갔고, 나도 갔어.
3 A: 너의 엄마는 프랑스어를 조금 하시네.
B: 나의 아빠도 하셔.
4 A: 나는 그 숨겨진 의미를 찾을 수 없었어.
B: 나도 못 찾겠어.
5 Jake는 스키를 매우 잘 타고 그의 형도 잘 타.

STEP 2

보기 A: 나는 뜨거운 커피를 마시고 싶지 않아.
B: 나도 뜨거운 커피를 마시고 싶지 않아. → 나도 그래.

1 A: 나는 그의 대답이 만족스럽지 않아.
B: 선생님도 그의 대답에 만족하지 않아. → 선생님도 그래.
2 A: Sarah는 그녀의 프로젝트를 끝내지 않았어.

B: 나도 내 프로젝트를 끝내지 않았어. → 나도 끝내지 못했어.
3 A: Ann은 지금 반바지를 입고 있어.
B: 나도 지금 반바지를 입고 있어. → 나도 그래.
4 A: Paul은 지난 주말에 박물관을 방문했어.
B: 나도 지난 주말에 박물관을 방문했어. → 나도 갔어.

STEP 3
A: 나는 고양이를 안 좋아해.
B: 나도 안 좋아해.
부정문에 대한 동의의 표현은 「neither+동사+주어」로 이때 앞서 한 말의 동사의 종류에 맞추어 동사 자리에 do를 쓴다.

Point 107 공통되는 부분의 생략

본문 180쪽

STEP 1
1 I washed my dog, and James washed his dog.
2 Two hands are better than one hand.
3 You can leave now if you want to leave.
4 Mom went for a walk, but Dad didn't go for a walk.
5 My room is smaller than my brother's room.

STEP 2
1 Kate drives faster than Jenny drives.
2 He picked up a book and he read it carefully.
3 Paul can play tennis, but I can't play tennis.
4 A stitch in time saves nine stitches.
5 Just do as I told you to do.

STEP 3 ④

• 나는 만화책을 읽었고, 내 여동생은 소설을 읽었다.
• 손 안에 있는 새 한 마리는 숲 속에 있는 두 마리 새의 가치가 있다.

TIP A: 나는 밖에서 놀고 싶어.
B: 네가 (나가길) 원하면 밖에 나가.

STEP 1
1 나는 나의 개를 씻겼고, James는 그의 개를 씻겼다.
2 두 손이 한 손보다 낫다.(백지장도 맞들면 낫다.)
3 너는 원한다면 지금 떠날 수 있다.
4 엄마는 산책을 갔지만 아버지는 산책을 가지 않았다.
5 내 방은 오빠 방보다 더 작다.

STEP 2
1 Kate는 Jenny보다 운전을 더 빨리 한다.
2 그는 책을 골라 그것을 주의 깊게 읽었다.
3 Paul은 테니스를 칠 수 있지만 나는 칠 수 없다.
4 제때의 한 땀은 나중의 아홉 땀을 덜어준다.
5 내가 너에게 하라고 말한 대로 해라.

STEP 3
① Matt는 경기장에 갔고, 나는 집에 있었다.
② 나는 노래를 작곡할 수 있고, 남동생은 그것을 부를 수 있다.
③ 내가 서울에 있었을 때, 나는 남산타워를 종종 방문했다.
④ 태양은 낮에 빛나고 달은 밤에 빛난다.
⑤ 나의 할머니는 새 스마트폰을 샀지만 할아버지가 그것을 사용했다.
생략이 가능한 것은 앞 문장에서 나온 반복된 어구로, 생략해도 의미가 통하는 어구만이 가능하다.

Point 108 부사절에서의 주어+be동사의 생략

본문 181쪽

STEP 1
1 When I am busy, I often go home at midnight.
2 While you are in the library, you should be quiet.
3 The dough will expand when it is heated.
4 Though she was hurt in her arm, she never gave up.
5 Jake heard the cell phone ring while he was taking a shower.

STEP 2
1 Though very tired, I couldn't sleep well.
2 When hungry, my dog barks at me loudly.
3 When in L.A., I went to the Dodger Stadium.
4 When released from the cage, the bird flew away.
5 While driving, you should fasten your seat belt.

STEP 3 ③

• 그들이 매우 어렸을 때, 그들은 함께 놀았다.

STEP 1
1 내가 바쁠 때, 나는 종종 자정에 집에 간다.
2 네가 도서관에 있는 동안, 너는 조용히 해야 한다.
3 반죽이 따뜻해지면 부풀 것이다.
4 팔이 다쳤을지라도, 그녀는 결코 포기하지 않았다.
5 Jake는 샤워하는 동안 휴대전화가 울리는 소리를 들었다.

STEP 2

1 내가 매우 피곤했을 지라도, 나는 잘 잘 수 없었다.
2 배가 고플 때, 내 개는 나를 보고 크게 짖는다.
3 내가 L.A에 있었을 때, 나는 다저스 구장에 갔다.
4 새장에서 풀려졌을 때, 그 새는 날아가 버렸다.
5 운전하는 동안, 너는 안전벨트를 매야 한다.

STEP 3

① 그가 키가 클지라도, 그는 높이 점프할 수 없다.
② 내가 공부하는 동안에, 나는 작은 벌레를 발견했다.
③ 비록 이 신발들이 싸더라도, 나는 그것들이 좋다.
④ 엄마는 피곤할 때 안에 들어가 쉬고 싶어 하신다.
⑤ Tom과 Jerry는 학교에 있었을 때 좋은 친구들이었다.

부사절에서 주어가 주절의 주어와 같을 때 「주어+be동사」는 생략 가능하다. 주어가 다른 경우, 생략 할 수 없다.

01회 내신 적중 실전 문제

본문 182쪽

01 ①	02 ①	03 ②	04 ③	05 ①	06 ④
07 ④	08 ③	09 ④	10 ③	11 ④	12 ⑤

13 Neither did I 14 So did I
15 a tree stood, stood a tree
16 was Paul's mom that gave us some food

01

나는 종종 도서관에 가지 않는다.

②, ③, ④, ⑤는 이미 부정의 의미를 포함하고 있는 부정어이므로 not 등과 함께 쓰이지 못한다.

02

Paul은 팔짱을 낀 채 큰 문 옆에 서 있었다.

밑줄 친 주어 Paul을 강조하기 위해서 It was와 that 사이에 쓰고, 나머지는 그대로 쓰면 된다.

03

① 그들은 우리와의 저녁 식사를 정말 기대한다.
② Tom이 하는 것처럼 공을 세게 쳐라.
③ 나는 직장에서 정말 매우 피곤한 날들을 보냈다.
④ 나는 삼촌의 농장에 정말 배를 따러간다.
⑤ 그는 내 장난감 새가 날 수 있다고 정말로 믿었다.

나머지는 동사를 강조하는 강조의 do[does/did]이고, ②는 앞의 hit를 대신하는 대동사이다.

04

나는 때때로 학교에 걸어간다. 나는 때때로 학교에 자전거를 타고 간다.

① 나는 절대 학교에 걸어가지 않는다.
② 나는 항상 학교에 걸어간다.
③ 나는 항상 학교에 걸어가는 것은 아니다.
④ 나는 자전거를 타고 절대 학교에 가지 않는다.
⑤ 나는 항상 자전거를 타고 학교에 간다.

'나는 항상 학교에 걸어가는 것은 아니다' 또는 '나는 항상 학교에 자전거를 타고 가는 것은 아니다'라는 부분 부정의 문장으로 전환이 가능하다.

05

① 나무 뒤에 그녀가 있었다.
② 결코 그는 나에게 거짓말을 하지 않았다.
③ 나는 시험에 합격하기를 정말 소망했다.
④ 내가 어제 밤에 본 사람은 바로 Nancy였다.
⑤ 내가 공을 발견한 것은 경기장 안이었다.

부사구가 문장 앞에 나와도 주어가 대명사일 때는 도치하지 않는다.

06

그들은 사장이 그들이 하기를 원하는 것을 거의 끝내지 못했다.

부정어 hardly가 문장 앞에 쓰이고, 동사가 일반동사이므로 「부정어+do[does/did]+주어+동사원형」으로 문장을 만든다. 문장의 시제가 과거이므로 'Hardly did they finish'가 알맞다.

07

A: Lucy는 오늘 오후에 우리와 야구를 할 수 없어.
B: <u>나도 못해.</u> 나는 발목을 삐었어.

상대의 부정의 말에 대한 동의의 표현이므로 neither를 쓰며, 앞에서 조동사 can이 쓰였으므로 'Neither can I'가 알맞다.

08

A: 나는 지금 초콜릿을 원해.
B: <u>나도 그래.</u>

앞에 나온 말이 긍정문이므로 동의의 표현으로 so를 쓰며, 조동사 would가 쓰인 문장이므로 would를 써서 'So would I'가 알맞다.

09

'그들 중 누구도 ~ 하지 않다'라는 의미의 전체 부정을 나타내는 것은 'none of them'이다.

10

① 비록 그녀가 어릴지라도, Amy는 나이가 들어 보인다.
② 너는 피자를 먹기를 원한다면 먹어도 좋다.
③ 그가 나에게 전화했을 때 나는 TV를 보고 있었다.
④ Justin은 음악에 맞추어 춤을 출 때 무대 위에 있었다.
⑤ 엄마는 유럽에 가고 싶어 했지만 아빠는 미국에 가고 싶어 했다.

부사절에서 「주어+be동사」가 생략이 가능한 것은 주절의 주어와 주어가 일치 될 때이므로 ③은 생략 할 수 없다.

11

① 그 직책에 지원했던 사람은 Jason이었다.
② 내가 그를 처음 만났던 곳은 바로 이 식당이었다.
③ 내가 가입하고 싶은 것은 댄스 팀이었다.
④ 그가 그 임무를 완성하는 것은 불가능했다.
⑤ 그들이 지난 일요일에 방문했던 곳은 바로 국립 박물관이었다.

나머지는 It ~ that 강조 구문이고 ④는 가주어, 진주어 구문이다.

Words apply for ~에 지원하다 complete 완수하다 mission 임무

12

전체를 나타내는 말 every와 not을 함께 써서 부분 부정을 만든다.

13

Matt: 나는 지난 주말에 숙제를 하지 않았어.
Julie: 나도 안했어. 나는 오늘 그것을 해야 할 거야.

앞에 나온 말이 부정문이므로 동의의 표현으로 neither를 쓰며, 조동사 did가 쓰인 문장이므로 'neither did I'가 알맞다.

14

Matt: 나는 지난 주말에 자원봉사 활동을 했어.
Julie: 나도 했어. 난 정말 사람들을 돕는 것이 좋아.

앞에 나온 말이 긍정문이므로 동의의 표현으로 so를 쓰며, 조동사 did가 쓰인 문장이므로 'so did I'가 알맞다.

15

언덕 위에 나무가 서 있었다.

부사구가 강조를 위해 문장 앞에 위치한 것이므로 주어와 동사가 도치되어 「부사구+동사+주어」의 어순이 된다.

16

우리말을 보면 Paul's mom을 강조해야 하므로 이것을 It was와 that 사이에 넣고 문장을 만든다.

02회 내신 적중 실전 문제

본문 184쪽

01 ② 02 ⑤ 03 ① 04 ③ 05 ② 06 ②
07 ① 08 ③ 09 ② 10 ⑤ 11 ③ 12 ②
13 don't always 14 Not all (of) the balls
15 None of his friends knew what happened to him
16 have I eaten a very strange food like this.

01

내가 어제 Judy에게 빌려 준 것은 나의 카메라였다.

It is[was] ~ that 강조 구문으로 that이 알맞다. 강조하는 말이 사물이므로 which도 가능하다.

02

너의 아버지는 채소 기르기를 정말로 좋아하신다.

동사 love를 강조하는 강조의 do를 인칭에 맞게 does로 쓴다.

03

seldom은 '좀처럼 ~않는' 이라는 부정을 나타내는 부사이므로 다른 부정어인 not과 함께 쓰지 않는다.

04

전체를 나타내는 말 all과 not이 함께 쓰여 '모두 ~한 것은 아니다'라는 부분 부정을 나타내는 문장을 만든다.

05

부사구를 강조하기 위해 문장의 앞에 둘 때, 「부사구+동사+주어」의 어순을 취한다.

06

'절대 ~하지 않는'이라는 의미의 전체를 부정하는 문장으로, never를 사용하여 문장을 만든다. never는 부정을 나타내므로 not과 함께 쓸 수 없다.

07

① 나는 그가 말하는 것을 거의 듣지 못했다.
② 엄마는 결코 다른 나라에 가본 적이 없다.

③ John은 그의 아버지와 좀처럼 낚시하러 가지 않는다.
④ 그 강의는 재미있을 뿐만 아니라 유용하기도 하다.
⑤ 그는 그 버튼 누르는 법을 거의 알지 못한다.

「부정어+do/does/did+주어+동사원형」의 형태를 취해야 한다.

08

A: 나는 지난 여름에 이 아이스 발레를 봤어.
B: 나도 봤어. 환상적이었어.

상대의 말에 동의하는 표현으로, 앞의 말이 긍정문이므로 so를 쓰며, 일반동사의 과거형(saw)을 대신하는 did를 써서 'So did I'로 대답한다.

09

① 그녀가 어릴지라도, 그녀는 경험이 많다.
② Jerry는 빠르게 도망칠 수 있지만 Tom은 빨리 뒤쫓을 수 없다.
③ 나는 Tom의 선물을 샀고 그러고 나서 Andy의 선물을 샀다.
④ 너는 내가 그 일을 끝낸 것보다 더 일찍 그 일을 끝냈다.
⑤ 그녀는 내가 창문을 열지 말라고 했는데도 창문을 열었다.

② 동일 어구의 반복이 아니므로 생략하면 의미가 통하지 않는다. 따라서 생략할 수 없다.

Words run away 도망치다 chase 뒤쫓다, 추적하다

10

① 나는 Jake가 옳다고 정말 생각한다.
② 그녀는 만화책을 정말로 좋아한다.
③ 이 음식은 달콤한 냄새가 난다.
④ 엄마는 나에게 멋진 자전거를 정말 사주었다.
⑤ Jackson 씨는 정말 첫 차를 탔다.

강조의 do/does/did 뒤에는 동사원형이 와야 한다. 따라서 ⑤는 did catch로 고쳐 써야 한다.

11

그녀는 너의 지시를 따르지 않을 것이다. 나도 너의 지시를 따르지 않을 것이다.
= 그녀는 너의 지시를 따르지 않을 것이고, 나도 그럴 것이다.

부정문에 대한 '나도 그렇다'라는 표현은 「neither+동사+주어」로 한다. 앞 문장에서 조동사 will이 쓰였으므로 동사 자리에는 will을 쓴다.

12

나는 그가 유명한 스타가 되리라고 절대 생각하지 않았다.

부정어 never가 문장 앞에 나와 도치된 문장이며 일반동사가 쓰였으므로 「부정어+do/does/did+주어+동사원형」의 어순이 되어야 한다.

13

나는 항상 방과 후에 운동을 하는 것은 아니다.

always와 not이 함께 쓰여 '항상 ~한 것은 아니다'라는 부분 부정을 만든다.

14

10개의 공이 있다. 그들 중 몇 개는 파란색이다. 다른 것들은 빨간색이다.
→ 모든 공이 파란색은 아니다

전체를 나타내는 all과 not이 함께 쓰여 부분 부정의 문장을 만든다.

15

'누구도 ~치 않았다'는 전체 부정이므로 none을 문장 앞에 두고 문장을 만든다.

16

나는 거의 이처럼 매우 이상한 음식을 먹어본 적이 없다.

부정어 rarely가 문장 앞에 쓰였으므로 「부정어+조동사+주어」로 도치시킨다.

Lesson 12 | 일치와 화법

Point 109 A and B

본문 188쪽

STEP 1
1 are 2 was 3 are 4 live 5 were

STEP 2
1 are 2 are 3 is 4 are 5 want

STEP 3 ②

• 바구니 안에는 많은 단것들과 사탕들이 있다.
• 카레라이스는 내가 가장 좋아하는 요리이다.
• 래퍼이면서 아이돌 스타인 사람은 10대들에게 인기가 많다.

STEP 1
1 책상과 의자는 내가 사고 싶은 것이다.
2 감독이자 영화배우는 젊었을 때 유명했다.
3 하늘에는 많은 별들과 달 하나가 있다.
4 Tom과 Jerry는 같이 산다.
5 엄마와 아빠는 길을 따라 산책을 하고 있었다.

STEP 2
1 나의 선생님과 부모님은 파티에 있다.
2 우리 팀의 코치와 선수들은 공을 잘 잡는다.
3 잼 바른 토스트는 그의 정기적인 아침 식사이다.
4 탁자 위에 케이크들과 쿠키들이 좀 있다.
5 Susie와 Steve 둘 다 1등상을 타기를 원한다.

STEP 3
실이 끼어 있는 바늘이 내가 얻을 필요가 있는 것이었다.
동사가 단수형 was이므로 ② A needle and thread의 단일 개념이 알맞다.
① 많은 옷들 ② 실과 바늘 ③ 책들과 펜들 ④ 많은 붓들
⑤ 우유와 빵 둘 다

Point 110 either A or B/neither A nor B~

본문 189쪽

STEP 1
1 have 2 are 3 wants 4 are 5 was

STEP 2
1 Either you or he has to drive a car.
2 Not Andy but his parents are surprised to hear the news.
3 His sisters as well as Jake want to keep a dog.

STEP 3 ⑤

• Tom도 그의 부모님들도 나의 갑작스런 전화에 화를 내지 않았다.
• 나의 아들뿐만 아니라 딸들도 파티에 있다.
• 내가 아니라 그가 그 박물관에 가본 적이 있다.

STEP 1
1 Paul이나 너 둘 중 한 명이 그 일을 해야 한다.
2 Jenny가 아니라 그녀의 부모님들이 내일 그 모임에 참석할 예정이다.
3 나뿐만 아니라 Mike도 음식을 더 많이 먹기를 원한다.
4 Joe나 그의 형제들 둘 다 밖에 나가 놀지 않을 것이다.
5 Ron뿐만 아니라 Harry도 지난밤에 동굴에 있었다.

STEP 3
「both A and B」는 복수 취급하므로 ② Both Amy and Jack의 동사는 has가 아니라 have가 오는 것이 알맞다.

Point 111 수 일치 (every, each+단수 동사)

본문 190쪽

STEP 1
1 has 2 is 3 has 4 is 5 is

STEP 2
1 has 2 is 3 wants 4 is 5 has

STEP 3 ③

• 우리 학급의 모든 사람은 교실에 만족한다.
• 각각의 영화는 각자의 배경 음악이 있다.
• 누군가 우리나라에서 오고 있다.
• 나에게 아무 일도 일어나지 않는다.

STEP 1
1 모든 스마트폰은 그것의 유심칩이 있다.
2 누군가 Amy를 그녀의 방에서 기다리고 있다.
3 이 기계의 각 부분은 각각의 기능이 있다.
4 누군가 공원 주위를 돌아다니고 있었다.

5 이 도시에는 모든 것이 나한테 좋다.

STEP 2

1 남자들은 각자 차가운 물 잔을 가지고 있다.
2 나의 클럽의 모든 소년은 경주에서 이겨서 기쁘다.
3 나의 나라의 모든 사람은 새로운 대통령을 위해 투표하고 싶어 한다.
4 누군가 내 문을 두드리고 있다.
5 리조트 안에 있는 모든 방은 바다 전망이다.

STEP 3

① 모든 사람은 각자의 꿈이 있다.
② 이상한 일이 나에게 일어났다.
③ 이 자동차의 각 부분은 다르게 작동한다.
④ 누군가 저기에서 나를 부르고 있다.
⑤ 이 방 안의 모든 학생은 TV를 보고 있었다.

③의 Each part of this car는 단수 취급하므로 동사는 work가 아닌 works가 알맞다.

Point 112 some, most, none, half of+명사

본문 191쪽

STEP 1

1 is 2 want 3 believe 4 were 5 have

STEP 2

1 are 2 is 3 wear 4 drink 5 have

STEP 3 ①

- 음식의 일부분은 신선하지 않다.
- 대부분의 학생들은 그 아이디어가이 탁월하다고 생각한다.
- 교실에 학생들이 아무도 없다.
- 사람들의 절반은 스케이트를 탈 예정이다.

TIP 사과의 3분의 2가 썩었다.

STEP 1

1 이 돈 중 어느 것도 너의 것이 아니다.
2 학생들의 4분의 3은 공부를 더 하기를 원한다.
3 대부분의 사람들은 그가 천재라고 믿는다.
4 너의 친구들 중 일부는 지난 밤 파티에 있었다.
5 10세 이하 아이들 중 절반이 스마트폰을 가지고 있다.

STEP 2

1 나와 함께 일하는 사람들 중 몇몇은 매우 근면하다.
2 나의 여가 시간의 대부분은 온라인 게임을 하면서 보냈다.
3 선수들 중 4분의 3은 이 편안한 신발을 신는다.
4 어린이들 중 아무도 우유를 매일 마시지 않는다고 한다.
5 이 반려동물 가게의 강아지들 중 절반이 귀가 길다.

STEP 3

① 연필의 5분의 1을 썼다.
② 어느 책도 재미없다.
③ 주자들 중 절반이 경기장 안에 있다.
④ 대부분의 부모님들이 매우 스트레스를 받는다.
⑤ 교사들 중 일부가 교실 안에 있다.

①의 One-fifths of a pencil은 단수 취급해야 하므로 동사는 are가 아니라 is가 알맞다.

Point 113 복수주어+단수동사

본문 192쪽

STEP 1

1 is 2 is 3 ranks 4 is 5 want

STEP 2

1 have 2 has 3 is 4 attends 5 is

STEP 3 ⑤

- 1년에 70달러는 얼마 안 되는 금액이다.
- 1,000미터는 그가 달리기에 너무 먼 거리이다.
- 경제학은 한국에서 가장 중요한 과목들 중 하나이다.
- 영국은 여행객들 사이에 인기가 있다.

STEP 1

1 필리핀은 파인애플과 망고로 유명하다.
2 2주는 호주를 여행하기에 길다.
3 수학은 나의 가장 어려운 과목의 순위를 차지했다.
4 수화물 20킬로그램은 내가 옮기기에는 무겁다.
5 많은 야구팬들이 Mr. Lee의 사인을 얻기를 원한다.

STEP 2

1 젊은이들은 미래를 향해 더 진취적이어야 한다.
2 미국은 다양한 기후가 있는 나라이다.
3 물리학은 어린 아이들이 공부하기에 쉽지 않다.
4 많은 아이가 매년 환상의 세계 축제에 참여한다.
5 100달러는 그가 지금 쓰기에는 큰 액수이다.

STEP 3

많은 학생들이 도서관에서 책을 읽고 있었다.

were가 있으므로 복수 취급하는 ⑤의 「a number of+복수 명사」 구문이 알맞다.

Point 114 시제 일치

본문 193쪽

STEP 1
1 would 2 did 3 bought
4 would 5 had lived

STEP 2
1 were 2 had 3 was 4 had left

STEP 3 ⑤

- 나는 그가 아프다는[아팠다는/아파왔다는] 것을 안다.
- 나는 Rachel이 성공할 것이라고 믿는다.
- 나는 그녀가 성실하다고 생각했다.
- Kate는 점원이 매우 친절했었다고 설명했다.

STEP 1
1 나는 모든 일이 다 괜찮을 거라고 확신했다.
2 Pitt 씨는 그의 아들이 경기에서 잘했다는 것을 알았다.
3 Joe는 그가 지난주에 노트북 컴퓨터를 샀다고 생각한다.
4 Huggins는 그들이 휴가 동안 이곳에 머물 것이라고 말했다.
5 Amy는 그곳에 3년 동안 살았었다고 말했다.

STEP 3
Steve는 그가 엄마에게 꽃을 주었다고 말했다.
주절의 시제가 과거이므로 종속절에는 과거나 과거완료가 올 수 있다.

Point 115 시제 일치의 예외

본문 194쪽

STEP 1
1 composed 2 don't 3 is 4 eat 5 are

STEP 2
1 are 2 make 3 get 4 invented 5 eat

STEP 3 ④

- Jack은 그가 일요일마다 항상 교회에 간다고 말했다.
- 선생님은 한국 전쟁이 1950년에 일어났다고 말했다.
- 만일 내일 비가 온다면, 우리는 공원에 가지 않을 것이다.

STEP 1
1 나는 모차르트가 5살에 음악을 작곡했다는 것을 몰랐다.
2 나의 과학 선생님은 기름과 물이 섞이지 않는다고 말했다.
3 할머니는 정직이 최선의 정책이라고 말했다.
4 수지는 한국 사람들이 추석에 송편을 먹는다고 말했다.
5 우리는 앵무새들이 인간의 말을 흉내 내기를 잘한다는 것을 알았다.

STEP 2
1 나는 고래가 포유류라고 배웠다.
2 아빠는 여러 손이 일을 쉽게 만든다고 나에게 말했다.
3 나의 상사에게 이메일을 받으면 너에게 전화할게.
4 선생님은 세종대왕이 한글을 창제했다고 말했다.
5 나는 나의 조부모님이 항상 토요일마다 저녁 외식을 한다고 들었다.

STEP 3
역사적 사실은 시제 일치의 예외로 항상 과거 시제를 쓴다. 따라서 ④ was founded가 알맞다.

Point 116 평서문의 화법 전환

본문 195쪽

STEP 1
1 she 2 he 3 she

STEP 2
1 she had a dresser in her room
2 she would make pancakes that day
3 she would send me e-mail

STEP 3 ④

- 그가 말했다. "나는 하이킹 갈 거야."
- 그가 하이킹 간다고 말했다.

STEP 1
1 Mary는 나에게 말했다. "내가 가난한 아이들을 도울 거야."
→ Mary는 나에게 그녀가 가난한 아이들을 도울 거라고 말했다.
2 Kevin은 나에게 말했다. "나는 몸무게를 줄일 거야."
→ Kevin은 나에게 그가 몸무게를 줄일 거라고 말했다.
3 그녀는 말했다. "나는 학교에 늦을 거야."
→ 그녀는 그녀가 학교에 늦는다고 말했다.

STEP 2
1 그녀는 말했다. "내 방에 내 화장대가 있어."
→ 그녀는 그녀의 방에 그녀의 화장대가 있다고 말했다.
2 나의 이모는 나에게 말했다. "내가 오늘 팬케이크를 만들어 줄게."

→ 나의 이모는 나에게 그날 그녀가 팬케이크를 만들어 주겠다고 말했다.

3 Ann은 나에게 말했다. "내가 너에게 이메일을 보낼게."
→ Ann은 그녀가 나에게 메일을 보내겠다고 말했다.

STEP 3

나의 여동생이 아빠에게 말했다. "내가 내일 아빠 방을 청소할 거예요."
→ 나의 여동생이 아빠에게 그녀가 그 다음 날 그의 방을 청소한다고 말했다.

시제는 전달동사의 시제에 일치시키므로 ④의 would clean이 알맞다.

Point 117 의문문의 화법 전환 (의문사가 없는 의문문)

본문 196쪽

STEP 1
1 asked 2 if 3 my

STEP 2
1 asked, if[whether] I would play
2 if[whether] he was going, the next day
3 asked, if[whether] I was satisfied

STEP 3 ④

• Armstrong 씨는 나에게 "달 위를 걸어본 적이 있나요?"라고 물었다.
→ Armstrong씨는 나에게 달 위를 걸어본 적이 있었는지 물었다.

STEP 1

1 나는 Henry에게 말했다. "너는 바이올린을 잘 연주할 수 있니?"
→ 나는 Henry에게 그가 바이올린을 잘 연주할 수 있는지 물었다.

2 그녀는 나에게 말했다 "물이 0도에서 어니?"
→ 그녀는 나에게 물이 0도에서 어는지 물었다.

3 아빠는 나에게 말했다 "너는 너의 약속을 지킬 것이니?"
→ 아빠는 나에게 나의 약속을 지킬 것인지 물었다.

STEP 2

1 Eve는 나에게 말했다. "너는 방과 후에 축구를 할 거니?"
→ Eve는 내가 방과 후에 축구를 할 건지 물었다.

2 나는 Jason에게 말했다 "너 내일 Emma의 집에 갈 거니?"
→ 나는 Jason에게 그 다음날 Emma의 집에 갈 건지 물었다.

3 Judy는 나에게 말했다 "너는 너의 결과에 만족하니?"
→ Judy는 나에게 나의 결과에 만족하는지 물었다.

STEP 3

Jerry는 나에게 말했다 "너는 휴일동안 런던을 방문할 거니?"
→ Jerry는 나에게 내가 휴일 동안 런던을 방문할건지 물었다.

의문사가 없는 의문문의 간접 화법 전환은 「ask(+목적어)+if[whether]+주어+동사」의 형태이다. 인칭은 전달자의 입장으로 바꾸고 시제는 전달동사의 시제에 일치시킨다.

Point 118 의문문의 화법 전환 (의문사가 있는 경우)

본문 197쪽

STEP 1
1 그녀는 나에게 기분이 어땠는지 물었다.
2 Justin은 그의 엄마에게 그의 새 안경이 어디 있었는지 물었다.
3 Mark는 나에게 내가 얼마나 많은 언어를 말할 수 있었는지를 물었다.
4 나는 Jerry에게 내가 어디에서 치즈를 살 수 있었는지 물었다.
5 Kate가 나에게 나의 엄마가 몇 살이시냐고 물었다.

STEP 2
1 asked, who had joined her club
2 asked, what time she wanted
3 asked, what my home address was
4 asked, who the man with a ball was

STEP 3 ③

• 나는 엄마에게 "어디서 제가 그 요리법을 얻을 수 있어요?" 라고 물었다.
→ 나는 엄마에게 어디서 내가 그 요리법을 얻을 수 있는지 물었다.

STEP 2

1 Alice는 나에게 말했다 "누가 나의 클럽에 가입했니?"
→ Alice는 나에게 누가 그녀의 클럽에 가입했는지 물었다.

2 나는 엄마에게 말했다 "몇 시에 엄마는 박물관을 향해 출발할 거예요?"
→ 나는 엄마에게 몇 시에 그녀가 박물관을 향해 출발할지 물었다.

3 Rachel은 나에게 말했다. "집 주소가 어떻게 돼?"
→ Rachel은 나에게 집 주소가 어떻게 되는지 물었다.

4 Paul이 나에게 말했다. "공을 가진 남자가 누구야?"
→ Paul은 나에게 공을 가진 남자가 누군지 물었다.

STEP 3

의문사가 있는 의문문의 화법 전환은 「의문사+주어+동사」의 어순을 취하므로 ③ why I liked가 알맞다.

Point 119 명령문의 화법 전환

본문 198쪽

STEP 1

1 told 2 not to pull 3 to drink

STEP 2

1 to draw 2 not to forget 3 to cook

STEP 3 ④

• 나의 선생님께서 나에게 말씀하셨다. "지각하지 말아라."
→ 나의 선생님께서 나에게 지각하지 말라고 말씀하셨다.

STEP 1

1 엄마는 나에게 말했다 "TV를 켜라."
→ 엄마는 나에게 TV를 켜라고 말했다.

2 Jake는 아이들에게 말했다 "강아지 꼬리를 잡아당기지 마라."
→ Jake는 아이들에게 강아지 꼬리를 잡아당기지 말라고 지시했다.

3 의사는 나에게 말했다 "아침에 물을 한 잔 마셔라."
→ 의사는 나에게 아침에 물을 한 잔 마시라고 충고했다.

STEP 2

1 나의 선생님은 나에게 말했다. "종이에 오래된 성을 그려라."
→ 나의 선생님은 나에게 종이에 오래된 성을 그리라고 말했다.

2 Tom은 나에게 말했다. "너의 자동차 열쇠를 가져오는 것을 잊지 마."
→ Tom은 나에게 나의 자동차 열쇠를 가져오는 것을 잊지 말라고 충고했다.

3 Mike는 그의 여동생에게 말했다. "맛있는 파이를 만들어 줘."
→ Mike는 그의 여동생에게 맛있는 파이를 만들어 달라고 말했다.

STEP 3

그는 나에게 말했다 "안전벨트를 매."
→ 그는 나에게 나의 안전벨트를 매라고 말했다.

명령문의 화법 전환은 명령문의 동사를 to부정사 형태로 바꾸고, your는 my로 바꿔야 알맞다.

01회 내신 적중 실전 문제

본문 199쪽

01 ④	02 ③	03 ③	04 ③	05 ②	06 ①
07 ②	08 ⑤	09 ①	10 ⑤	11 ④	12 ④

13 Neither Jordan nor Alex is able to play the guitar.
14 Not only Jordan but also Alex goes to school by bus.
15 not to cross the street
16 where she could put her bags

01

• 시행착오는 네가 문제에 대처하는 데 도움이 된다.
• 토마토와 사과 둘 다 내가 사고 싶어 하는 것이다.

Trial and error는 and로 연결되었지만 단일 개념으로 단수 취급하고, 「both A and B」는 복수 취급한다.

Words trial and error 시행착오 cope with ~에 대처하다 issue 사건

02

• 유리잔의 물 절반이 증발된다.
• 이 바구니 안의 대부분의 사과가 매우 신선하다.

「부분 표현 of+명사」는 of 뒤의 명사에 수를 일치시킨다.

03

① Harry와 Paul 둘 다 날아다니는 자동차 안에 있다.
② 나뿐만 아니라 너도 밖에서 놀고 있다.
③ 무대 위의 모든 소년이 음악에 맞추어 춤을 추고 있다.
④ 내가 아니라 네가 이 장난감 비행기를 만들 것이다.
⑤ 많은 어린이들이 원을 이루고 서있는 중이다.

③ 「every+단수 명사」는 단수 취급하므로 is가 알맞고, 나머지는 모두 are가 알맞다.

04

① Ann이 아닌 내가 어제 홀에 있었다.
② 나 또는 너 둘 중 하나가 그 실수에 대해 비난 받아야 했다.
③ Jake와 Terra 둘 다 나의 집을 방문하기를 원한다.
④ 너뿐만 아니라 그도 나와 같이 거기에 가야 한다.
⑤ Paul도 그의 친구도 야구를 하지 않았다.

③의 「both A and B」는 복수 취급하므로, 동사는 wants가 아니라 want가 와야 알맞다.

05

몰디브는 스리랑카 남서쪽에 위치하고 있다.

국가 이름은 형태가 복수여도 단수 취급한다.

06

Sam이 쥐 구멍에도 볕들 날 있다고 나에게 말한다.

속담이나 격언은 시제 일치의 예외로 항상 현재 시제를 쓴다.

07

Nancy가 우리에게 Paul과 하이킹을 갔다고/그를 저녁식사에 초대했다고/지난밤에 파티에 있었다고/크리스마스 휴가 동안 파리를 방문할 것 이라고 말했다.

주절의 동사가 과거이므로 종속절에는 과거나 과거완료만 가능하다. 따라서 ②의 현재완료는 올 수 없다.

08

그는 나에게 말했다 "Julie는 오늘 밤 나와 같이 외출할거야."

→ 그는 나에게 Julie가 그날 밤 그와 같이 외출할거라고 말했다.

평서문의 간접 화법 전환은 「tell+목적어(+that)+주어+동사」의 형태이다. that절의 인칭대명사를 알맞게 바꾸고, 시제는 전달 동사의 시제에 일치시킨다.

09

Jack은 나에게 말했다. "너 DDP에 가 본 적이 있니?"

→ Jack은 나에게 DDP에 가 본 적이 있느냐고 물었다.

의문사가 없는 의문문의 간접 화법 전환은 「ask(+목적어)+if[whether]+주어+동사」의 형태이다. 인칭과 시제는 평서문의 화법 전환에서와 같이 바꾼다.

10

그는 나에게 언제 출장을 갔냐고 물었다.

→ 그는 나에게 물었다 "너 언제 출장 가니?"

직접 화법으로 전환할 때 주어와 동사의 순서가 바뀌는 것에 유의해야 한다.

11

사육사는 많은 아이들에게 아기 호랑이를 만지지 말라고 말했다.

부정 명령문일 경우에는 to부정사 앞에 not을 붙인다.

12

의문사가 없는 의문문의 간접 화법 전환은 「ask(+목적어)+if[whether]+주어+동사」의 형태이고, 시제는 전달동사의 시제에 일치시킨다.

13

Jordan과 Alex 둘 다 기타를 연주할 수 없다.

「neither A nor B」가 주어인 경우 동사는 B에 일치시킨다.

14

Jordan뿐만 아니라 Alex도 버스로 학교에 간다.

「not only A but also B」가 주어진 경우 동사는 B에 일치시킨다.

15

A: 조심해! 차들이 빠르게 오고 있어.

B: 알았어. 저 표지판을 봐. 그것은 "여기서 길을 건너지 마라." 라고 말하고 있어.

명령문의 간접 화법 전환은 「tell+목적어+to부정사」의 형태이고, 부정 명령문일 경우는 to부정사 앞에 not을 붙인다.

16

승무원: 무엇을 도와드릴까요?

Alice: 가방을 어디에 놓아야 하나요?

→ Alice는 승무원에게 가방을 어디에 두어야 할지 물었다.

의문사가 있는 의문문의 화법 전환은 「ask(+목적어)+의문사+주어+동사」의 형태이다.

02회 내신 적중 실전 문제

본문 201쪽

01 ②	02 ⑤	03 ③	04 ④	05 ③	06 ④
07 ⑤	08 ②	09 ⑤	10 ④	11 ③	12 ③

13 General Yi defeated the Japanese Navy with only 12 ships in 1597

14 the sun is 400 times bigger than the moon

15 not to use smartphones

16 he would invite you to the party at his house.

01

아빠는 나에게 해가 서쪽으로 진다고 말씀하셨다.

불변의 진리는 주절의 시제와 상관없이 항상 현재 시제로 쓴다.

02

Jessica와 그녀의 남동생 중 하나가 뉴욕에 살았다.

동사가 has로 3인칭 단수이므로 주어가 3인칭 단수여야 한다. 「both A and B」는 복수 취급하고 「not only A but also B」, 「neither A nor B」, 「not A but B」, 「either A or B」는 B에 동사를 일치시킨다.

03

• 이 레고 블록의 각 부분은 각자의 자리가 있다.
• 이 방안의 모든 사람들은 이름표가 있다.

「each+단수 명사」와 -one은 단수 취급한다.

04

• 나는 한국 팀이 다음 경기에서 1등을 하리라고 기대한다.
• 엄마는 내가 지난 중간고사에서 나쁜 성적을 받은 것을 알았다.

첫 번째 문장은 주절의 동사가 현재이므로 종속절에는 어느 시제이든 가능하며, in the next game으로 보아 미래 시제가 알맞다. 두 번째 문장은 주절의 동사가 과거이므로 과거나 과거 완료가 가능하다.

05

부자들은/많은 사람들은/대부분 사람들은/나의 많은 친구들은 운동을 위한 충분한 시간이 없다.

③의 「many a+단수 명사」는 단수 취급한다.

06

우유의 5분의 3이 나의 컴퓨터 위에 엎질러졌다.

분수는 뒤에 나오는 명사의 수에 따라 수를 결정한다. milk가 셀 수 없는 명사로 단수 취급하므로 단수 동사가 와야 한다. 따라서 ④의 have been spilled는 적절치 않다.

Words spill 엎지르다

07

① 우리는 빈[비엔나]이 오스트리아에 있다는 것을 알았다.
② 김 선생님은 Bell이 전화를 발명했다고 말했다.
③ Julie는 매일 아침에 항상 운동한다고 말했다.
④ 선생님은 스파르타가 아테네를 물리쳤다고 말했다.
⑤ 나는 한국이 1945년에 독립되었다고 들었다.

역사적 사실은 시제 일치의 예외로 항상 과거시제를 사용하므로 ⑤는 had gained가 아니라 gained가 와야 알맞다.

Words invent 발명하다 independence 독립

08

그는 나에게 말했다 "나는 30살이 되면 여행에 많은 돈을 쓸거야."
→ 그는 나에게 그가 30살이 되면 여행에 많은 돈을 쓸 거라고 말했다.

" "안의 문장의 평서문이므로 전달 동사 said to는 told로 바꾸어 쓴다.

09

Tom은 나에게 말했다 "너는 그 웹 사이트에서 유용한 정보를 얻을 수 있니?"
→ Tom은 나에게 내가 그 웹 사이트에서 유용한 정보를 얻을 수 있는지 물었다.

의문사가 없는 의문문의 화법 전환은 「ask(+목적어)+if[whether]+주어+동사」의 형태이고, 인칭, 시제는 평서문의 화법 전환에서와 같이 바꾼다.

10

그 남자는 나에게 말했다. "가장 가까운 편의점이 어디입니까?"
→ 그 남자는 나에게 가장 가까운 편의점이 어디인지 물었다.

의문사가 있는 의문문의 간접 화법 전환은 「ask(+목적어)+의문사+주어+동사」의 형태이다.

11

Alice는 나에게 언제 이상한 나라의 출구가 닫히는지 물었다.

의문사가 있는 의문문의 간접 화법 전환은 「ask(+목적어)+의문사+주어+동사」의 형태이다.

12

기장은 우리에게 안전벨트를 착용하라고 말했다.

명령문의 간접 화법 전환은 「tell/ask/advise/order+목적어+to부정사」의 형태이다.

Words captain 기장 fasten 매다 seat belt 안전벨트

13

역사 선생님은 우리에게 이 장군이 배 12척으로 일본 함대를 물리쳤다고 말했다.

역사적 사실은 과거로 쓴다.

14

과학 선생님은 우리에게 태양이 달보다 400배 더 크다고 말했다.

과학적 진리는 현재 시제로 쓴다.

15

선생님은 우리에게 말씀하셨다. “교실 안에서 스마트폰을 사용하지 마라.”

→ 선생님은 우리에게 교실 안에서 스마트폰을 사용하지 말라고 말씀하셨다.

명령문의 간접 화법 전환은 「tell/ask/advise/order+목적어+to부정사」의 형태이고, 부정 명령문일 경우에는 to부정사 앞에 not을 붙인다.

16

Mark: 여보세요. 저는 Mark인데요, Jane과 통화할 수 있어요?

Jane’s mom: 그녀는 나갔어. 메시지를 남길래?

Mark: “네. 제가 저희 집 파티에 그녀를 초대할게요.”

→ Mark가 다음 주 그의 집에서 열리는 그 파티에 너를 초대한다고 말했어.

평서문의 화법 전환은 「say(+that)+주어+동사」의 형태이고, that절의 인칭대명사를 알맞게 바꾸고, 시제는 전달동사의 시제에 일치시킨다.

마무리 10분 테스트

Lesson 01 동사의 시제

01 has been
02 been
03 have been
04 had been
05 haven't talked
06 (had) lived
07 will have repaired
08 Have you, used
09 has, turned
10 has been snowing
11 had already started
12 will have rained
13 visited
14 written
15 had taught
16 will have seen
17 Has he cleaned his room?
18 Lisa hasn't found her smartphone.
19 He had been unhealthy before he started to exercise.
20 James had been watching TV before I called him.
21 has just left the station
22 long have you been in Pohang
23 We will have cleaned our room
24 have already had dinner with my brother
25 had already taken off when she arrived

Lesson 02 조동사

01 나는 캠핑을 갈 수 없다.
02 너는 시험에서 결코 부정행위를 하면 안 된다.
03 어젯밤에 눈이 왔음에 틀림없다.
04 우리는 차라리 집에 머물고 싶다.
05 너는 다시는 늦지 않는 게 좋다.
06 may as well have
07 must be hungry
08 should not have eaten
09 would rather make
10 cannot[can't]
11 had better not
12 should have
13 doesn't have to
14 used to
15 have
16 would rather not
17 doesn't have to
18 may have left
19 should have studied
20 had better brush
21 should have been
22 had better not clean
23 can't have made such a mistake
24 may as well go home
25 should do his homework by tomorrow

Lesson 03 수동태

01 to play
02 to
03 for
04 disappear
05 was seen dancing
06 was filled with
07 been published
08 can be eaten
09 appeared
10 is served
11 is being destroyed
12 been arrested
13 present → be presented
14 that → to
15 by → of by
16 about → at
17 wear → to wear
18 is said to be a famous actor
19 were given to me by my grandfather
20 I was made to sign the paper.
21 The baby was heard crying at night by her.
22 were bought for me
23 It is thought that
24 is called a genius
25 must be learned by

Lesson 04 to부정사

01 looking
02 to miss
03 not to lose
04 for you
05 to be repaired
06 So to speak
07 to have been written
08 lie (down) and relax
09 to pay
10 stand[standing]
11 to say
12 to save
13 for → of
14 Begin → To begin
15 write → write with
16 being → to be
17 to have stolen something at the store
18 to be seen in the dark street
19 to buy for her birthday
20 for her to skip breakfast
21 nothing to eat in the refrigerator
22 to have been a poet when young
23 to be taken care of by her parents
24 see the wave coming toward them
25 it interesting to learn about other cultures

Lesson 05 동명사

01 playing
02 making
03 to going
04 climbing
05 feel like going
06 is worth discussing
07 going shopping
08 your[you] practicing
09 good at drawing
10 working
11 meeting
12 to bring[take]
13 my[me] staying
14 hike → hiking
15 to meet → meeting
16 bring → bringing
17 treating → treated
18 On[Upon] hearing the news, she began to cry.
19 It is no use worrying about it.
20 Keeping the promise is important.
21 I am sure of his[him] being honest.
22 Sleeping late at night is bad for
23 forget shaking hands with him
24 busy looking for the lost wallet
25 for not answering your question

Lesson 06 분사구문

01 Speaking
02 (Being) Frustrated
03 closed
04 Traveling
05 Generally speaking
06 Considering
07 Judging from
08 Frankly speaking
09 Strictly speaking
10 As[Since, Because] it was hot
11 If you cross the road
12 Because[As, Since] I didn't hear the siren
13 Though[Although] he wasn't awarded
14 ×
15 spoken → speaking
16 ×
17 Comparing → Compared
18 Coming back home
19 Arriving at the library
20 It getting dark
21 Not knowing his number
22 Judging from his accent
23 with her legs crossed
24 Being written in German
25 Not knowing how to cook

Lesson 07 관계사

01 which[that]
02 which 생략 또는 which 뒤에 was 삽입
03 in 삭제 또는 where → which
04 why
05 wherever
06 whatever
07 where
08 when
09 No matter which
10 anything that
11 at any time when
12 in which
13 which[that]
14 which
15 which
16 that
17 We moved here in 2001, when our son was born.
18 There is a park where[in which] some concerts are held on Sunday.
19 The Persian cat whose eyes are big looks cute.
20 There is a store which[that] sells fresh fruits.

21 She is a singer whom[that] everyone knows.
22 No matter how cold it is
23 The bag which you bought
24 where she took a picture
25 the rule that they said

Lesson 08 접속사

01 but
02 when
03 nor
04 such
05 or
06 until[till]
07 that
08 As soon as
09 Unless
10 too, to
11 as well as
12 so that
13 not Rome → not in Rome
14 because of → because
15 although → before
16 such big problem → such a big problem
17 don't speak a word while you are having a meal
18 listened to my opinion though he was angry with me
19 decided whether you will go to graduate school or get a job
20 went not to the park but to the library
21 kept crying until her mother hugged her
22 both huge and beautiful
23 so that he could
24 too difficult, to read
25 as well as the students

Lesson 09 비교 구문

01 much
02 simple
03 more popular
04 can
05 the most popular sport
06 as slowly as possible
07 one of the richest people
08 metal is more useful
09 older than
10 The more, the faster
11 cuter, other boy
12 most precious
13 more
14 as
15 the most
16 players
17 many
18 wise
19 better
20 sour
21 most impressive
22 Eat the dish as soon as possible
23 one of the coziest hotels
24 faster and faster
25 10 times as large as

Lesson 10 가정법

01 Had we looked
02 Were it not for
03 had already forgotten
04 could wear
05 had, could pay
06 she knew the password to get into the file
07 I were brave enough to ask him more questions
08 had left, could have entered
09 it were not for your hard work
10 it had not been for his help
11 it not for the traffic jam
12 it not been for his coaching
13 knew
14 were sick
15 had not eaten
16 had seen
17 I had learned these skills when younger
18 he had been a boss of a store
19 If it were not for her advice
20 Had we won the game against the Saints
21 she were not guilty
22 it were not for dance
23 I were a professional baseball player
24 I had told my mom the truth last night[I had told the truth to my mom last night]
25 he had exercised more when young

Lesson 11 특수 구문

01 It is travel that makes me feel relaxed.
02 It was they that stopped playing smartphone games.
03 It is her room that she has to clean right now.
04 I did enjoy the party at your home.
05 Though poor, I was always satisfied with my life.
06 To some life is pleasure, to others suffering.
07 I told him not to open the box, but he wanted to.
08 Mom bought a nice dishes and Dad a pretty cup.
09 did I visit
10 was a ring
11 can we see
12 came the rain
13 will I pay
14 neither does my son
15 Never did I think
16 it flew
17 not 삭제 혹은 seldom 삭제
18 While she was walking, she met an old friend of hers.
19 Though he is old, he has a lot of energy and strength.
20 I didn't like to drive a car, but I had to drive a car.
21 I will come back in two days or three days.
22 None of them
23 not always
24 ran many players
25 so did

Lesson 12 일치와 화법

01 is
02 is
03 are
04 is
05 is
06 get
07 broke
08 comes
09 Every student at my school walks
10 Most of my expensive books were
11 Both Bill and his brother are
12 Some of these toys are
13 could
14 would go
15 is
16 finished
17 not to speak
18 if I could recognize
19 why she bought that
20 if she might use my
21 not to speak
22 The bottle is
23 Take this medicine
24 Don't cross
25 I have seen